D0281486

SANS PORTES NI FENÊTRES

ŒUVRES DU MÊME AUTEUR
(Traduites en français)

JULIA (Presses Pocket)
GHOST STORY (Presses Pocket)
KOKO (Robert Laffont)
SHADOWLAND (J'ai Lu)
LE DRAGON FLOTTANT (J'ai Lu)
TU AS BEAUCOUP CHANGÉ, ALISON (J'ai Lu)
MISTERY (Olivier Orban)

En collaboration avec Stephen King :
LE TALISMAN (Robert Laffont)

PETER STRAUB

SANS PORTES NI FENÊTRES

traduit de l'anglais
par Gérard Coisne

OLIVIER ORBAN

Titre original
HOUSES WITHOUT DOORS

Ouvrage publié
sous la direction de
Patrice DUVIC

ISBN 0-525-24924-9

ISBN 2-85565-708-3

Pour Scott Hamilton et Warren Vaché

SOMMAIRE

L'enfer est une maison aux portes murées
D'où pour toujours le soleil s'en est allé
L'enfer est une échelle sans barreaux
Ne menant plus ni en bas ni en haut

Emily DICKINSON

Elle aperçut un jeune sur le trottoir, vêtu d'un ample chandail noir et d'un pantalon, noir lui aussi. Les cheveux ébouriffés par le vent, un sourire illuminait son visage. Il est toujours agréable de voir quelqu'un sourire dans la rue. C'est même si rare que cela semble être devenu un don du ciel. Lorsque le jeune homme arriva à sa hauteur, elle vit qu'en réalité il ne souriait pas, mais qu'il pleurait : ses yeux étaient pleins de larmes. Il faisait froid à New York, ce jour-là; le temps était couvert et les gens avaient sorti les pulls et les vestes en laine des placards. Elle regarda le jeune homme s'éloigner, se demandant ce qui avait bien pu lui arriver. Il émanait de lui un curieux magnétisme qui forçait le regard; elle n'était d'ailleurs pas la seule à se retourner sur son passage.

Blue Rose

Pour Rosemary Clooney

1

C'était le plus fort de l'été; le soleil tapait. Harry et le petit Eddie, les deux plus jeunes des cinq fils Beevers, étaient assis sur les deux fauteuils cannés du grenier de la maison familiale dc South Sixth Street, à Palmyra, New York. M. Beevers appelait l'endroit « le débarras du haut » car c'était là qu'étaient relégués cartons pleins de nappes, piles de vestes et de manteaux, entassés par taille décroissante, et vieilles robes dégageant une odeur de moisi, témoignages momifiés de l'existence dorée qu'avait connue jadis Mme Beevers, Maryrose Beevers.

Dans le grand miroir mobile qui pouvait s'incliner sur son châssis, autre relique d'un passé révolu, Harry n'apercevait que l'arrière du crâne de son petit frère; seule la tête du petit Eddie, à la fragilité déconcertante, dépassait en effet du dossier de son fauteuil mais, même ainsi, Harry voyait bien que cette petite punaise n'en menait pas large.

« Écoute », dit Harry.

Le petit Eddie se tortilla sur son siège; le fauteuil fatigué dansa une seconde d'un pied sur l'autre – allait-il tomber à droite, à gauche ? –, puis retrouva son aplomb.

« Tu crois peut-être que je cherche à te faire marcher ? Je viens de l'avoir, cette année, alors tu penses !

– Peut-être, mais elle t'a pas tué, toi! répliqua le petit Eddie.

– Bien sûr que non, ballot. La Franken m'a toujours eu à la bonne. Elle m'a seulement tapé quoi, deux... trois fois? Mais y en a d'autres, pardon, c'est tous les jours qu'elle était dessus.

– Les zinstits, eh ben ils tuent pas les gens », s'obstina le petit Eddie, buté.

Âgé de neuf ans, le petit Eddie n'avait qu'un an de moins que lui, mais Harry savait que, au même titre que leurs trois frères aînés, son chat écorché de petit frère voyait en lui un adulte.

« La plupart, non, ils osent pas, admit Harry. Mais c'est une autre paire de manches quand ils ont le directeur dans leur poche. Quand, en plus, ils sont *lardés* de diplômes et que les autres profs en ont la trouille. Quand c'est comme ça, tu crois vraiment que ça leur fait peur, un meurtre? Qui c'est-y qui regretterait un sale morveux dans ton genre? Tiens, un jour, la Franken a pris à part cet avorton de Tommy Golz dans le vestiaire. Et tu sais ce qu'elle lui a fait, hein, dans le vestiaire? Eh ben, elle l'a tué, ouais, comme je te le dis! Les hurlements qu'il poussait, fallait voir! A la fin, on comprenait même plus ce qu'il disait; il pouvait même plus crier, tellement qu'il pissait le sang. Personne l'a jamais revu, et personne a jamais su au juste ce qui lui était arrivé. C'est la Franken qui l'a tué, et, à la rentrée, c'est elle qui va avoir le plaisir de s'occuper de ton cas. Tu peux commencer à numéroter tes abattis, mon p'tit Eddie, je te le dis. D'autant que tu lui ressembles beaucoup, au Tommy Golz », précisa gravement Harry en laissant à son petit frère le soin d'imaginer tout ce qu'impliquait la situation.

Comme s'il avait été frappé par la foudre, le visage du petit Eddie était à présent un masque où l'horreur le partageait à l'effroi.

En réalité, comme Harry le savait parfaitement, Tommy Golz avait été victime d'une crise d'épilepsie et n'était pas retourné en classe.

« La Franken a une sainte horreur des sales mioches égoïstes dans ton genre qui refusent de prêter leurs jouets.

– Mais je les prête, moi! gémit le petit Eddie, des larmes commençant à couler sur ses joues sales. Et pis, de toute façon, si je les prête pas, on me les pique, alors...

– Alors, donne-moi ton Coupé Sport! » trancha Harry.

C'était le cadeau d'anniversaire du petit Eddie, reçu trois jours plus tôt des mains d'un géniteur hilare, mais d'une mère nettement plus renfrognée.

« Ou alors, je le dis à la Franken à la rentrée d'octobre. »

Sous la poussière, le visage du petit Eddie se fit presque aussi gris que le blond cendreux de ses cheveux.

Un craquement de mauvais augure retentit à l'intérieur de la maison.

« Les enfants! Vous êtes encore à traîner là-haut? Descendez-moi de là tout de suite!

– Mais maman, s'écria Harry, on faisait juste que s'asseoir dans les fauteuils!

– Ne cassez rien, surtout! Et descendez! Im-médiatement! »

Le petit Eddie avait déjà bondi de son fauteuil; Harry lui bloqua le passage.

« Je te préviens, murmura-t-il, je veux cette bagnole. Si jamais tu me la donnes pas, je dirai à maman que tu fais l'andouille avec ses vieilles robes.

– Mais j'ai rien fait! se récria le petit Eddie en s'enfuyant vers l'escalier.

– On a rien cassé du tout, maman, juré! claironna Harry, désireux de grappiller encore un peu de temps. J'arrive tout de suite! » ajouta-t-il en se précipitant vers la caisse pleine de livres excitants qu'il avait remarquée quatre jours plus tôt, la veille de l'anniversaire du petit Eddie.

C'était d'ailleurs le but qu'il avait en tête lorsqu'il avait réussi à persuader son petit frère de l'accompagner au grenier. Le Coupé Sport, il n'y avait pensé qu'après coup.

Harry referma la porte du grenier, un vieux livre de poche écorné sous le bras. Le cœur gros et la hargne aux yeux, une petite voiture métallique bleue à la main, le petit Eddie l'attendait à la porte de la chambre qu'ils partageaient tous les deux avec Albert, leur troisième frère. Harry s'empara prestement du bolide et le fit disparaître dans une des poches de son jean.

« Quand c'est que tu me la redonnes, dis? voulut savoir le petit Eddie.

– Jamais, répondit Harry. Y a que les égoïstes qui veulent qu'on leur rende ce qu'ils ont donné. Faudra te le répéter combien de fois? »

Voyant le visage du petit Eddie se plisser, prêt à fondre en larmes, Harry lui montra le livre qu'il avait récupéré.

« Arrête de chialer, tu veux? J'ai pensé à toi, figure-toi : y a là-dedans des choses qui devraient la faire réfléchir, la Franken. »

Maryrose surgit devant lui alors que Harry n'était plus qu'à deux doigts du rez-de-chaussée, là où se déroulait l'essentiel de la vie de la maison. La disposition des lieux était simple : la cuisine, la salle de séjour, au sol recouvert d'un vieux lino passé, le débarras, le vrai, séparé par un lourd rideau de laine brune de l'espèce de cagibi qui servait de chambre à Edgar Beevers, et une dernière pièce, plus grande, où dormait Maryrose. Pièce où les enfants n'avaient jamais eu la permission d'entrer; ils auraient pu mettre en effet la pagaille dans les « papiers » de leur mère ou endommager les vieilles poupées, sagement alignées sur la banquette placée sous la fenêtre, seule chose dans la maison – dont Maryrose n'était d'ailleurs pas peu fière – qui pût prétendre à quelque distinction.

Harry se sentait dans ses petits souliers. Les cheveux ramenés en arrière du crâne par un chignon, les yeux rendus encore plus grands qu'ils n'étaient pas ses grosses lunettes et où, comme les ailes d'un oiseau, venaient perpétuellement s'accrocher les volutes de la fumée de sa cigarette, Maryrose Beevers n'avait jamais vraiment eu l'air d'une femme aimant à faire joujou avec ses vieilles poupées et c'était particulièrement vrai en cet instant.

Harry enfonça les mains dans ses poches et referma secrètement les doigts sur le Coupé Sport.

« Tout ce qui est là-haut vient de ma famille! Fais-moi voir ce que tu as pris. »

Harry haussa les épaules et, étant maintenant dangereusement à portée de main, tendit avec prudence le livre sur lequel il avait jeté son dévolu.

Maryrose s'en empara et, gênée par la fumée de sa cigarette, tordit le cou pour mieux voir la couverture.

« Hum! Tu as trouvé ça dans la caisse de vieux bouquins? C'est difficile à croire, mais ton pauvre père lisait, dans le temps! »

Elle loucha un instant sur le titre imprimé en travers de la couverture.

« *L'hypnose facile*. Il a dû acheter ça dans un drugstore. Ça t'intéresse, ce genre de choses? »

Harry hocha la tête.

« Je suppose que ça ne peut pas te faire de mal, dit-elle en lui rendant négligemment l'ouvrage. Les gens distingués lisent beaucoup. J'avais l'habitude de lire, moi aussi, avant de me retrouver coincée ici avec toute une ribambelle de gosses. Mon père avait des tas de livres. »

Maryrose fit le geste de lui caresser la tête mais retira sa main au dernier moment.

« Tu es l'intellectuel de la famille, Harry. C'est bien, continue. C'est comme ça qu'on fait son chemin dans la vie.

– A la rentrée, je te jure que je vais bosser.

– " Travailler ". Tu vas " travailler ". Cesse un peu de parler comme ton père, sinon tu n'arriveras jamais à rien. »

Harry ressentit cette blessure particulière, ce mélange de répulsion, de crainte et de honte qui l'emplissait toujours quand sa mère parlait de son père de cette façon. Il marmonna quelque chose qui pouvait passer pour un acquiescement et, rasant les murs, s'empressa d'aller chercher refuge à la cuisine.

2

Débordant d'un peu moins d'un mètre de chaque côté de la porte d'entrée, le porche servait d'entrepôt aux objets soit trop encombrants pour être mis dans le débarras, soit au contraire trop modestes pour être montés au grenier. A gauche de la porte, posés à même les lattes du plancher, trônaient une vieille balancelle et un canapé de Skaï vert avachi dont on avait tant bien que mal colmaté les déchirures avec du ruban adhésif noir ; à droite, où se tenait présentement Harry, une vieille glacière datant des premiers temps du mariage de ses parents voisinait avec deux chaises de camping branlantes que son père avait gagnées à un tournoi de cartes. Bref, le porche abritait tout ce qui n'avait pas droit de cité à l'intérieur de la maison. Tacitement considéré comme celui de son père, le côté gauche avait un aspect misérable que n'avait pas le côté maternel, plus pimpant, avec la balancelle et le canapé.

Harry s'assit en territoire neutre, juste dans l'axe de la porte, et sortit le Coupé Sport de sa poche. Il posa son livre à côté de lui, promena quelques instants la petite voiture métallique sur la couverture et, d'une bonne claque, l'envoya piquer du nez sur les lattes du plancher, traitement préliminaire qu'il renouvela plusieurs fois. Puis il repoussa son livre et, se grattant le ventre, propulsa le bolide du côté maternel.

Incapable de tenir sa route sur les lattes inégales, le Coupé Sport dérapa et fit un tonneau.

« Saloperie de bagnole », maugréa Harry.

Rageusement, il remit la voiture sur ses roues et l'expédia plus avant en territoire maternel; un fragile éclat de peinture se détacha d'une latte et retomba sur le toit du petit bolide, telle une capote miniature.

D'une pichenette, Harry envoya dinguer l'éclat de peinture et catapulta le Coupé du côté paternel, où il percuta la glacière et fit un nouveau tonneau. Il se précipita sur les lieux du drame et envoya vicieusement l'infâme mécanique sur la balancelle, sous la fenêtre de la salle de séjour. Le bolide rebondit et retomba sur le porche avec un bruit sourd.

Harry se laissa glisser contre la glacière. Il se sentait tout drôle dans sa tête, comme s'il avait le crâne bourré de sable mou. Il se releva, traversa le porche et contempla le Coupé d'un regard meurtrier. Il détestait cette saloperie de tacot. Juste pour voir, il monta dessus, mais le Coupé s'enfonça simplement dans la semelle de son mocassin. Très sport, ce coupé. Il essaya avec l'autre pied, et, en l'absence de résultat probant, se mit à sauter sur le bolide à pieds joints.

« Saloperie de voiture miniature! ragea-t-il. T'es pas belle, d'abord, espèce de tape-cul à la gomme! »

Avec ses chaussures, il n'arriverait à rien. Il ramassa le Coupé et enfonça le pouce entre la jupe et l'un des minuscules pneus. Le pneu bougea. Tout excité, Harry accentua sa pression et la petite rondelle noire alla rouler dans les mauvaises herbes qui poussaient devant le porche. Le souffle court, il fit sauter l'autre pneu avant, l'envoyant rejoindre son frère dans les mauvaises herbes, et jugea que le rebord de la fenêtre du cagibi où dormait son père avait besoin d'un ravalement énergique. Une pluie d'éclats de peinture se détacha du bois, mais le résultat en valait la peine : le toit du bolide était maintenant tout éraflé. Avisant un clou qui dépassait, il raya tout le côté gauche du Coupé; le gris métallique de la carrosserie apparut sous l'enduit, œuvre de décapage qu'il paracheva en frictionnant pareillement le côté droit. Puis, haletant, il fit sauter les deux pneus arrière; les trouvant beaux, il les mit dans sa poche.

Privé de ses pneus, tout éraflé et cabossé, le Coupé Sport avait à présent piètre allure. Satisfait, Harry lança l'épave dans les mauvaises herbes; pas assez loin, toutefois, car quelqu'un aurait pu se demander ce qu'étaient ces éclats gris et bleu au milieu des tiges. Il sauta dans ce qui avait été autrefois un jardin et, agitant les bras comme un fléau, battit l'herbe un moment pour que le Coupé ne fût plus visible.

Quand Maryrose apparut sur le porche, l'œil inquisiteur, Harry était paisiblement assis sur la balancelle, plongé dans les premières pages de son livre.

« Qu'est-ce que tu fabriques ? Qu'est-ce que c'est que tout ce boucan ?

– Je sais pas maman, répondit Harry, je faisais juste que lire ! »

3

« Tiens, t'es là, toi, sale morpion ? » s'exclama Albert en sautant sur le porche, une demi-heure plus tard.

Son visage et son tee-shirt étaient tous deux couverts de graisse et de cambouis. Petit, râblé, tout en muscles pour ses treize ans, Albert passait le plus clair de son temps au garage de la station-service, à deux pâtés de maisons de là. Harry savait que son frère aîné ne l'aimait pas beaucoup. Albert leva un bras menaçant et esquissa du poing un crochet ; Harry se recula instinctivement. Comme pour leurs deux autres frères aînés, Sonny et George, aujourd'hui chacun dans un camp militaire, l'un dans l'Oklahoma, l'autre en Allemagne, il avait souvent servi de souffre-douleur à Albert. Il n'y en avait pas un pour racheter l'autre, et Maryrose s'était bien souvent arraché les cheveux d'avoir mis pareille engeance au monde.

Albert éclata de rire, lança le poing à quelques centimètres seulement du visage de Harry et, pour faire bonne mesure, lui fit sauter son livre des mains.

« Merci ! » dit Harry.

Hilare, Albert l'abandonna sur le porche et rentra. Presque immédiatement, Harry entendit sa mère pousser des cris d'orfraie à la vue du cambouis qui maculait les vêtements de ce délicieux Albert, puis, un instant plus tard, celui-ci monter pesamment au premier.

Les poings serrés, guettant le claquement de la porte de la chambre, Harry se leva et récupéra son livre. Quand Albert était à côté de lui, il avait toujours l'impression d'étouffer. Le petit Eddie se mit à pleurer à fendre l'âme ; Maryrose annonça qu'elle allait lui en coller une bonne s'il ne la fermait pas, ce qui eut l'heur de le calmer sur-le-champ. Après quoi, chacun ayant enfin consenti à faire silence, le calme reprit possession de la maison. Harry retourna s'asseoir sur la balancelle, retrouva sa page et se replongea dans sa lecture.

L'auteur de *L'hypnose facile*, un certain Dr Roland Mentaine, usait d'un vocabulaire qui lui passait largement au-dessus de la tête, et employait des mots tels que harmoniser, ineffable ou régénérer. Certaines de ses phrases comportaient tellement de subordonnées que Harry s'y perdait le plus souvent. Cependant, ayant commencé l'ouvrage sans trop se faire d'illusions et s'attendant plus ou moins à n'y rien comprendre, il en trouvait la lecture si captivante qu'il dévora presque d'une traite le chapitre intitulé « Les pouvoirs de l'esprit ».

Il fut très heureux d'apprendre que l'hypnose pouvait aider à prévenir le tabagisme, le bégaiement et l'incontinence d'urine. Lui-même, peu après son neuvième anniversaire, avait mouillé ses draps presque toutes les nuits, même s'il ne pissait plus au lit depuis un certain rêve – un rêve très agréable, qu'il avait fait un soir. Dans son rêve, il était dans un château et, tenaillé par une terrible envie d'uriner, courait le long de couloirs peuplés d'armures de chevaliers et de flambeaux dégoulinants de cire. Ayant enfin aperçu une porte ouverte, il avait découvert, émerveillé, des toilettes comme jamais il n'en avait vu. Le sol était de marbre poli, les murs de carreaux blancs. Alors qu'il n'osait s'avancer, intimidé par tant de splendeur, d'un geste stylé, un majordome en livrée l'avait invité à s'approcher de la longue rangée d'urinoirs. La braguette déjà ouverte, Harry ne se l'était pas fait dire deux fois, et, plongeant la main dans son caleçon, avait réussi à sortir sa ziquette juste à temps. Il s'était réveillé juste à ce moment-là.

Avec l'hypnose, on pouvait pénétrer dans l'esprit de quelqu'un et lui faire faire des choses. On pouvait le faire parler dans une langue étrangère, quand bien même il ne l'aurait entendue qu'une seule fois, ou bien lui faire croire qu'il était retombé en enfance. Amusé, Harry imagina un instant ce bon vieil Albert changé en marmot braillard, le paquet aux fesses, en train de ramper par terre en bavant tout ce qu'il savait.

De même, et c'était une idée nouvelle pour Harry, il était possible de faire revivre à quelqu'un les vies qu'il avait vécues avant sa naissance. Ce processus de renaissances successives s'appelait la réincarnation. Certains des patients du Dr Mentaine avaient ainsi été pharaons, boucaniers à l'île de la Tortue, assassins, romanciers, artistes. Tous ces gens se souvenaient des lieux où ils avaient habité, du nom de leurs parents, de leurs enfants ou de leurs domestiques, des magasins où ils faisaient leurs courses. Génial, non ? Harry se demandait si quelqu'un ayant commis un meurtre au cours d'une existence antérieure, gardait le souvenir du couteau qui s'enfonçait ou du marteau qui s'abattait. Il avait remarqué que beaucoup des ouvrages qui dormaient dans la caisse du grenier semblaient des biographies d'assassins célèbres. Mais il était sans doute inutile d'essayer de faire revivre à Albert une de ses vies antérieures : s'il avait vraiment vécu plusieurs existences, il n'avait pu être qu'un objet inanimé, un vulgaire caillou, quelque chose d'à peu près aussi vif qu'une enclume.

Non, dans une autre vie, Albert aurait été l'arme du crime, pas le cerveau.

« Hé! l'intello! fais gaffe, tu vas finir binoclard! »

Harry releva le nez de son livre et aperçut sur le trottoir la casquette de base-ball et le tee-shirt de M. Petrosian, un voisin qui habitait une vieille bicoque non loin du bar faisant l'angle de South Sixth Street et de Livermore Street. M. Petrosian avait toujours un mot gentil en passant, mais Maryrose ne voulait pas que Harry et le petit Eddie lui parlent, disant qu'il n'était qu'un vieil imbécile. Il était gardien à la compagnie du téléphone et engloutissait une caisse de bières tous les soirs en prenant le frais sous son porche.

« Moi ? dit Harry.

– Oui, toi! Continue à lire, mon gars, c'est comme ça qu'on s'instruit. »

Harry sourit sans se compromettre. M. Petrosian fit un grand geste et rentra chez lui à pas traînants, tout à côté du Pause Café, le bien nommé.

Quelques secondes plus tard, Maryrose surgit sur le porche, un vieux torchon à vaisselle à la main.

« Qui c'était ? J'ai entendu quelqu'un.

– Lui, dit Harry en tendant le bras vers l'échine corpulente de M. Petrosian, maintenant à mi-chemin du carrefour.

– Qu'est-ce qu'il a dit ? Comme si ça avait le moindre intérêt, de toute façon, venant de la part d'un concierge arménien!

– Il m'a appelé l'intello. »

Surpris, Harry vit sa mère sourire.

« Albert dit qu'il veut retourner à la station ce soir, et il faut que je me prépare pour aller au boulot. »

Maryrose travaillait de nuit à l'hôpital St. Joseph.

« Dieu sait quand ton père va rentrer. Tâche de vous préparer à manger, pour toi et le petit Eddie, tu veux ? Je suis débordée, comme d'habitude.

– J'irai acheter quelque chose au Big John's. »

Le Big John's, un endroit magique aux yeux de Harry, était un snack qui s'était ouvert l'été précédent sur une parcelle libre de Livermore Street, à une centaine de mètres du Pause Café.

Sa mère lui tendit deux dollars soigneusement pliés et il les fourra dans sa poche.

« Ne laisse pas le petit Eddie tout seul à la maison, dit-elle en rentrant pour se préparer. Emmène-le ; autrement, tu sais qu'il a peur.

– Mais oui », dit Harry en se replongeant dans son livre.

Il termina le chapitre consacré aux « Pouvoirs de l'esprit », notant, presque sans y penser, le départ de sa mère pour l'arrêt de bus, au coin de la rue, puis celui d'Albert, un peu plus tard, plus bruyant. Le petit Eddie était dans la salle de séjour, planté devant un de ses stupides feuilletons télé. Harry tourna la page et entama « Les techniques de l'hypnose ».

4

A huit heures et demie ce soir-là, Harry et le petit Eddie étaient assis dans la cuisine, de chaque côté de la table en formica jaune bambou. De la salle de séjour, leur parvenait l'écho du sabir pseudo-allemand dont Sid Caesar régalait Imogene Coca dans *Your Show of Shows*. Le petit Eddie prétendait avoir peur de Sid Caesar, mais, quand Harry était revenu du Big John's avec un gros Johnburger (avec tout « le tremblement ») pour lui, et un Mama Marydog (du nom de la femme du gros John) pour Eddie, deux barquettes de frites et deux milk-shakes au chocolat, il l'avait trouvé assis devant l'écran, le visage baigné de larmes. D'habitude, Eddie adorait les Mama Marydogs, mais il avait à peine mordu dans le sien et, inconsolable d'avoir été laissé tout seul, touillait machinalement son ketchup avec une frite. Comme il n'arrêtait pas de se frotter les yeux, des traînées de ketchup à demi séché lui salissaient les joues.

« Maman avait dit de pas me laisser tout seul, dit le petit Eddie. Si ! j'ai entendu quand elle l'a dit ! C'était pendant *The Edge of Night*, quand t'étais sur le porche. Je lui dirai ! »

Sur ces paroles moins bien senties qu'il ne l'aurait voulu, le petit Eddie reporta son attention sur sa frite et l'extirpa de la mare de ketchup où elle baignait.

« J'ai peur de rester tout seul. »

En plus geignard, un peu comme un disque qui tournerait à la mauvaise vitesse, on aurait cru entendre la voix de Maryrose.

« Arrête tes vannes, tu veux ? grogna Harry, se voulant conciliant. Comment peut-on avoir peur dans sa propre maison ?

– J'ai peur d'aller au grenier, dit Eddie en gobant sa frite sanguinolente. Y a des bruits, là-haut. »

Un peu de ketchup perla aux commissures de ses lèvres.

« Tu devais m'emmener.

– Oh ! pour l'amour du ciel, arrête d'en faire tout un plat ! Dirait-on pas ! Je suis juste allé chercher de quoi manger ; je suis revenu aussi sec. Je t'ai rapporté quelque chose, non ? Et ce que tu préfères, en plus ! »

En réalité, Harry préférait aller au Big John's tout seul parce qu'il pouvait ainsi parler au gros John et l'écouter exposer ses théories. Le gros John se présentait comme un « papiste renégat » et voyait en Hitler le plus grand homme du XXe siècle, suivi de près par le padre Pio, dont les paumes portaient les stigmates de la Passion, puis par Elvis Presley.

Tout ceci se passait il y a bien longtemps, à une époque qualifiée généralement, mais à tort, de plus simple, où l'on n'avait pas encore entendu parler des Kennedy, de féminisme et d'écologie, bien avant la présidence de Richard Nixon et l'affaire du Watergate, bien avant qu'il n'y ait des soldats américains, parmi lesquels un Harry Beevers de vingt et un ans, au Viêt-nam.

« Ça fait rien, dit le petit Eddie en plongeant une autre frite dans son ketchup, je lui dirai quand même ! Cette voiture, c'était mon cadeau d'anniversaire, ajouta-t-il en se mettant à renifler bruyamment. Albert m'a battu et, toi, tu m'as volé ma voiture. Tu m'as laissé tout seul alors que tu sais très bien que j'ai peur. Je veux pas aller avec Mme Franken à la rentrée : elle va me battre et me faire du mal. »

Harry avait presque oublié l'épisode de Mme Franken et de Tommy Golz ; il avait même oublié ce qu'il avait fait du cadeau d'anniversaire de son petit frère.

La tête rentrée dans les épaules, le petit Eddie risqua un coup d'œil plein d'espoir en direction de son frère.

« Redonne-moi mon Coupé Sport, Harry. Si tu me le rends, je dirai rien à maman.

– Le Coupé est très bien là où il est, répliqua Harry. Comme qui dirait dans un endroit secret, en sécurité.

– T'as cassé ma voiture ! se mit à hurler Eddie. Tu l'as cassée, je le sais !

– La ferme ! » aboya Harry.

Le petit Eddie se recroquevilla.

« Tu vas finir par me rendre cinglé, tu sais ? »

Se rendant compte qu'il était à moitié levé, penché au-dessus de la table, et que le petit Eddie, apeuré, était prêt à éclater de nouveau en larmes, Harry se rassit.

« Arrête de crier comme ça!

– T'as fait quelque chose à ma voiture! s'obstina le petit Eddie qui ne voulait pas en démordre. Je le sais!

– Écoute, dit Harry, je vais te prouver que ta voiture n'a rien. »

Et, pour montrer sa bonne foi, Harry sortit deux pneus de sa poche et les déposa au creux de sa paume.

Le petit Eddie y jeta un regard avide, cligna des yeux puis tendit timidement la main.

Harry referma le poing.

« Alors, je leur ai fait quelque chose?

– Tu les as ôtés!

– Peut-être, mais y z'ont pas l'air super, intacts et tout? »

Harry ouvrit le poing, le referma aussitôt et fit disparaître les pneus dans sa poche.

« J'ai pas voulu te montrer toute la voiture parce que ça t'aurait tout retourné. Et c'est pas la peine, vu que tu me l'as donnée. Tu t'en rappelles, au moins? Je t'ai juste montré les pneus pour que tu voies que tout est au poil. C'est bon, maintenant? T'as vu? Satisfait? »

Le petit Eddie hocha lamentablement la tête.

« Ah! Je t'avais dit que je t'aiderais.

– Pour Mme Franken? »

Le visage barbouillé du petit Eddie retrouva subitement goût à la vie.

« Oui. T'as déjà entendu parler d'hypnose?

– Bien sûr que j'ai entendu parler d'hypose, se récria le petit Eddie. J'ai même vu un hypotiseur, une fois.

– Hypnotiseur, andouille, pas hypotiseur.

– Hypotiseur, oui. J'en ai vu un à la télé. Dans *As the World Turns*. Un homme endormait une femme et lui faisait croire qu'elle allait avoir un bébé. »

Harry ne put s'empêcher de sourire.

« C'était du bidon. Ce qu'on voit à la télé, c'est du pipeau. J'ai trouvé un bouquin au grenier qui parle de tout ça. »

Le petit Eddie semblait avoir digéré le vol du Coupé Sport.

« C'est quoi, alors, la véritable hypose?

– Avec l'hypnose, tu peux faire des choses étonnantes, répondit Harry, citant le Dr Mentaine. L'hypnose fait sauter les barrières mentales et permet à l'homme d'utiliser toutes les ressources de son esprit. En t'y mettant tout de suite, t'auras aucun mal à suivre le programme à la rentrée. La Franken aura beau être sans arrêt derrière ton cul, les doigts dans le nez, que t'y arriveras. Comme moi. »

Harry tendit le bras par-dessus la table et prit le petit Eddie par le poignet, sauvant une frite ramollie d'une noyade certaine dans le ketchup.

« Et puis, y a pas qu'à l'école que ça te ferait du bien. Ça coûte rien d'essayer ; tu vas voir, tu vas devenir beaucoup plus fort que tu crois. »

Eddie cilla, impressionné.

« Avec l'hypnose, t'auras plus peur pour un oui ou pour un non. L'hypnose, c'est vraiment un truc génial. Tiens, dans le bouquin, y a l'exemple d'un type qu'avait peur des ponts. Rien qu'à l'idée de traverser un pont, il avait les foies et commençait à trembler. Y lui arrivait rien que des tuiles. Il perdait son boulot, enfin des tas de trucs comme ça. Un jour qu'il devait absolument traverser un pont, alors qu'il était pourtant en voiture, il en a carrément fait dans son froc. Eh ben, il est allé voir le Dr Mentaine et le Dr Mentaine l'a hypnotisé. Il lui a dit qu'il aurait plus jamais peur des ponts, et c'est ce qui est arrivé. »

Harry sortit le livre de la poche arrière de son jean et l'ouvrit à plat sur la table.

« Tiens, écoute ça, dit-il en se mettant à lire d'une voix hachée, transporté par son sujet. “ Suite à une thérapie sous hypnose, on peut souvent constater des améliorations dans tous les domaines de la vie des personnes traitées, et on obtient souvent des résultats que les patients eux-mêmes n'auraient pas cru possibles. ”

– L'hypose pourrait me rendre fort ? s'enquit le petit Eddie, n'ayant retenu que cet aspect de la question.

– Comme un Turc.

– Aussi fort que toi ?

– Beaucoup plus fort. Et même plus fort qu'Albert.

– Je pourrais me défendre quand y aura des grands qui voudront me battre ?

– C'est écrit. Y a qu'à lire. »

Eddie bondit de sa chaise en poussant des cris inarticulés, gonfla ses biceps filiformes et prit un instant la pose, bombant le torse.

« Alors, qu'est-ce t'en dis d'essayer ? » demanda Harry.

Le petit Eddie se rassit et regarda son frère attentivement. Il était si maigre que le col de son tee-shirt flottait autour de son cou et bouffait sur sa poitrine, sans même lui toucher la peau.

« J'aimerais bien.

– A la bonne heure! T'as raison, Eddie, dit Harry en refermant son livre. Bon, montons au grenier.

– Non! Je veux pas y aller! » protesta le petit Eddie.

La tête penchée de côté, son attitude n'était pas sans rappeler celle de Maryrose; le soupçon s'était glissé dans ses yeux.

« T'inquiète pas, dit Harry, je veux rien te piquer. Mais y faut pas qu'on soit dérangés. Y a pas de meilleur endroit que le grenier pour ça. »

Songeur, le petit Eddie glissa la main dans l'échancrure de son tee-shirt. Le poignet en bandoulière, on aurait dit un blessé, le bras passé en écharpe.

« Arrête de tirer sur ton tee-shirt, dit Harry. T'es en train de tout l'élargir. »

Eddie retira la main de son col.

« Albert pourrait débarquer à n'importe quel moment et tout faire louper, si on faisait ça dans la chambre.

– Alors, tu montes le premier et t'allumes la lumière », dit le petit Eddie.

5

Harry ouvrit le livre sur ses genoux et considéra un bref instant la frimousse sale et attentive de son frère. Sous le porche, tout l'après-midi, il avait lu son sujet plusieurs fois. L'hypnose se résumait à quelques étapes simples dont chacune menait à la suivante. En tout premier lieu, il fallait être dans de bonnes conditions pour commencer, « réceptif et détendu », selon les termes du Dr Mentaine.

Le petit Eddie s'agitait sur son fauteuil; il ne cessait de croiser et de décroiser les mains. Sous l'ampoule suspendue au-dessus de leurs têtes, son ombre, tel un petit singe assis à ses pieds, semblait aussi menue que lui.

« Allons-y, dit le petit Eddie. Je veux devenir fort.

– Bon, première chose, dit Harry, il faut que tu sois détendu. Mets tes mains sur tes genoux; pose-les simplement, comme ça, les doigts bien à plat. Puis ferme les yeux et respire à fond plusieurs fois. Tu te sens aussi bien que si t'allais t'endormir.

– Mais j'ai pas envie de dormir!

– C'est pas vraiment comme si tu dormais, ça y ressemble, c'est tout. En vrai, tu resteras éveillé, mais tu seras calme et détendu. Autrement, ça marcherait pas. Y va falloir que tu fasses tout ce que je vais te dire. C'est ça ou continuer à te ramasser des volées toute ta vie. Alors, écoute attentivement tout ce que je vais dire.

– D'accord. »

Faisant un effort visible pour se détendre, le petit Eddie plaça ses mains sur ses cuisses et se mit à respirer bien à fond.

« Maintenant, ferme les yeux. »

Le petit Eddie ferma les yeux.

L'affaire était dans le sac; s'il faisait tout ce que le livre disait de faire, il en était sûr, les choses allaient se passer comme sur des roulettes.

« Bon, t'as qu'à écouter le son de ma voix, commença-t-il en s'efforçant de parler posément. Tu te sens déjà beaucoup mieux, détendu, comme si t'étais dans ton lit. Plus tu m'écoutes, plus tu te sens bien. Plus de soucis, plus d'ennuis. T'es simplement assis là, tu respires calmement et t'as de plus en plus sommeil. »

Harry jeta un bref coup d'œil à sa page pour être sûr de ne pas commettre d'erreur, puis poursuivit.

« C'est comme si t'étais couché. Plus t'entends ma voix, plus tu te sens lourd et plus t'as envie de dormir. Le reste a plus d'importance; tout ce qui compte, c'est ma voix. Tu te sens fatigué, fatigué mais bien, exactement comme avant de dormir. T'es détendu; tu sens tous tes muscles se relâcher, tout ton corps. »

Harry se pencha vers son frère et lui frappa légèrement le dos de la main droite. Confortablement assis sur son fauteuil, les yeux clos, le petit Eddie respirait profondément, le souffle régulier. Il fallait maintenant procéder avec prudence.

« Je vais compter jusqu'à dix. Chaque fois que je dirai un chiffre, ta main droite deviendra de plus en plus légère. A la fin, tu la sentiras même plus. A dix, tu te toucheras le bout du nez et tu t'endormiras profondément. Attention, je commence. Un. Ta main est déjà moins lourde. Deux. Beaucoup moins lourde. Trois. Elle bouge. Quatre. »

Soumise, la main droite du petit Eddie quitta son genou.

« Cinq. »

Puis s'éleva de quelques centimètres.

« Ta main est de plus en plus légère; chaque fois que je dis un chiffre, elle se rapproche de plus en plus de ton nez. T'as de plus en plus sommeil. Six. »

La main s'éleva encore; il n'y avait qu'à compter.

« Sept. »

La main du petit Eddie pendait maintenant comme un oisillon endormi à mi-chemin de ses genoux et de son nez.

« Huit. »

Elle s'éleva presque jusqu'à son menton.

« Neuf. »

Puis sa bouche.

« Dix. Là, ça y est! Tu dors. »

L'index délicatement dessiné et barbouillé de rouge du petit Eddie vint se poser sur le bout de son nez et ne bougea plus. Harry se redressa contre le dossier de son fauteuil. Il avait le cœur qui battait si fort qu'il craignait de réveiller cette petite vipère, mais il ne semblait pas y avoir de danger de ce côté-là : le petit Eddie dormait comme un sonneur. Harry s'appliqua à respirer calmement.

« Maintenant, tu peux laisser retomber ta main. Ton sommeil est de plus en plus lourd, de plus en plus profond. »

La main du petit Eddie voleta jusqu'à ses genoux.

Harry était en nage; ce n'était plus un grenier, mais un four. Ses doigts laissaient des empreintes grasses sur les pages du livre. Il s'essuya le front avec sa manche et observa son petit frère. Le petit Eddie était si confortablement calé dans son fauteuil que sa tête n'était même plus visible dans la psyché. Tout était calme et tranquille; le temps semblait s'être arrêté. Le grenier retenait son souffle, attendant ce qui allait maintenant se passer. Harry avait l'impression d'être enfermé dans une cloche de silence, cerné par les malles, poussées sous le réduit mansardé de l'avant-toit, et les vieilles robes poussiéreuses de Maryrose, pendues au portant. Il s'essuya les mains sur les genoux de son jean et entama solennellement une nouvelle page, tel un homme qui aurait passé la moitié de sa vie dans les bibliothèques.

« Assieds-toi bien droit », dit-il.

Le petit Eddie se rencogna dans son fauteuil.

« Maintenant, on va vérifier si ça marche vraiment. Disons que c'est un test. Tends le bras droit bien à l'horizontale. Allez, vas-y. C'est pour te montrer toute la force que tu peux avoir. »

Le petit Eddie tendit un bras pâlichon, tout raide de l'épaule au poignet; seuls ses doigts pendaient librement. Harry se leva.

« Excellent », jugea-t-il.

Il s'empara du bras tendu, tâta les maigres muscles de son frère pour en éprouver la fermeté et redressa doucement la main pour la mettre exactement dans le prolongement du bras.

« Écoute bien, maintenant. Ton bras va se raidir, devenir de plus en plus dur. Aussi dur qu'une barre d'acier. Tu craindras plus personne; même Superman, y faudrait qu'il s'accroche. »

Harry lâcha le bras de son frère et se recula d'un pas.

« C'est ça! Ton bras est tellement dur que tu peux plus le plier, même si t'y mettais toutes tes forces. C'est plus un bras, c'est une barre à mine. Il est devenu tellement dur que tu peux plus le plier. Vas-y, essaie. Essaie de plier le bras. »

Le front plissé, le petit Eddie eut beau grincer des dents, rien n'y fit; son bras refusa de plier.

« Super! tu te débrouilles comme un chef. Bon, maintenant, détends-toi. Je vais compter jusqu'à dix; tu vas sentir tous tes muscles se relâcher. A dix, ton bras sera à nouveau normal. »

Harry commença à compter; à dix, la main du petit Eddie se posa mollement sur ses genoux.

Harry regagna son fauteuil et considéra son frère d'un œil satisfait. Il était maintenant sûr de réussir le prochain exercice, celui que le Dr Mentaine appelait « l'exercice des chaises ».

« Maintenant que t'as pu constater que ça marchait, on va passer aux choses sérieuses. Lève-toi. »

Harry se leva lui aussi et rapprocha son fauteuil de celui de son frère, laissant environ une distance d'un mètre vingt entre les deux.

« Écoute-moi bien, tu vas t'étendre entre ces deux fauteuils; la tête sur le tien, les pieds sur le mien. T'occupe pas de tes mains, garde-les le long du corps. »

Dressé sur les bras, le petit Eddie posa docilement la nuque sur le siège de son fauteuil, puis leva une jambe et la plaça sur le second fauteuil; le visage trahissant une certaine perplexité, il leva ensuite l'autre et ramena les bras autour de la poitrine. Il ressemblait à un agité condamné à la camisole de force.

« Reste comme ça, bien raide. Ton corps est un bloc de béton, plus dur que l'acier; sens comme t'es fort. Tu pourrais rester des heures étendu comme ça, tu t'en rendrais même pas compte. T'es aussi bien que si t'étais couché dans ton lit. »

Les traits du petit Eddie se détendirent et ses bras se relâchèrent. Tendu entre les deux fauteuils comme une corde à linge, à croire qu'il avait fait cela toute sa vie, il respirait tout à fait normalement.

« T'es de plus en plus fort; tu pourrais soulever n'importe quoi. Un éléphant, même, si ça se trouve. Tiens, tu vas voir, je vais m'asseoir sur ton ventre. »

Avec précaution, Harry se jucha sur l'estomac de son frère et souleva les pieds du sol. Rien ne se passa. Il compta lentement jusqu'à quinze et se leva.

« Bon, attention, maintenant, je te grimpe carrément dessus. »

Harry alla rapidement chercher un tabouret de piano brodé de bouquets de roses, se déchaussa, monta sur le tabouret et posa un pied sur le ventre creux de son petit frère. Le fauteuil de droite, celui où reposait la tête, oscilla dangereusement; Harry se figea, mais le fauteuil tint bon. Il leva l'autre pied et fit passer tout son poids sur le ventre de son frère; le fauteuil, le petit Eddie imperturbable, rien ne bougea.

Pour voir ce que cela allait donner, simple exercice d'assouplissement, Harry se mit à sautiller sur la pointe des pieds. Le petit Eddie ne broncha pas. Décidant de corser l'affaire, Harry se lança et décolla de deux centimètres; opération qu'il renouvela, en l'absence de réaction notable de la part du petit Eddie, cinq, six, sept, puis huit fois, avant de s'arrêter, hors d'haleine.

« Tu sais que tu m'épates? confia-t-il en reprenant pied sur le tabouret. Bon, maintenant, détends-toi, repos. Ton corps redevient mou. Relève-toi et rassieds-toi. »

Ayant déjà commencé à retirer timidement une jambe, le petit Eddie se cassa en deux et se reçut lourdement sur le derrière. Harry connut un instant de frayeur en voyant son fauteuil (enfin, celui de Maryrose) se renverser, mais celui-ci retomba sans dommages sur une pile de vieux manteaux.

Le petit Eddie se redressa maladroitement et, raide comme un robot, resta assis par terre. Il avait les yeux ouverts, mais semblait ne rien voir.

« Pas par terre, dit Harry. Sur ton fauteuil! »

Il ne se rappelait pas avoir sauté du tabouret, mais c'était pourtant le cas. La sueur lui coulait dans les yeux, et il s'épongea le front avec la manche de sa chemise. Pendant un moment, il avait bien cru que les choses allaient tourner à la catastrophe. Comme un somnambule, le petit Eddie se releva et s'assit.

« Ferme les yeux. T'as de plus en plus sommeil. Tes paupières se ferment. »

Comme si rien ne s'était passé, le petit Eddie se laissa doucement aller contre le dossier de son fauteuil. Avec les plus grandes précautions, Harry redressa le sien et reprit son livre. Les lignes dansaient devant ses yeux; il secoua la tête, mais les mots refusèrent de former des phrases. Il se frotta les yeux; des taches rouges explosèrent sous ses paupières. Lorsqu'il rouvrit les yeux, ayant retrouvé une vision normale, il découvrit qu'il n'avait plus tellement envie de continuer. Il faisait trop chaud; il était fatigué et avait encore des sueurs froides au souvenir du fauteuil qui avait failli glisser lorsqu'il était monté sur le petit Eddie. « Suggestion post-hypnotique », lut-il au détour d'une page.

« Tiens, on va encore essayer un truc. Écoute bien, Eddie, si on y arrive, ça va nous avancer sérieusement. »

Harry referma son livre, connaissant le chapitre par cœur. Il n'avait d'ailleurs qu'à utiliser les mêmes mots que le Dr Mentaine. *Blue Rose.* C'était le titre d'un air de jazz et il ne savait pas pourquoi, mais il aimait bien l'association des deux mots.

« Je vais dire une phrase, deux mots. Chaque fois que tu les entendras, tu tomberas dans un profond sommeil. Tu m'écoutes ? *Blue Rose. Blue Rose,* oublie pas. Ce sera un code entre nous, tu comprends ? Chaque fois que tu m'entendras dire *Blue Rose,* tu t'endormiras aussitôt, comme en ce moment, et tu deviendras fort comme un bœuf. Mais c'est un secret qui doit rester entre nous; faudra en parler à personne. Répète, que je voie si t'as bien compris.

– *Blue Rose,* dit le petit Eddie d'une voix ensommeillée.

– Bien. Je vais compter jusqu'à dix; à dix, tu te réveilleras. T'auras aucun souvenir de ce qui s'est passé et tu te sentiras en pleine forme ! Dix... »

Le petit Eddie s'étira, bâilla; ses bras retombèrent le long de son corps, un de ses pieds heurta rudement le plancher; A dix, il ouvrit les yeux.

« Ça a marché ? s'écria-t-il. Qu'est-ce que j'ai fait ? Je suis devenu fort ?

– Comme un taureau, dit Harry. Mais il se fait tard, vaudrait mieux redescendre. »

Pensée on ne peut mieux inspirée, car, avant même qu'ils aient eu le temps d'atteindre la chambre, la porte d'entrée s'ouvrit avec fracas. Quintes de toux, enrouements, jurons étouffés, arrêt bruyant à la salle de bains : Edgar Beevers venait de rentrer.

6

Les trois plus jeunes fils Beevers dormaient tous les trois dans la grande chambre du premier, juste à côté de l'escalier du grenier, le « dortoir », comme ils l'appelaient. Située directement au-dessus de celle de Maryrose, cette chambre était de dimensions presque identiques, mais il n'y avait pas de banquette sous la fenêtre, et la cage de l'escalier occupait tout un angle. Quand leurs deux frères aînés étaient encore à la maison, Harry et le petit Eddie avaient dormi ensemble. Albert partageait le lit de Sonny; seul George, qui, lorsqu'il s'était engagé, faisait déjà plus d'un mètre quatre-vingts et dépassait les quatre-vingt-dix kilos, dormait seul. Sonny en avait vraiment fait voir de toutes les couleurs à Albert, et, à la seule mention du nom de George, Harry ne pouvait s'empêcher de frémir.

Il était très tard. Albert dormait, allongé sur ses draps. La lumière de la rue qui filtrait à travers les fins rideaux blancs dessinait des ombres inquiétantes sur les muscles de ses épaules. Les voix de Maryrose et d'Edgar, l'une d'une froideur de marbre, l'autre empâtée par l'ivresse, montaient du rez-de-chaussée.

« Comment ça, un bon à rien ? Et puis d'abord, ce n'est pas vrai, je ne passe pas mon temps à me tourner les pouces!

– A part traîner toute la journée dans les bars et torcher ce que tu as gagné la veille, je ne vois pas trop ce que tu fais d'autre! Parfaitement, Edgar Beevers, un bon à rien, voilà ce que tu es! Ah! si mon père était encore vivant, tiens!

– Je ne suis tout de même pas si mauvais cheval que ça.

– Dans le genre tocard, tu te défends, ça oui!

– Albert », dit soudain le petit Eddie, ne dormant pas encore.

Comme piqué par une guêpe, Albert se dressa d'un bond et expédia un crochet dans la nuit.

« J'ai rien fait, moi! » s'écria Harry en se recroquevillant tout au fond de son lit.

Il savait que le coup lui était destiné; Albert était simplement trop fainéant pour se lever et préférait passer ses nerfs sur le petit Eddie.

« Ce que vous pouvez être tuants, tous les deux! dit Albert. Vous avez de la chance que je sois si fatigué, sinon...

– Harry... insista le petit Eddie... eh ben il m'a volé ma voiture. Celle que j'ai eue pour mon anniversaire. Dis-lui qu'il me la rende, Albert!

– J'avais à peine dix-sept ans, dit la voix de Maryrose dans l'escalier. Un jour, à la fin de l'été, mon père a dit à ma mère : " Chérie, j'emmène notre belle petite Maryrose, elle n'a plus rien à se mettre. " Depuis le salon, il m'a crié de me faire belle et de me dépêcher. Mon père était un gentleman, un vrai; j'aime autant te dire que je n'ai pas traîné. Je le revois encore en train de m'attendre au pied de l'escalier, avec son beau costume brun, son nœud papillon rouge et son canotier. Oui, je le revois comme si c'était hier. Il m'a pris la main et on est sortis comme des amoureux. Parfaitement. Bras dessus bras dessous, on a descendu l'allée du jardin, qu'il avait tracée et construite tout seul, alors que ce n'était pas du tout son métier, et on a remonté Majeski Street. En ce temps-là, la rue fréquentée par les gens chic, enfin tous ceux qui comptaient, c'était South Palmyra Avenue.

– Mon pauvre Harry, dit Albert. Tu mériterais que je te fasse sauter les dents, tiens!

– Il m'a pris ma voiture, Albert. Il me l'a volée; je veux qu'il me la redonne. Il l'a toute abîmée, j'en suis sûr. S'il me la redonne pas, j'en *mourirrais.* »

Semblant se souvenir de son existence, Albert se souleva sur un coude et tourna la tête vers le petit Eddie qui se mit aussitôt à pleurnicher.

« Sale morveux! Si seulement ça pouvait être vrai. Si tu savais comme j'aimerais te voir mort! Ah! oui alors! Qu'on te foute dans le trou et qu'on en parle plus! Qu'on vive enfin en paix! C'est bien simple, le jour de ton enterrement, je pleurerai même pas. D'ailleurs, je ne sais même pas si je me souviendrai de ton nom. « Ah! ouais? que je dirai. Ce mioche qui braillait tout le temps? Machin-chose, là? Ouais, eh ben, bon débarras! »

Eddie tourna le dos à son frère aîné, enfouit sa tête contre son oreiller et, malheureux comme une pierre, se mit à pleurer doucement.

« Parfaitement, mort! Et toi aussi, minable!

– ... c'est alors que j'ai compris qu'il m'emmenait aux galeries Allouette! Tu te souviens des galeries Allouette, bien sûr? Étant gosse, ne me dis pas que tu ne t'es jamais arrêté pour admirer la devanture. C'était le plus beau magasin de la ville. Quand je songe à tous les gens qui venaient là : rien que la meilleure société. On est entrés, papa a mis son bras sur mes épaules et on est allés jusqu'à l'ascenseur. Il a fait signe aux vendeuses qu'on n'avait pas besoin d'elles; il s'est adressé directement à la directrice du rayon lingerie. “ Je voudrais ce qu'il y a de mieux pour ma petite fille ”, qu'il a dit. Le prix n'avait pas d'importance; seule la qualité comptait. “ Je voudrais ce qu'il y a de mieux pour ma petite fille. ” Parfaitement. Tu m'écoutes, Edgar? »

Albert ronflait, la tête enfouie dans son oreiller; le petit Eddie n'arrêtait pas de gémir et de se retourner. Harry resta éveillé si longtemps qu'il crut qu'il n'allait jamais pouvoir s'endormir. Dans le noir, il continuait à voir le visage du petit Eddie, rendu flasque et docile par l'hypnose – l'image avait quelque chose de plaisant, mais d'affolant en même temps. Essayant de récapituler les événements de la journée, il lui semblait, comme dans un rêve, que tout ce qu'il avait fait, depuis son retour du Big John's, lui avait été dicté par quelqu'un d'autre, pensée qu'il ne put approfondir, saisi d'une brusque envie d'uriner.

Il se leva, traversa doucement la chambre, descendit lentement l'escalier plongé dans l'obscurité et gagna la salle de bains.

Soulagé, il n'éteignit pas la lumière et laissa la porte de la salle de bains ouverte, ayant certaine tâche à accomplir avant de remonter se coucher. A pas de loup, il alla jusqu'au téléphone, posé sur l'annuaire de la ville, souleva l'appareil et, de l'autre main, ouvrit l'annuaire au hasard. Comme il l'avait déjà fait plusieurs fois quand sa vessie le forçait à se lever, il choisit le premier nom qui lui tomba sous les yeux, nota mentalement le numéro, referma l'annuaire, remit le téléphone en place et composa lentement chaque chiffre du numéro. La sonnerie retentit si longtemps qu'il crut qu'il allait devoir retourner au lit bredouille. Une voix ensommeillée finit par répondre.

« Je sais qui vous êtes. Prenez garde, votre vie ne tient plus qu'à un fil ! » dit-il dans un souffle.

Puis il reposa doucement le combiné sur sa fourche.

7

Harry aperçut son père, l'après-midi suivant, au moment où celui-ci allait disparaître au coin de South Sixth Street et de Livermore Street. Il portait son habituel pantalon, trop grand et maintenu très au-dessus de la taille par une grosse ceinture, sa chemise à carreaux rouges et blancs et son chapeau, enfoncé très bas sur le front.

« Papa ! »

Apparemment peu satisfait de voir son quatrième rejeton, Edgar Beevers enfonça les mains dans ses poches, s'écarta légèrement du trottoir et continua à marcher comme si de rien n'était, un rien plus lentement, peut-être.

« Qu'est-ce qu'il y a, fiston ? Tu n'es donc pas à l'école, aujourd'hui ?

– C'est les vacances; y en a pas. Je pourrais peut-être t'accompagner un bout de chemin, qu'est-ce que t'en dis ?

– C'est que j'ai des tas de choses à faire, tu sais. Ta mère veut que je passe à la boucherie. Moi, j'avais plutôt prévu de faire un saut au Pause Café. Va pas lui dire, malheureux!

– T'inquiète pas.

– Tu es un bon garçon, Harry. Ta mère a déjà bien assez de soucis comme ça. Faut dire qu'avec le petit Eddie, parfois, je la comprends.

– Ça, c'est vrai, renchérit Harry.

– Qu'est-ce que c'est que ces bouquins? Tu lis en marchant, maintenant?

– Non, s'esclaffa Harry. C'est pour quand j'ai un moment de libre. »

Son père passa la main sous son coude gauche et le soulagea des deux ouvrages à la couverture accrocheuse qu'il avait glissés sous son bras. Deux livres de poche : *La femme à abattre* et *Les camps de la mort nazis*. Harry ne les avait pas encore lus mais les aimait déjà beaucoup. Edgar lui rendit *La femme à abattre* avec un grognement d'indifférence mais approcha l'autre titre de son nez pour mieux en examiner la couverture : une femme nue contre une barrière de barbelés, la mitraillette d'un tortionnaire nazi pointée dans le dos.

Sous l'ombre portée du chapeau, Harry se rendit compte pour la première fois que les moustaches de son père n'avaient ni la même couleur ni la même forme, mais qu'il y avait du noir, du brun, du roux et de l'orangé.

« Je ne sais pas où ils vont chercher tout ça, dit son père en lui rendant l'ouvrage. Ce n'était pas du tout comme ça.

– Quoi donc?

– Les camps de concentration. Dachau.

– Comment le sais-tu?

– Parce que j'y suis allé, tiens! Je te parle de ça, tu n'étais pas encore né. Et je te le dis, Dachau, ça n'avait rien à voir avec la couverture de ce bouquin. Une saloperie d'endroit, comme partout où on est passés, d'ailleurs. »

C'était la première fois que Harry entendait son père faire allusion à ses états de service.

« Tu veux dire que t'as fait la Deuxième Guerre mondiale?

– Un peu, oui. Caporal, que j'étais. Les gars m'avaient même donné un surnom : Beans. Beans Beevers. Et j'ai reçu le Purple Heart, lorsque j'ai été démobilisé quand je suis tombé malade.

– T'as vu Dachau de tes propres yeux?

– Aussi vrai que je te vois. A mon avis, il vaudrait mieux que ta mère ne te surprenne pas à lire ce genre de littérature. »

Harry secoua la tête, secrètement ravi. Le livre, les camps de concentration, cela faisait maintenant un lien entre lui et son père.

« T'as déjà tué quelqu'un ? »

Par-dessous le rebord de son chapeau, Edgar Beevers lança un coup d'œil perplexe à son fils, puis se passa longuement la main sur les joues.

« Un type, un jour. »

Un ange passa.

« Une balle dans le dos. »

Edgar Beevers se frotta une nouvelle fois les joues et fit signe à son fils de hâter le pas. S'il voulait passer au café, puis à la boucherie, et rentrer à une heure raisonnable, il n'avait pas le temps de traîner en route.

« Tu as vraiment envie d'entendre parler de ça ? »

Harry hocha la tête, la bouche sèche.

« Je vois bien que oui. Bon, voilà. On est arrivés là-bas tout à la fin de la guerre; il fallait recenser les prisonniers, arrêter les gardiens et le commandant. La routine, quoi. Mais on attendait la visite de grosses légumes de l'état-major, et on n'a pas pu repartir tout de suite. Il a fallu attendre quelques jours. Tu vois un peu le travail, avec les *kapos* d'un côté et les prisonniers de l'autre. Ils étaient si maigres qu'on se demandait comment ils pouvaient encore tenir debout, mais ils avaient encore assez de force pour les couvrir d'insultes; si on n'avait pas été là, ils auraient lynché tous les Allemands. »

Passant devant la baraque de papier goudronné de M. Petrosian, Harry fut soulagé de ne pas apercevoir le vieil homme sous son porche, une caisse de bières à ses pieds. Le Pause Café n'était plus qu'à quelques pas.

« A un moment donné, un des gardiens, un des pires, a décidé de nous fausser compagnie; il a pris les jambes à son cou et s'est enfui en direction des bois. J'ai demandé ce qu'il fallait faire. Personne n'en savait rien, évidemment. “ Descendez-le ”, a dit un des prisonniers. Alors, je lui ai tiré une balle dans le dos. Voilà, c'est tout. »

Ils avaient maintenant atteint la porte du Pause Café; une odeur de malt et de houblon emplissait l'air.

« A tout à l'heure », dit Edgar Beevers en s'éclipsant avec l'habileté d'un magicien consommé.

8

Après avoir lu une centaine de pages de *La femme à abattre*, Harry ne jurait plus que par Louis, dit « Lepke », Buchalter et Abe, dit « Kid Twist », Reles, de vrais professionnels, des gens sur qui on pouvait compter. La mort leur avait conservé tout leur mystère. « Lepke » Buchalter et Abe Reles regardaient eux aussi le monde par-dessous le bord de leur chapeau. L'un comme l'autre, ils passaient des jours à faire le guet dans des chambres aux rideaux toujours tirés; ils surgissaient au coin d'une rue sombre devant leurs victimes terrifiées, accomplissaient leur besogne et s'éloignaient en remontant le col de leur manteau.

Pris par sa lecture, allongé sur la balancelle du porche pour se protéger de la chaleur de l'après-midi, Harry voyait s'ouvrir sous ses yeux des perspectives passionnantes. Parce qu'enfin, imaginez quelqu'un que son travail amène à voyager aux quatre coins du pays, un représentant, par exemple : un jour ici, un jour ailleurs, c'est bien connu. Dans ces conditions, un représentant pouvait très bien commettre un meurtre dans chacune des villes où il faisait étape. Il suffisait de procéder avec ordre et méthode. Les corps n'étant découverts que bien après son départ, qui irait suspecter un honnête représentant ?

9

« *Blue Rose* », dit Harry.

Le petit Eddie se cala contre le dossier de son fauteuil, la bouche ouverte et les mains sagement posées sur les genoux.

Ça marchait ! Harry fit rapidement le tour du grenier des yeux; des applaudissements ne l'auraient pas vraiment surpris. Il était vingt et une heures trente; il n'y avait personne d'autre à la maison et ils avaient le grenier à leur entière disposition. Comment s'assurer une totale emprise sur quelqu'un, prendre le contrôle de son esprit pour lui imposer sa propre volonté, voilà la grosse question que se posait Harry; puisqu'il avait le petit Eddie sous la main, autant essayer avec lui.

« Tu dors, Eddie. Tes paupières sont lourdes, très lourdes. Écoute-moi bien. Tu dors très profondément; écoute mes paroles, c'est tout. Plus je parle, plus tu dors. Maintenant que t'es bien endormi, on va pouvoir commencer. »

Niché dans le fauteuil canné de Maryrose, le menton sur la poitrine, sa petite bouche rose grande ouverte, le petit Eddie avait l'air d'un gamin de sept ans plutôt en retard pour son âge, d'un mioche de onzième, et non de quelqu'un qui allait entrer en neuvième, la classe de Mme Franken, à la rentrée. Harry songea soudain au Coupé Sport, tout éraflé et cabossé, qui devait commencer à rouiller dans l'herbe, privé de ses pneus.

« Ce soir, c'est le grand soir, mon p'tit Eddie; je suis sûr que tu vas nous faire des prodiges. Redresse-toi un peu. »

Modèle d'obéissance (c'en était d'ailleurs presque comique), le petit Eddie se redressa et ferma la bouche. Pensée hautement comique celle-là, Harry se surprit à l'imaginer, persuadé d'être un chien, en train de courir à quatre pattes autour du grenier. Et que je te fasse des léchouilles, des ouah! ouah!, et que je te lève la jambe. Ou alors, en train de gigoter sur le plancher, la langue sortie de la bouche et les mains serrées autour du kiki. Il tenterait peut-être l'expérience, quand il aurait maîtrisé les autres exercices décrits dans le livre du Dr Mentaine. Pour la cinquième fois de la soirée au moins, Harry porta la main à son col de chemise et, rassuré, sentit sous ses doigts la perle ronde et la longue tige de l'épingle à chapeau pour laquelle il avait délaissé *La femme à abattre* le temps de se glisser silencieusement dans la chambre de Maryrose, juste après son départ pour l'hôpital.

« Eddie, t'es maintenant très, très profondément endormi. Tu vas bien m'écouter et faire tout ce que je vais te dire. Lève le bras droit. Tends-le bien devant toi. »

Le petit Eddie s'exécuta et leva le bras droit.

« Parfait. Garde-le bien tendu. Tu le vois, tu le vois bien, mais tu le sens plus. Il est de plus en plus engourdi. C'est plus de la chair et du sang, c'est du métal, de l'acier. Ton bras est maintenant tellement dur qu'il est complètement insensible; tu sens plus rien, même pas la douleur. »

Harry se leva, se pencha vers son frère et lui griffa légèrement le bras du bout des ongles.

« Tu sens quelque chose?

– Non, répondit le petit Eddie d'une voix monocorde.

– Et là ? s'enquit Harry en lui pinçant l'avant-bras.

– Non.

– Et là ? voulut savoir Harry en enfonçant ses ongles dans le biceps maigrelet de son petit frère, y laissant de profondes marques violacées.

– Non, répéta le petit Eddie.

– Et comme ça ? »

Harry gifla le bras de son frère aussi fort qu'il le put. Une claque bien sonore et magistralement appliquée. Personnellement, il en avait mal aux doigts; si le petit Eddie n'avait pas été sous hypnose, il serait déjà en train de hurler à la mort.

« Non », répondit le petit Eddie.

Harry retira l'épingle à chapeau de son col et examina attentivement le bras de son frère.

« Tu te débrouilles comme un chef, tu sais ? Tu vas être le plus fort de ta classe – probablement même de toute l'école. »

Harry retourna le bras de son frère paume en l'air; toute cette blancheur, soulignée de petites veines bleues, était diablement tentante, et il fit délicatement courir l'épingle sur toute la longueur de l'avant-bras. Fasciné par le sillon blanchâtre laissé par la pointe sur la peau, il sentit le plancher vaciller sous ses pieds. Il ferma les yeux et, aussi fort qu'il le put, planta l'épingle dans la peau du petit Eddie.

Quand il rouvrit les yeux, le plancher tanguait toujours. L'épingle devait faire à peu près une vingtaine de centimètres de long; il ne l'avait enfoncée que de cinq à peine. La tête de nacre brillait doucement dans la lueur de l'ampoule électrique; une goutte de sang de la taille d'un pépin de melon perla sur la peau du petit Eddie. La tête vide, Harry retourna s'asseoir sur son fauteuil.

« Tu sens quelque chose ?

– Non », répondit Eddie de sa petite voix, étonnamment rauque.

Un long moment, Harry ne put détacher ses yeux de l'avant-bras de son petit frère; la goutte écarlate s'était agrandie, allongée; un mince filet de sang progressait lentement vers le poignet. Harry attendit que le saignement eut cessé, se releva et, de l'ongle de l'index, agaça un instant la perle de l'épingle. Le petit Eddie n'eut aucune réaction. Harry saisit alors la perle entre le pouce et l'index et, le front si brûlant qu'il avait l'impression d'être devant la porte d'un four, enfonça l'épingle d'encore un centimètre. Une autre goutte de sang perla sur la peau blanche du petit Eddie. Dans la main de Harry, l'épingle semblait vivante.

« Bien, dit-il en retirant l'épingle du bras de son frère. Excellent. »

La tige métallique vint très facilement. Tel un médecin voulant déchiffrer un thermomètre, Harry éleva l'épingle dans la lumière et constata, contrairement à ses espérances, qu'il n'y avait pas du tout de sang le long de la hampe, mais seulement une goutte à l'extrémité. Pris de vertige, une seconde, il faillit glisser l'épingle dans sa bouche pour la nettoyer avec sa langue.

« Peut-être, songea-t-il, que j'étais " Lepke " Buchalter, dans une autre vie ? »

Il sortit son vieux mouchoir sale, un infâme carré de cachemire rouge, essuya la pointe de l'épingle, épongea soigneusement le sang qui avait coulé sur l'avant-bras du petit Eddie, plia le mouchoir de manière à cacher les taches de sang, essuya la sueur qui lui coulait sur le visage et remit son mouchoir dans sa poche.

« C'était très bien, Eddie. Maintenant, on va faire quelque chose d'un peu différent. Tu sens toujours absolument rien dans ce bras ; il est complètement engourdi. »

Harry s'empara du bras délicatement veiné de son petit frère, le coude bien calé dans le creux de la paume pour qu'il ne bouge pas, posa la pointe de l'épingle bien à plat sur la peau tendre de l'avant-bras, poussa légèrement et fit lever un petit bourrelet de chair. La pointe de l'épingle s'enfonça, mais ne transperça pas la peau. Harry poussa plus fort mais ne réussit qu'à faire gonfler le bourrelet de chair. Jamais il n'aurait cru que la peau fût si difficile à percer.

Il commençait à avoir mal aux doigts ; plutôt que d'opérer avec la main, il posa simplement le majeur sur la tête de nacre et, du bout du doigt, poussa un bon coup. La pointe de l'épingle ressortit enfin de l'autre côté du bourrelet.

« T'es fais d'acier trempé, ma parole ! »

Harry ramena l'épingle légèrement en arrière ; le bourrelet s'aplatit. Parfait. Il la remit en place et lui imprima un lent mouvement de poussée ; la tige coulissait parfaitement sous la peau, creusant une sorte de tunnel pour s'ouvrir la voie, exactement comme Bugs Bunny dans les dessins animés, quand il passe par-dessous la pelouse. L'épingle enfoncée aux trois quarts, il releva brusquement la pointe vers le haut et poussa sur la tête ; la pointe creva la peau au milieu d'une petite goutte de sang. Par souci de symétrie, Harry poussa encore un peu sur l'épingle pour bien laisser dépasser la même longueur de chaque côté, à peu près trois centimètres.

« Tu sens quelque chose ? demanda-t-il en expédiant une dernière chiquenaude à la tête de nacre.

– Rien. »

Le sang suinta de la blessure et recommença à couler. Harry se laissa tomber au pied du fauteuil de son frère et, assis par terre, considéra longuement le résultat de ses efforts. L'esprit agréablement vide de toute pensée, seules des sensations se présentaient à lui. Il n'aurait su dire d'où provenait le bourdonnement qui lui faisait tourner la tête; une pellicule brumeuse semblait s'être déposée sur ses yeux. Il respirait avec difficulté. La longue épingle embrochée dans le bras du petit Eddie avait quelque chose de repoussant, certes, mais aussi de merveilleusement attirant. De la chair, du sang, du métal; Harry n'avait jamais rien vu de tel. Il leva la main et fit rouler la tête de l'épingle entre ses doigts; une autre bulle de sang suinta de la blessure. Il avait l'impression de voir à travers des lunettes opaques, mais ce n'était là qu'une gêne secondaire; si brouillard il y avait, le phénomène était purement mental. Harry bloqua la perle entre ses doigts et la fit bouger de gauche à droite; un peu de sang perla aux deux extrémités. Il tira légèrement l'épingle à lui puis, la pointe presque complètement rentrée, la ramena dans sa position initiale. Il recommença l'opération plusieurs fois, trouvant le jeu amusant, et, pendant un moment, comme s'il voulait scier le bras de son frère, tira, enfonça, tira, enfonça...

Lorsqu'il retira finalement l'épingle, deux longues traînées de sang prenaient en écharpe tout l'avant-bras du petit Eddie, du coude au poignet. Harry se frotta les yeux, cilla, puis constata qu'il avait retrouvé une vision normale.

Depuis combien de temps étaient-ils au grenier? Plusieurs heures, sans doute. Harry aurait été incapable de dire ce qui s'était passé avant qu'il eût enfoncé l'épingle dans le bras de son frère. Le brouillard n'était plus devant ses yeux, mais dans sa tête. Le sang aux tempes, il essuya le bras du petit Eddie puis, les jambes en coton, retourna s'asseoir sur son fauteuil.

« Comment va ton bras?

– Je sens toujours rien, répondit Eddie d'une voix engourdie.

– Ça va s'arranger. Tout doucement, tu vas retrouver toutes tes sensations. T'en fais pas, tu sentiras rien; ça risque juste de te cuire un peu, comme si t'avais attrapé un coup de soleil. Mais il fonctionne comme avant; bouge un peu les doigts, tu verras. »

Harry se renfonça dans son fauteuil, ferma les yeux et se passa la main sur le front.

« Alors, ce bras? demanda-t-il en s'essuyant la main sur sa chemise, les yeux toujours fermés.

– Ça va.

– Formidable, Eddie. »

C'était fou ce qu'il pouvait faire chaud; le front enfoui au creux de l'épaule, Harry s'épongea une nouvelle fois le visage et rouvrit les yeux.

« Puisque ça marchait si bien, songea-t-il, qu'est-ce qui pouvait les empêcher de recommencer? Une petite séance tous les soirs, au moins jusqu'à la rentrée? »

« Tu sais que t'es de plus en plus fort, Eddie? J'aurais jamais cru que l'hypnose te ferait tellement de bien. Et ce qu'il y a de super, c'est que si tu te sens pas assez fort, il suffit de recommencer, tu te rends compte?

– Oui, répondit le petit Eddie.

– Bon, c'est presque fini pour ce soir; il y a juste une petite chose que je voudrais qu'on essaie. Mais il faut que tu dormes très profondément, sinon ça marchera pas. Dors; détends-toi. Dors. Là... oui. Oui, comme ça, c'est au poil. »

La tête renversée en arrière, les yeux clos, le petit Eddie était maintenant profondément endormi. Sur son avant-bras, deux gouttes de sang, telles des piqûres de moustique, faisaient tache sur la blancheur de sa peau.

« Écoute-moi bien, Eddie, tu vas rajeunir de plus en plus, remonter le cours du temps. T'as plus neuf ans, mais huit; on est l'année dernière et t'es encore en dixième. Maintenant, t'as plus huit ans, mais sept, six. Cinq. Rappelle-toi : c'est le jour de ton cinquième anniversaire; t'as cinq ans aujourd'hui. Dis-moi, quel âge as-tu?

– Cinq ans. J'ai cinq ans. »

Aussi étrange que cela pût paraître, la pose du petit Eddie, à demi roulé en boule contre le dossier de son fauteuil, mais aussi sa voix, plus aiguë, tous détails qui ravissaient littéralement Harry, étaient vraiment celles d'un gamin de cinq ans.

« C'est chouette, non?

– Tu parles! J'aime pas mon cadeau; il est pas beau. J'ai jamais vu un truc aussi moche. C'est une idée de papa. Maman, elle a dit qu'elle voulait pas d'une saloperie pareille à la maison, que c'était tout juste bon à mettre à la poubelle. Moi, j'aime pas les anniversaires, je préférerais qu'y en ait pas! J'ai envie de pleurer. »

A voir son visage, l'animal ne mentait pas. Qu'est-ce que le petit Eddie avait eu pour son cinquième anniversaire? Harry n'en avait plus la moindre idée; de ceux qu'il valait mieux oublier, il n'avait gardé de l'événement qu'un souvenir lointain.

« Qu'est-ce que c'est, donc, ce cadeau?

– Un transistor! répondit le petit Eddie d'une voix sanglotante.

Il est tout fichu! Maman, elle a dit qu'elle y toucherait pas, même avec des pincettes! J'en veux pas, de ce transistor! Il est pas beau! »

« Oui, songea Harry. Oui, oui, oui. » Il s'en souvenait, à présent. Pour le cinquième anniversaire de ce cher petit Eddie, Edgar Beevers, la moustache frémissante, avait sorti de sa poche un petit poste de plastique jaune, une véritable horreur, même aux yeux de Harry. Le haut-parleur était fendu et le plastique du boîtier criblé de croûtes noirâtres, traces de vieilles brûlures de cigarettes, la chose ayant apparemment servi de cendrier à son précédent propriétaire.

Le transistor avait bien entendu fini au débarras, là où, un jour ou l'autre, finissaient tous les rebuts de la maison.

« Laisse tomber ce transistor, c'est pas important. Bon, reprenons; remonte encore un peu dans le temps. T'as quatre ans. Et maintenant, trois. »

Au grand soulagement de Harry, le comportement du petit Eddie semblait s'être modifié du tout au tout. Envolées, les larmes; fini, le gros chagrin. Il ne se souvenait pas avoir déjà vu son frère avec une mine aussi épanouie. Les bras serrés contre les côtes, comme s'il avait envie d'éclater de rire, les yeux pétillants de malice, Harry se demandait bien ce qui pouvait motiver une joie aussi débordante.

« Qu'est-ce que tu vois?

– Ma-man.

– Qu'est-ce qu'elle fait?

– Elle est à son bureau, gazouilla le petit Eddie. Elle fume; elle farfouille dans ses papiers. C'est drôle, on dirait qu'il y a de la fumée qui lui sort par la tête. »

Le petit Eddie pouffa de rire et se cacha les yeux derrière les mains.

« Elle me voit pas, mais moi, je la vois. Oh! mais tiens, elle est pas toute ss... »

Le sourire béat du petit Eddie se figea sur ses lèvres. De façon presque comique, son visage coula comme un masque de caoutchouc et perdit toute expression; ses yeux s'agrandirent de terreur et, le souffle coupé, sa bouche s'ouvrit toute grande.

« Que se passe-t-il? demanda Harry, inquiet, tout à coup.

– Non, maman! répondit le petit Eddie en pleurnichant. Non! fais pas ça! Je t'espionnais pas, je le jure! »

De plus en plus paniqué, les mots se bousculaient sur ses lèvres.

« Non, maman! Fais pas ça! Non! Pas ça! Maamaaan! »

Hurlant, le petit Eddie bondit de son siège comme un diable de sa boîte et, sans égard pour le fragile fauteuil canné, se mit à courir comme un fou autour du grenier. Le fauteuil se renversa avec fracas et – *crac!* – Harry entendit très nettement un des bras se briser. Hurlant toujours comme un possédé, le petit Eddie ne vit pas les vieilles robes de Maryrose, suspendues au portant, et se prit les pieds dedans. Voulant repartir en sens inverse, il ne fit que s'emberlificoter davantage et ne réussit qu'à faire tomber quelques vieilles frusques. Une robe pourpre à manches longues et à col de dentelle agrippée aux bras, tel un fantôme amateur de valse; une autre, une robe de velours grenat, enroulée comme un serpent autour de la jambe droite, le petit Eddie réussit tout de même à s'extraire de ses falbalas, mais le portant se renversa et s'écrasa par terre dans un bruit de tonnerre.

« Non! Au secours! »

Le petit Eddie heurta de plein fouet une des grosses poutres de l'avant-toit, et, sonné, se mit à divaguer en agitant les bras comme un moulin à vent. Harry savait que son frère ne pouvait pas le voir.

« Eddie! cria-t-il. Arrête! »

Le petit Eddie était bien incapable d'entendre quoi que ce fût; la meilleure chose à faire était de l'intercepter au passage et de le ceinturer. Harry se jeta sur lui mais, le petit chameau étant totalement inconscient de sa présence, reçut un coup d'épaule en pleine poitrine et un coup de tête juste sous le menton; il referma les bras sur le vide et, un instant, sa vue se brouilla. Braillant toujours comme s'il avait le diable aux trousses, le petit Eddie ne put éviter la psyché. Le grand miroir dansa un instant sur son socle, bascula avec une lenteur onirique, puis, en une fraction de seconde, s'abattit sur le plancher. La glace se fracassa en mille morceaux.

« Arrête! hurla Harry. Reste tranquille, nom de Dieu! »

Le petit Eddie s'immobilisa en plein mouvement, la robe grenat, sale et déchirée, toujours enroulée autour de la jambe droite. Le sang coulait en abondance de la profonde entaille qui lui balafrait la tempe gauche; il avait du mal à trouver sa respiration et happait l'air à petits coups précipités.

« C'est pas vrai! » gémit Harry, atterré par l'ampleur du désastre.

Il avait suffi de trente secondes à ce petit fumier pour dévaster complètement le grenier. Les robes de famille qui faisaient l'orgueil de Maryrose gisaient à présent en un tas informe sur le plancher, amoncellement de cintres métalliques et d'étoffes piétinées. En tombant, le portant avait emporté un morceau de la petite table ronde, taillée dans la masse, à laquelle Maryrose tenait comme à la prunelle de ses yeux. (« Du teck, le bois le plus précieux de la planète! Du teck de Ceylan! ») Le miroir sans prix n'était plus qu'une pluie de menus fragments de verre éparpillés aux quatre coins du grenier; et, comme si la catastrophe n'était pas déjà assez complète, le cadre vernis s'était brisé en plusieurs endroits, montrant d'horribles fractures d'un blanc maladif.

Devant l'étendue du cataclysme, Harry sentit son sang se geler dans ses veines, se fragmenter en milliards de petits cristaux aussi coupants que les morceaux du miroir.

« Nom de Dieu! de nom de Dieu! de nom de Dieu! »

Quelle mouche avait donc piqué ce misérable avorton! Pour l'heure, il essayait vainement de se débarrasser du sang qui continuait à couler de son front et lui couvrait maintenant tout le côté gauche du visage. On aurait dit un Indien couvert de ses peintures de guerre. Son fauteuil n'avait plus qu'un bras; grêle comme une patte d'insecte, l'autre pendait, sectionné.

Un moment, Harry crut qu'il avait lui aussi le visage plein de sang. Il se passa la main sur le front, mais ce n'était que de la sueur. Il avait l'impression que son cœur allait exploser.

« Aaaah... râla le petit Eddie. Qu'est-ce que...? »

La blessure qu'il avait reçue à la tête avait dû le faire sortir de sa transe.

Piétinées, déchirées, les robes étaient irrémédiablement perdues. La psyché n'était plus qu'un puzzle impossible à reconstituer. Un morceau en moins, la table en teck avait maintenant une forme bizarre. Couché sur côté, le bras amputé retenu par un dernier lambeau de rotin, le fauteuil canné ressemblait à une victime mutilée par son assassin.

« J'ai mal à la tête, gémit le petit Eddie d'une voix chevrotante. Qu'est-ce qui s'est passé? Ah! mais qu'est-ce que c'est? Je saigne! Je saigne, Harry!

– Quoi, tu saignes?! explosa Harry. Y en a partout, du sang, imbécile! Regarde-moi ça, t'en a mis partout! »

Harry ne reconnaissait plus le son de sa propre voix, couinement ténu fâcheusement haut perché qui semblait provenir de la gorge de quelqu'un d'autre. Le petit Eddie fit craintivement un pas en arrière. S'il ne s'était pas retenu, Harry se serait bien jeté sur lui, ce cancrelat, histoire de lui écraser la tête, de le réduire en miettes...

Le petit Eddie leva sa paume ensanglantée, semblant ne pas en croire ses yeux, s'essuya machinalement la main sur le devant de son tee-shirt et jugea préférable d'accroître la distance qui le séparait de son frère.

« J'ai peur, Harry, dit-il de sa toute petite voix.

– Vise un peu ce que t'as fait ! aboya Harry. T'as tout foutu en l'air. Mais regarde-moi ce bordel ! J'en connais une qui va sûrement apprécier, crois-moi !

– Maman, tu veux dire ? s'enquit le petit Eddie dans un murmure.

– Qui d'autre ? Tu peux déjà te considérer comme mort, mon pote ! »

Le petit Eddie se mit à pleurer.

Harry serra les poings et ferma les yeux. Le plus triste, dans l'affaire, était qu'ils pouvaient se considérer comme morts tous les deux. Il devait avoir la fièvre ; de grandes taches rouges se télescopaient sous ses paupières. Il rouvrit les yeux et décocha un regard agacé au pantin larmoyant, tout barbouillé de sang, qu'il avait le malheur d'avoir pour frère.

« *Blue Rose* », dit-il d'un ton sec.

10

Les bras du petit Eddie retombèrent le long de son corps ; son menton s'affaissa et sa bouche s'arrondit. Une large traînée sanguinolente lui couvrait tout le côté gauche du visage et disparaissait sous son tee-shirt. Sa plaie au front coulait toujours ; goutte à goutte, son sang tombait sur le plancher.

« Tu dors, dit Harry. Tu dors profondément. »

Où était l'épingle à chapeau, avec toutes ces histoires ? Elle avait dû rouler sous son fauteuil.

« Tu sens plus ton corps. »

Harry glissa la main sous le fauteuil et récupéra l'épingle. La hampe de métal était chaude entre ses doigts.

« T'éprouves aucune sensation, aucune douleur, rien. »

Harry avait l'impression que son corps avait pris les commandes de son cerveau ; son cœur battait, il respirait, mais cela semblait concerner quelqu'un d'autre.

« T'entends ce que je te dis, Eddie ?

– Oui, répondit le petit Eddie de sa drôle de petite voix, ralentie par l'hypnose.

– Tu sens quelque chose ?

– Rien. »

Harry prit un peu d'élan, l'épingle bien serrée au creux du poing, et, aussi fort qu'il le put, à travers le tee-shirt taché de sang, la planta vicieusement dans le ventre du petit Eddie. Un souffle brûlant, fétide, s'exhala de sa poitrine.

« Rien du tout ?

– Rien du tout. »

Harry ouvrit la main et, du plat de la paume, fit pénétrer l'épingle plus avant. Ainsi paré, le petit Eddie ressemblait à une poupée dagyde, prête pour l'envoûtement ; une sorte de halo nimbait tout son corps. D'un geste vif, Harry retira l'épingle et la leva au-dessus de sa tête ; gainée d'une gangue pourpre, la longue tige métallique semblait elle aussi briller de mille feux. Harry posa l'épingle sur sa langue, referma les lèvres sur le métal chaud et ferma les yeux, l'esprit envahi par une image.

Une image de lui-même, dans une autre vie, prisonnier anonyme au milieu d'une foule d'autres prisonniers parqués sous un ciel lugubre derrière des barbelés. Pressés de l'autre côté de la barrière, des individus squelettiques vêtus de haillons leur crachaient au visage. Une puanteur de corps carbonisés flottait dans l'air. L'image s'estompa, remplacée par celle du petit Eddie, avec l'épingle qui dépassait de l'estomac.

Partagé entre l'ivresse et la répulsion, d'un seul coup, Harry enfonça ce qui restait de l'épingle dans le ventre de son frère.

Le petit Eddie poussa un petit *Oouuf*.

« T'as rien senti, murmura Harry. Tout va bien ; tu t'es même jamais aussi bien senti de ta vie.

– J'ai jamais été aussi bien de ma vie. »

Harry extirpa l'épingle du ventre du petit Eddie et la fit glisser entre son pouce et son index pour la nettoyer, ressassant dans sa mémoire certains détails relatifs aux troubles dont souffrait Tommy Golz.

« Maintenant, on va jouer à un jeu très rigolo, dit-il. C'est Tommy Golz qu'en aurait eu bien besoin, le pauvre. Après ça, je crois que le cas Franken sera une affaire réglée. T'es prêt ? »

Sans quitter le petit Eddie des yeux (des bandes lumineuses, tels des reflets sous-marins, traversaient lentement son visage), Harry piqua soigneusement l'épingle sous la pointe de son col de chemise.

« Oui, répondit le petit Eddie.

– Attention, voilà tes instructions. Écoute attentivement ce que je vais te dire et tout se passera bien. Si tu fais exactement ce que je te dis, c'est le succès sur toute la ligne. T'as tout compris ?

– Oui.

– Répète ce que je viens de dire.

– Succès sur toute la ligne si je fais exactement tout ce que tu dis », fanfaronna le petit Eddie, tout content.

Une gouttelette de sang tomba de son sourcil gauche et s'écrasa sur son tee-shirt déjà tout poissé.

« Bien. Pour commencer, tu vas te jeter par terre. (Pas maintenant ! Quand je te le dirai, andouille !) Écoute d'abord les instructions. Je vais compter jusqu'à dix. C'est seulement à dix, que tu pourras commencer, d'accord ?

– D'accord.

– Bon, je répète. Au début, tu te laisses tomber par terre. Et quand je parle de se laisser tomber, tu fais pas semblant, hein, t'y mets le paquet. Ensuite, et c'est là que ça devient marrant, tu te tapes la tête contre le plancher. Et vlan ! et vlan ! Comme si t'étais devenu complètement maboul, tu comprends ? Et puis là tu commences à te trémousser et à trépigner tant que tu peux ; les mains, les pieds, la tête, tout, tu nous cognes tout ça bien comme y faut. Tu tapes, tu frappes, tu cognes, comme si t'étais devenu fada. Bref, tu nous sors le grand jeu. Faudra pas y aller mollo, hein ? Au besoin, t'auras qu'à te cogner la tête contre les murs. Voyons... ce qui serait bien, c'est que tu comptes jusqu'à cent pendant que tu joueras les autos tamponneuses. Ouais, cent, c'est bien. Tu vas voir comme ça va être rigolo. Imagine : t'as la bouche qui bave, tu te tortilles dans tous les sens. D'abord, tu deviens tout raide, ensuite tous tes muscles se relâchent. Et puis, paf !, te voilà à nouveau aussi raide que la justice, et crac ! mou comme une chique. Et tu recommences à te cogner partout, tu te tapes la tête par terre, là où c'est plein de verre, si, si, c'est mieux. Et tu te la tapes aussi contre les murs, là où y a plein de clous. Tu tapes, tu t'occupes pas. Tu cognes comme un fou, tu te tortilles comme un ver. Pour terminer, quand t'as fini de compter jusqu'à cent dans ta tête, tu fais la dernière chose : tu t'avales la langue. Mais tu l'avales complètement, jusqu'au bout ; tu nous fais ça impec. Alors, le jeu est fini. Si t'arrives à t'avaler la langue, t'as gagné. Y pourra plus rien t'arriver. Rien du tout. La Franken ? Ah ! la ! la ! elle fera plus le poids, je te le garantis ! »

Harry se tut, à bout de souffle. Il tremblait de partout. Il leva une main peu assurée vers le col de sa chemise et sentit sous ses doigts le contact amical de l'épingle à chapeau.

« Dis-moi ce qu'il faut faire, Eddie, pour gagner le jeu ? Qu'est-ce que tu dois faire en dernier ?

– M'avaler la langue.

– Bien! Comme ça, ni la Franken ni maman pourront plus jamais te toucher. Normal, puisque t'auras gagné le jeu.

– Super! s'extasia le petit Eddie, toujours auréolé de lumière dans le halo de l'ampoule électrique.

– Parfait, dit Harry. Puisqu'on est d'accord, autant commencer tout de suite. Un, commença-t-il en faisant retraite vers l'escalier. Deux. »

Encore une dizaine de marches, et il saurait si l'expérience était concluante.

« Trois. »

Il descendit une marche.

« Quatre. »

Puis deux.

« Cinq. »

Puis encore deux autres, élevant la voix à mesure qu'il descendait.

« Six. »

Il avait maintenant la tête au-dessous du niveau du plancher et ne pouvait plus voir le petit Eddie. Seul lui parvenait le bruit régulier des gouttes de sang qui tombaient.

« Sept...

– ... Huit...

– ... Neuf. »

Là, au pied de l'escalier, il prit une profonde inspiration.

« Dix! » cria-t-il.

Il entendit un choc sourd et referma rapidement la porte du grenier derrière lui.

Le couloir du palier lui parut étrangement sombre. Pendant une seconde, il crut voir – avec une précision hallucinante – une rangée d'arbres gris se profiler sur le mur derrière une barrière de barbelés. Poussé dans le dos par un obscur sentiment de danger, il se rua dans le « dortoir » et s'assit sur son lit. Son sang battait furieusement, juste sous la peau de son visage; il avait la bizarre impression que ses yeux le brûlaient, comme si ses nerfs avaient été portés au rouge. Lentement, presque religieusement, il retira l'épingle à chapeau de son col et la posa sur son oreiller.

« Cent, murmura-t-il. Quatre-vingt-dix-neuf, quatre-vingt-dix-huit, quatre-vingt-dix-sept, quatre-vingt-seize, quatre-vingt-quinze, quatre-vingt-quatorze... »

Parvenu à un, il se leva et, sans regarder la porte du grenier, gagna le rez-de-chaussée. Là, il poussa la porte de la chambre maternelle, alla jusqu'à la commode, ouvrit le tiroir du bas, sortit la trousse à couture capitonnée de velours et piqua l'épingle à chapeau dans la pelote, lardée d'aiguilles de toutes sortes, où il l'avait trouvée. Il remit le nécessaire en place, referma le tiroir et, toutes traces de son larcin dissimulées, retourna au premier.

De retour dans sa chambre, il se déshabilla et se coucha, assommé de chaleur et malade d'appréhension.

Sans transition, n'ayant pas conscience de s'être endormi, il fut réveillé un peu plus tard par un bruit de bottes et de vêtements négligemment jetés par terre. Albert venait de rentrer.

« Tu dors ? demanda Albert. Z'avez laissé le grenier allumé, bande d'andouilles. Si vous croyez que je vais aller éteindre pour vous éviter la volée que vous méritez, vous vous fourrez le doigt dans l'œil, les morpions. »

Harry prit soin de ne pas bouger, fût-ce d'un cheveu. Albert se laissa tomber dans son lit et, bientôt, sa respiration ne fut plus qu'un souffle à peine perceptible. Rassuré, Harry ne tarda pas à imiter son frère aîné et sombra lui aussi dans le sommeil. Plus tard dans la nuit, beaucoup plus tard, il fut réveillé une seconde fois. Oh ! pas par Albert, non, mais par les cris et les sanglots de son père qui s'arrachait la poitrine au grenier.

11

Sonny était venu de Fort Sill ; George, d'Allemagne. Soutenu par ses deux fils aînés, Edgar Beevers, pour une fois sobre, il convenait de le noter, semblait prêt à s'effondrer dans la fosse où allait désormais reposer le petit Eddie. Voûté et maigre à faire peur, un étranger aurait pu se demander si ce n'était pas lui qui allait être enterré en grandes pompes à l'issue de la cérémonie. Pour Harry, il était clair que George et Sonny n'avaient que mépris pour leur père. S'ils se le couvaient du coin de l'œil, ce n'était certes pas par amour filial, encore moins par sens des convenances, mais plutôt parce qu'ils n'avaient aucune envie de le voir s'affaler dans l'argile grasse de la fosse et de tacher le beau costume neuf pour lequel ils avaient dû se fendre de trente dollars chacun. Les poils roux des bacchantes de son géniteur brillaient au soleil ; des humeurs blanchâtres lui plâtraient les commissures des yeux et des lèvres. Il tremblait tellement que George et Sonny n'avaient pas pu le raser. S'il marchait à peu près droit, c'était uniquement parce que George avait sorti une flasque gainée de cuir de son sac de paquetage et lui en avait fait avaler deux longues gorgées.

Le pasteur, un homme que Harry n'avait encore jamais vu, le nez plongé dans une Bible aussi craquelée qu'une vieille godasse, prononça quelques paroles édifiantes sur le douloureux problème de l'épilepsie.

Très raides dans leur uniforme, George et Sonny, solides comme un roc, ressemblaient à deux gorilles escortant un suspect. A côté d'eux, recroquevillé en lui-même, Albert faisait pâle figure, engoncé dans la veste de sport verte qu'il portait pour la cérémonie de remise des diplômes de fin d'année, quand il avait terminé sa sixième. Ses poignets, tout rouges, dépassaient des manches d'au moins dix centimètres; il avait mis ses bottes de moto et un pantalon gris clair mais, comme la veste, il y avait longtemps que ses bottes avaient perdu tout éclat. Éteint, c'était encore l'adjectif qui qualifiait le mieux ce cher Albert. Depuis la découverte du corps du petit Eddie, il tournait en rond dans la maison comme un fauve en cage. Il y avait visiblement quelque chose qui lui était resté en travers de la gorge, mais il n'arrivait pas à cracher le morceau. Il ne regardait plus personne en face et ne parlait plus que par monosyllabes; n'osant se défaire du carcan qui lui serrait le cou de peur de déclencher les foudres de la justice divine, il ressemblait à un de ces prisonniers qu'on exposait autrefois sur les places publiques. Fait surprenant, il n'avait pas posé à George ou à Sonny une seule question sur l'Armée. De temps en temps, d'un ton rogue qui décourageait toute velléité de réponse, il lâchait une vague remarque à propos de la station-service.

Sacré Albert. Sagement planté à côté de sa môman, les mains nouées, il gardait les yeux fixés sur la pointe de ses bottes comme si son ange gardien était venu lui en signifier l'ordre au cours de la nuit. Conscient d'être observé par son frère cadet, il releva la tête et, phénomène qui parut tout à fait extraordinaire à Harry, se *pétrifia.* Le visage vidé de toute expression, les mains cimentées, les yeux fixes, perdu dans ses pensées, on aurait dit une statue. *Il fait cette tête parce qu'il a dit au petit Eddie qu'il aimerait bien le voir mort*, songea Harry pour la dixième ou onzième fois depuis qu'il s'était souvenu de certaine conversation nocturne, pensée qui n'était pas sans lui inspirer une sorte de terreur mystérieuse. Étaient-ce des paroles en l'air ? Et si Albert avait au contraire vraiment souhaité la mort du petit Eddie, pourquoi n'était-il pas content ? N'avait-il donc pas obtenu ce qu'il voulait ? Il ne fallait pas compter sur lui pour éclaircir ce mystère ; le citoyen était du genre à emporter son secret dans la tombe, se dit Harry en le voyant cligner des yeux comme un myope.

Mal à l'aise, Harry reporta son attention sur son père, toujours soutenu par George et Sonny, puis sur le pasteur, qui en avait presque terminé avec son oraison, et enfin sur mère. Robe noire, lunettes noires, très droite, le sac à main plaqué sur l'estomac, n'eût été le noir de sa tenue, elle aurait pu passer pour la spectatrice blasée d'un match de tennis. Rien qu'à la façon dont elle tenait la tête, Harry savait qu'elle avait envie d'allumer une cigarette. Une cigarette, bon Dieu de merde, ou je me jette dans le trou ! Oh ! Ta maman est morte d'un cancer des poumons, mon pauvre petit lapin ? Non docteur, c'est un accident de cimetière ! Ha ! Ha !

Le pasteur referma sa Bible et fit un geste de la main. A l'aide de cordes, le cercueil fut descendu dans la fosse. Edgar éclata en sanglots. George d'abord, puis Sonny, ramassèrent chacun une grosse motte de terre grasse damée par la pelle et la lancèrent sur le cercueil. Edgar faillit tomber en lâchant sa minuscule poignée de terre mais, d'un geste excédé, George le retint juste à temps. Pressée d'en finir, la mère du défunt s'avança à son tour d'un air décidé, se pencha, attrapa une minuscule motte entre le pouce et l'index (pour le sucre, la pince c'est plus propre et c'est tout de même mieux), laissa tomber sa petite crotte et s'éloigna aussitôt. Son devoir accompli (enfin, façon de parler, sa poignée s'étant lamentablement effritée entre ses doigts), Albert braqua les yeux sur Harry, mais celui-ci secoua la tête pour dire *non*. Il ne voulait pas jeter de terre sur le cercueil, ni entendre le bruit sourd de l'argile sur le métal. A quoi ça rimait qu'il lance une poignée de terre sur le cercueil du petit Eddie, hein ? Comme s'il était endormi et allait se réveiller ! Toc ! toc ! Coucou, le p'tit Eddie ! T'es là ?

« On rentre, dit Albert. Maman dit qu'on a plus rien à faire ici. »

Aussitôt montée dans l'unique voiture du convoi mortuaire, véhicule loué par la maison funéraire, Maryrose Beevers alluma une cigarette et enveloppa la banquette arrière d'un âcre nuage de fumée. La limousine recula dans une petite allée, puis remonta l'allée principale en direction de la grille d'entrée.

Devant, à côté du chauffeur, Edgar Beevers s'affala contre la portière et posa la tête contre la fenêtre. La vitre se couvrit de buée.

« Comment diable le petit Eddie pouvait-il être épileptique sans que personne s'en soit jamais aperçu ? » demanda George.

Albert se raidit et tourna la tête vers sa fenêtre.

« Oh ! tu sais, l'épilepsie c'est comme ça, répondit Maryrose. Il ne se passe rien pendant des années, et puis tout d'un coup, va donc savoir pourquoi, ça se déclenche. »

Un peu comme s'il y avait eu un médecin dans la famille, le fait de travailler dans un hôpital conférait toujours à de tels propos une résonance toute particulière.

« Oui, c'est ce qui a dû se passer, dit Sonny, coincé entre Albert et Harry.

– *Le grand mal*, déclara sentencieusement Maryrose en tirant avidement sur sa cigarette.

– Pauvre petit bâtard, va, dit George. Oh ! désolé, maman. Excuse-moi.

– Je sais que tu es dans l'Armée et que les militaires ont en général un langage plutôt leste, mais j'aimerais que tu t'abstiennes d'employer certains mots. »

Serré contre le flanc noueux de Sonny, Harry sentit le corps de son grand frère parcouru par un rire silencieux, bien que pas un seul muscle de son visage ne bougeât.

« Maman, voyons, je t'ai dit que j'étais désolé.

– Bien, n'en parlons plus. Chauffeur ! ajouta Maryrose en posant ses griffes sur l'épaule du malheureux. Chauffeur, prenez par Livermore Street, la prochaine à droite. Vous connaissez South Sixth Street ?

– C'est comme si vous y étiez, » répondit le chauffeur.

« Ce n'est pas ma famille, songeait Harry. Je ne fais pas partie du même monde qu'eux ; mes règles sont différentes des leurs. »

Aussitôt la porte franchie, Edgar Beevers marmonna quelque chose d'inintelligible et disparut derrière le rideau de son cagibi. Maryrose rangea ses lunettes de soleil dans son sac et se précipita à la cuisine pour mettre au four le gratin de macaronis et le *coffee-cake* [1] qu'elle avait préparés dans la matinée. Sonny et George gagnèrent la salle de séjour et annexèrent chacun un bout du canapé, affectant d'ignorer complètement l'existence de l'autre.

1. Le *coffeecake*, comme son nom ne l'indique pas, est d'origine suédoise. Ce pain domestique, qui fleure bon le beurre et la cannelle, est fait de diverses couches de chapelure et de noix concassées, le tout enrobé de cerneaux de noix. Le prototype de Palmyra, New York, semble donc devoir être recherché du côté de l'Illinois, Galesburg, par exemple, ville qui compte nombre d'habitants d'ascendance suédoise et où le *coffeecake* est une sorte d'institution nationale. *(N.d.T.)*

George prit un numéro de *Sélection du Reader's Digest* qui traînait sur la table et se mit à le feuilleter à l'envers; Sonny croisa les mains sur ses genoux et s'absorba dans la contemplation de ses phalanges. Harry entendit les pas d'Albert retentir dans l'escalier, traverser le palier et entrer dans la chambre où ils ne dormaient plus qu'à deux.

« Qu'est-ce qui lui prend de vouloir mettre les petits plats dans les grands ? demanda Sonny en parlant avec ses mains. Il n'y a pas d'invités, que je sache. De toute façon, personne ne vient jamais parce qu'elle n'a envie de voir personne.

– On dirait qu'Albert a l'air de prendre ça plutôt mal », lança George à l'adresse de celui qui était maintenant le benjamin.

Désireux de se faire aussi petit que possible, Harry s'était assis près de la porte. L'attention dont il était l'objet de la part de son frère aîné l'effrayait plus qu'autre chose, bien que George n'ait cessé de se montrer d'une amabilité inhabituelle depuis son arrivée, deux jours après la mort du petit Eddie. Il avait toujours la brosse réglementaire, et le menton volontaire, mais le démon qui l'habitait semblait avoir disparu.

« Tu crois qu'il va bien ?

– Albert ? Bien sûr, assura Harry avec un sourire incertain.

– Ce n'est pas lui qui a découvert le petit Eddie, si j'ai bien compris ?

– Non, c'est papa, répondit Harry. En rentrant, il a vu qu'y avait encore de la lumière au grenier. Albert est monté qu'après. Au début, quand il a vu tout le sang, papa a cru que quelqu'un s'était introduit dans la maison et avait tué le petit Eddie. Mais il s'était juste cogné la tête. C'est pour ça qu'y avait du sang partout.

– C'est incroyable ce que ça peut saigner, les blessures à la tête, confirma Sonny. Un jour, un mec m'a cassé une bouteille sur la tronche, à Tokyo. Ça pissait tellement que j'ai bien cru que j'allais me vider sur place.

– Paraît que c'est le carnage complet, là-haut ? » s'enquit George d'un ton calme.

Cette fois, Sonny se fit attentif.

« Les robes, c'est plus la peine d'en parler. Y a un des fauteuils qu'est cassé et un gros morceau de la table à café qu'a sauté. Quant au miroir, papa a nettoyé ce qu'il a pu, mais y en a encore des morceaux partout. »

Sonny secoua la tête et siffla doucement entre ses lèvres.

« Rude journée pour la vieille, dit George. Mais je l'entends qui s'amène ; on ferait mieux de parler d'autre chose. On reprendra ça plus tard. »

Harry hocha la tête.

12

Après le dîner, ce soir-là, une fois Maryrose partie se coucher (elle avait obtenu deux jours de congés exceptionnels pour la circonstance), Harry, qui s'en serait volontiers passé, se retrouva bloqué dans la cuisine avec un George qui avait manifestement quelque chose à dire, mais ne savait pas par quel bout commencer. Sonny s'était éclusé ses six bières en suisse, vautré devant la télévision, et était monté se coucher. Albert s'était éclipsé immédiatement après le dîner. Edgar n'avait pas quitté son cagibi depuis le retour du cimetière.

« Je suis content que Pete Petrosian soit passé, dit George, assis de l'autre côté de la table. C'est un brave type. L'en a repris deux fois, le vieux brigand. »

Harry fut surpris d'entendre son frère appeler leur voisin par son prénom, ne s'étant même jamais posé la question de savoir si celui-ci pouvait en avoir un.

De tous ceux qui étaient venus présenter leurs condoléances dans l'après-midi, M. Petrosian, malgré l'activité fébrile déployée en cuisine par Maryrose, avait été le seul à se voir invité à rester dîner.

« Je prendrais bien une bière, dit George. Enfin, si Sonny en a laissé. »

George se leva et alla jusqu'au réfrigérateur. Son uniforme était si ajusté qu'il semblait avoir été peint directement sur son corps ; ses muscles saillaient et roulaient comme ceux d'un cheval.

« Il en reste deux, annonça-t-il. Heureusement que ce n'est pas encore de ton âge. »

George fit sauter les deux capsules, se rassit, fit un clin d'œil à son cadet, porta la première bouteille à ses lèvres et en avala une bonne lampée.

« Peux-tu m'expliquer ce que le petit Eddie pouvait bien foutre là-haut ? Il essayait des robes, ou quoi ?

– Je sais pas, dit Harry. Moi, je dormais.

– Enfin, bon Dieu! je sais bien que je n'ai pas eu le temps de le connaître beaucoup, mais il était plutôt du genre à avoir peur de son ombre, si je me souviens bien. Je suis même surpris qu'il ait eu le cran d'aller faire mumuse tout seul là-haut, comme ça, en pleine nuit.

– Mmouais, confia Harry. Moi aussi.

– Dis-moi, tu n'étais pas avec lui, des fois? » demanda George en levant la bouteille à sa santé.

Ayant l'impression d'être rouge comme un coquelicot, Harry aurait préféré éviter le sujet.

« Je me disais que tu avais peut-être vu ce qui est arrivé et que tu avais eu peur d'en parler. Parce que tu sais, personne ne te fera de reproches, personne. On ne peut pas en vouloir à un gamin de ton âge s'il n'a pas su comment réagir face à un épileptique en pleine crise. Le petit Eddie s'est avalé la langue. Même si tu avais été là, et même si tu avais eu la présence d'esprit d'appeler une ambulance, il serait sans doute mort avant qu'elle arrive. Il y a des choses qui sont au-dessus des forces d'un petit garçon. Personne ne sera fâché, tu sais, Harry. Maman comme les autres.

– Moi, tint à rappeler Harry, je dormais.

– D'accord, d'accord. Mais ce sont des choses que je voulais que tu saches. »

Les deux frères se turent un moment puis reprirent la parole en même temps.

« Est-ce que tu savais que...

– Nous t'en... Oh! désolé, dit George. Continue.

– Tu savais que papa avait fait la Deuxième Guerre mondiale?

– Bien sûr.

– Tu sais qu'un jour il a commis un crime parfait?

– *Quoi?*

– Ouais, un crime parfait. Quand il était dans ce camp de concentration, à Dachau.

– Oh! merde! C'est de ça que tu veux parler? Tu as une drôle de façon de présenter les choses, Harry. Il a abattu un ennemi qui tentait de s'enfuir. Ça n'a rien à voir avec un crime; c'était la guerre. Ça fait tout de même une sacrée différence.

– J'aimerais qu'il y ait la guerre, un jour, avoua Harry. Je voudrais faire l'Armée, comme toi et papa.

– Hé! là! Ne t'emballe pas comme ça! dit George, amusé. Ça tombe bien que tu mettes ça sur le tapis parce que c'est une des choses dont je voulais te parler. »

Il posa sa bouteille sur la table, la réchauffant entre ses mains, et, la tête penchée de côté, étudia son jeune frère un instant. Les choses sérieuses allaient commencer.

« Tu sais, Harry, j'ai fait pas mal de conneries, dans ma vie, pour appeler les choses par leur nom. Tiens, par exemple, ce qui m'excitait, c'était cogner. J'en avais après tout le monde, je ne pouvais voir personne en peinture. Pour moi, me payer du bon temps, c'était balancer mon poing dans la gueule du premier connard venu et lui faire cracher ses poumons. L'Armée m'a fait beaucoup de bien. Je suis devenu plus mûr, plus adulte. Mais toi, je ne crois pas que tu sois fait pour l'Armée. Tu es trop intelligent – si tu sens que c'est vraiment ton truc, alors d'accord, mais, de nous tous, tu es vraiment celui qui as le plus de chance de réussir dans la vie. Tu pourrais faire médecine. Ou droit. En tout cas, fais des études, Harry; va aussi loin que tu peux. Tiens-toi peinard, évite de faire trop de conneries et, le moment venu, inscris-toi en fac.

– Oh... la fac.

– Tu sais, Harry, je gagne pas mal d'argent, plus qu'il ne m'en faut pour vivre. Le mariage, les gosses, tout ça, merci, très peu pour moi. Alors, je vais te faire une proposition. Si tu arrives jusqu'à la fac, je te donnerai un coup de main pour continuer. Peut-être que tu arriveras à décrocher une bourse – je crois que tu es assez intelligent pour ça, et ce serait à ne pas négliger –, mais, bourse ou pas, je t'aiderai. »

George reposa sa bouteille sur la table, vide, et considéra Harry d'un air songeur.

« Qu'il y ait au moins quelqu'un dans cette famille qui arrive à quelque chose. Qu'est-ce que tu en penses?

– Je crois que j'ai du pain sur la planche, répondit Harry.

– Tu l'as dit, bouffi, dit George en portant la seconde bière à ses lèvres. Du pain sur la planche, exactement! »

13

Le lendemain du départ de Sonny, George entassa les jouets et les vêtements du petit Eddie dans une caisse et porta le tout au débarras. Deux jours plus tard, il prenait l'autocar pour New York, devant s'envoler pour l'Allemagne au terrain d'aviation d'Idlewild[1]. Une heure avant son départ, il emmena Harry

1. Aujourd'hui, John Fitzgerald Kennedy International Airport. *(N.d.T.)*

jusqu'au Big John's et commanda des montagnes de frites et de hamburgers.

« Eddie va probablement beaucoup te manquer ? dit-il.

– Sans doute », répondit Harry.

En fait, pour Harry, Eddie était déjà une absence, un souvenir. De temps en temps, en entendant une porte s'ouvrir, il se dirait : « Tiens, voilà le petit Eddie ! » Mais quand il tournerait la tête, il ne verrait personne. La question de George, posée il y avait maintenant une semaine, fut la dernière fois où Harry entendit quelqu'un prononcer le nom de son frère.

Dans la semaine qui suivit le départ de George, tout sembla rentrer dans l'ordre et les choses reprendre leur cours. Harry savait toutefois que rien ne serait plus comme avant. Jusque-là, ils avaient formé une famille de cinq personnes, aux liens certes assez lâches, mais une famille tout de même : trois enfants, deux parents, normal. Aujourd'hui, la famille semblait s'être réduite à trois, et, pour être tout à fait honnête, Harry devait admettre qu'il aurait même plutôt fallu dire deux. Lui et Maryrose.

Edgar Beevers avait quitté le domicile conjugal et ne brillait plus maintenant, lui aussi, que par son absence. Suite à la visite de deux policiers qui s'étaient garés juste devant la maison, compte tenu de la tête de sa mère, qui n'avait pas dit un mot mais dont l'air pincé était assez éloquent, compte tenu surtout du spectacle de son père, pâle comme un linge mais sobre, essayant vainement de nouer sa cravate devant la glace de la salle de bains, Harry avait fini par comprendre que l'auteur de ses jours était accusé de vol et allait être traduit devant les autorités compétentes, ce qui ne semblait aucunement l'enchanter. Ses mains tremblaient si violemment qu'il n'avait pas pu se raser tout seul, et c'était Maryrose, la cigarette au bec, qui avait finalement dû lui nouer sa cravate – étranglement perpétré en deux temps trois mouvements, secs comme un coup de trique et aussi tendres qu'un coup de couteau dans les côtes.

Inculpation de vol à l'étalage non retenue contre un père de famille récemment frappé par un deuil cruel, titrait la manchette de l'article du journal du soir livrant tous les détails du crime commis par son père. Edgar Beevers avait été appréhendé sur la voie publique, sur le trottoir du supermarché de Livermore Street, plus exactement, avec des biftecks – dans le filet, s'il vous plaît – dissimulés sous la chemise et deux bouteilles de Rhinegold dans les poches. Il avait volé deux steaks et deux bouteilles de bière ! C'était à ne pas croire. La loi avait quelque peu tempéré sa rigueur et rendu le sieur Edgar Beevers à sa femme et à ses enfants éplorés, mais celui-ci, plutôt que de les retrouver, avait tout bonnement déserté le domicile conjugal. Il avait d'abord dormi avec les ivrognes et les clochards dans les immeubles abandonnés d'Oldtown Road, le quartier mal famé de Palmyra, mais logeait à présent, disait-on, chez une femme.

Albert était une autre énigme. Tout se passait comme si une créature extraterrestre avait pris possession de son corps pour l'utiliser à des fins personnelles, exactement comme dans *L'invasion des profanateurs de sépultures*. Il se comportait bizarrement, se croyant apparemment suivi, et il fallait lui arracher les mots de la bouche.

Trois jours après le départ de George, sur le chemin du Big John's, s'étant retourné par hasard, Harry avait aperçu le cher frangin (avec son jean noir et son tee-shirt plein de cambouis, les mains dans les poches et les yeux au ras du trottoir) à une cinquantaine de mètres derrière lui. La tête dans le sable, comme les autruches. Quand Harry s'était retourné, une seconde fois. Albert avait grogné : « Continue à marcher. » La suite avait été fort instructive.

Aussitôt arrivé, Harry s'installa au billard électrique. Albert entra furtivement quelques minutes plus tard, fila directement au comptoir et s'empara d'une des cartes crasseuses du porte-menu, à côté du distributeur de serviettes, et l'étudia comme s'il ne la connaissait pas par cœur.

Accoudé à l'autre bout du comptoir, le gros John jugea utile de la ramener.

« Ah! ça! les p'tits gars, me dites pas que personne vous a présentés! »

Comme Albert, il portait un jean noir et des bottes de moto, mais ses cheveux bruns, à la coupe résolument années cinquante, lui cachaient les oreilles. Sous son tablier blanc plein de taches, il arborait une chemise noire frappée de palmiers azur.

« Non?! Alors, je vais le faire à votre place. Voilà, Harry Beevers, je te présente ton frère, ce brave petit Bucky; quant à toi Albert, je te présente ton frère, Harry Beevers. Allez quoi, les gars, serrez-vous la louche! »

Très fin, le gros John. Bucky Beaver était le castor aux incisives conséquentes d'une réclame télé. Albert rougit, les yeux obstinément fixés sur la carte.

« Appelez-moi plutôt Beans », dit Harry.

Dans son dos, il sentit le regard étonné de son frère dériver du comptoir au billard.

« Beans et Bucky, les deux fils Beevers! dit le gros John. Et qu'est-ce que ce sera, Bucky ?

– Hamburger, frites, milk-shake », dit Albert.

Le gros John se tourna et aboya la commande à travers le passe-plat de la cuisine où officiait Mama Mary. Pendant un moment, chacun s'étudia mutuellement du coin de l'œil, puis le gros John reprit la parole.

« Alors, comme ça, paraît que votre père en a eu marre, de l'hôtel du cul tourné ? Remarquez, paraît que la pépée qu'y s'est choisie serait rudement gironde. Paraît aussi qu'elle aurait fait quelques petits séjours au cabanon. Si! si! Rapport à des extraterrestres, qu'arrêtaient pas de lui causer dans son poste. Saviez ça, les gars ?

– D'abord, mon papa, il va bientôt rentrer à la maison, dit Harry. Et puis, il a pas de pépée! Il habite chez une amie à lui. Une femme riche qui veut l'aider à s'en sortir parce qu'elle sait qu'il a des ennuis. Elle va lui trouver un bon boulot; il rentrera bientôt et on déménagera pour aller habiter une nouvelle maison. Là! voilà! »

Apparemment doué d'ubiquité, Albert se matérialisa soudain à côté de lui, le visage défiguré par la haine. Il eut à peine le temps de pousser un cri; d'un coup de poing en pleine poitrine, Albert l'expédia contre le billard.

« Je suppose que t'es content ? Ça va mieux ? cracha Harry, incapable de maîtriser sa rage. Je parie que tu voudrais bien me voir mort, moi aussi! Hein, Albert, que t'aimerais ça, que je sois mort ? »

Albert recula de deux pas et abaissa les bras, de nouveau maître de lui, attentif à ne pas montrer ses réactions.

Pendant une seconde, le souffle coupé, la vue trouble, Harry vit le visage confiant du petit Eddie se dessiner devant lui, puis le gros John posa un hamburger et une pleine assiette de frites sur le comptoir.

« Du calme, les p'tits gars. Allez, boxeur, mange, ça va te calmer. »

Cette nuit-là, couchés chacun dans leur lit, les deux frères ne s'adressèrent pas la parole. Albert gardait les yeux fermés, comme un opossum en danger, mais Harry n'était pas dupe; il savait qu'il ne dormait pas mais faisait seulement semblant. Il essaya de rester éveillé le plus longtemps possible, guettant le moment où Albert allait s'endormir, mais fut emporté par un rêve.

Il courait dans les couloirs d'un château peuplés d'armures de chevaliers et de flambeaux qui dégoulinaient dans leurs bobèches. Sa vessie était sur le point d'éclater; ce n'était plus possible, encore quelques instants, et c'était le drame... « Ouf! sauvé! » se dit-il en apercevant soudain les toilettes rutilantes. Il franchit la porte en courant, la braguette déjà ouverte, et sentit son sang se figer dans ses veines. Ce n'était pas le majordome qui officiait ce soir, non, mais le petit Eddie. Laquée comme une couche de peinture, une traînée de sang lui zébrait tout le visage, du sourcil gauche à la gorge; les yeux exorbités, des yeux de fou, il trépignait sur place en agitant les bras comme un forcené. Il voulait parler mais ne pouvait plus articuler un mot. Le petit Eddie s'était avalé la langue.

Harry se dressa sur son lit, un hurlement dans la gorge, puis reprit conscience du lieu où il se trouvait. Plus de petit Eddie. Il se rua dans l'escalier, redoutant d'arriver trop tard à la salle de bains.

14

Quatorze heures le lendemain. Trépignant sur place, Harry se tenait à nouveau la braguette à deux mains. L'envie d'uriner était aussi pressante que dans son rêve, mais, cette fois, il n'était pas dans la salle de bains, face au débarras et au cagibi où dormait son père. Sous la chaleur écrasante du début de l'après-midi, il se tenait de l'autre côté du 45 Oldtown Way, petite rue faisant la liaison entre les immeubles laissés aux clochards, les hôtels borgnes, les bars et les cinémas miteux d'Oldtown Road, et les établissements plus respectables de Palmyra Avenue, le vrai centre-ville. Le 45 Oldtown Way était un bâtiment de briques de trois étages à la façade hérissée d'un exosquelette de rampes et de paliers faisant office d'escalier de secours. Les fenêtres du rez-de-chaussée étaient protégées de barres de fer. Le bâtiment était bordé d'un côté par la vitrine passée au blanc d'Espagne d'un magasin de chaussures qui avait fait faillite, de l'autre, par un terrain vague où morceaux de briques, tessons de bouteilles, pissenlits et carottes sauvages proliféraient à l'envi. C'était là que vivait maintenant son père. Tout le quartier était au courant et, depuis que le gros John s'était fait un plaisir de l'en informer, Harry aussi.

Dansant d'une jambe sur l'autre, il attendait qu'une femme sorte enfin de l'immeuble. La porte d'entrée, à la peinture tout écaillée et d'aspect aussi peu engageant que celle de la maison de South Six Street, était chapeautée (de guingois, les ans ayant accompli leur œuvre) d'une imposte autrefois vitrée. Harry avait passé en revue la rangée de boîtes aux lettres cabossées, juste à côté de la porte, à la recherche du nom de son père, mais il n'y avait de nom sur aucune. Le gros John ne connaissait pas celui de la femme qui hébergeait son père, mais il avait déclaré que c'était une grande brune qui n'avait plus toute sa tête mais déjà, si ce n'était pas une honte, deux enfants placés. Une demi-heure auparavant, Harry avait bien vu sortir une femme brune, mais il ne l'avait pas suivie car elle ne lui avait pas paru particulièrement grande. Il commençait maintenant à avoir des doutes. Qu'est-ce que le gros John entendait par grande, d'abord ? Aussi grande que lui ? Et à quoi reconnaissait-on que quelqu'un était fou ? Est-ce que c'était écrit sur sa figure ? Peut-être aurait-il dû suivre cette femme. Rongé par l'incertitude et tenaillé par l'envie d'uriner, il ne pouvait que serrer les jambes et attendre.

Dire qu'en ce moment-même, songeait-il, son père était dans cet immeuble. Harry l'imagina, allongé sur un lit défait, les yeux braqués vers la fenêtre, le chapeau rabattu très bas sur le front comme « Lepke » Buchalter, le paquet de cigarettes à portée de la main.

Vaincu par la nature, Harry traversa la rue et pénétra dans le terrain vague. Près de la barrière du fond, les hautes herbes constituaient l'abri idéal. Il tira frénétiquement sur la fermeture de sa braguette et, le jet dirigé sur un tas de briques, tordit le cou vers le mur latéral du 45 Oldtown Way. L'immeuble lui parut très haut et pencher légèrement vers lui. Quatre fenêtres aveugles trouaient chaque étage. Au moment où il refermait sa braguette, il entendit claquer la porte d'entrée.

Le cœur battant, Harry se dissimula dans les mauvaises herbes jaunies par l'été. La peur que la femme s'en aille du mauvais côté lui fit croiser les doigts. Encore cinq secondes et il serait fixé. Ses articulations craquaient. Il se faisait l'effet d'un soldat embusqué dans une forêt, d'un assassin méditant son crime. Il se haussa sur la pointe des pieds, prêt à courir.

Comme deux guignols déboulant sur la scène d'un théâtre, une carriole et un individu ventripotent avec une toute petite tête et des chaussures de basket, un cigare planté dans la bouche comme un drapeau, surgirent dans l'échancrure ménagée par l'ouverture du terrain vague sur la rue. Intrigué par cette curieuse caravane, Harry faillit ne pas voir l'ombre qui la suivait. Une femme brune vêtue d'une longue robe noire dépassa rapidement la carriole et, son avance assurée, se retourna brièvement. Pour être grande, elle l'était. La peau d'un brun olivâtre, de profondes rides marquaient ses traits. C'était donc chez cette femme que logeait son père. Ses longues enjambées énergiques l'avaient déjà menée loin de la carriole ; Harry s'élança de sa cachette et se lança à ses trousses.

Elle marchait d'un bon pas et sautait du trottoir quand quelqu'un lambinait trop à son gré. Parvenue au coin d'Oldtown Road, sans regarder ni à droite ni à gauche, elle fendit le groupe de clochards qui colonisait généralement les lieux et coupa sous le nez de deux gosses noirs s'exerçant aux subtilités du basket. Elle marchait si vite que Harry dut hâter le pas pour ne pas la perdre de vue. « Z'allez sans doute pas me croire », répéta Harry pour la troisième fois. Il passa au large de l'aréopage d'assoiffés répandus sur le trottoir et adopta un trot soutenu. Les deux joueurs de basket ne firent pas attention à lui, trop accaparés par une série de dribbles. La femme à l'abondante chevelure brune n'était plus qu'à une cinquantaine de mètres devant lui ; en parfait synchronisme avec chacun de ses pas, son gros postérieur, énorme et au moulé encore accentué par le déhanchement, brimbalait de stupéfiante façon sous sa robe bouffante.

« Peut-être que vous allez pas me croire, mais c'est comme ça », décida Harry, toujours plongé dans son monologue intérieur. Voyant la femme entrer brusquement dans l'épicerie A & P, il piqua un sprint, poussa la classique porte de bois jaune et pénétra dans la touffeur accablante du magasin. Certains établissements A & P avaient peut-être l'air conditionné, mais pas la petite épicerie d'Oldtown Road.

Qu'est-ce que ça voulait dire, des enfants placés, au juste ? On plaçait des enfants comme on plaçait de l'argent, et on obtenait des dividendes ?

Une chose était sûre : une bonne mère de famille gardait ses enfants pour elle et ne les plaçait pas. Harry vit la femme passer devant la caisse et s'engager dans une allée ; il ne s'en était pas rendu compte, mais elle était plus grande que son père. « Croyez-moi ou non, c'est comme ça », murmura-t-il en s'avançant jusqu'à la gondole dressée au coin de la troisième allée. Un panier métallique à la main, la femme s'était arrêtée au milieu de l'allée. C'était le moment de se jeter à l'eau ; pour se donner du courage, Harry caressa l'épingle à chapeau piquée sous le rabat de son col et s'éclaircit la gorge. Hésitant entre plusieurs marques de pommes chips, la femme se décida pour un paquet familial.

« Excusez-moi », dit Harry.

La femme tourna la tête ; sous la faible lumière de l'éclairage électrique, son gros visage carré semblait d'un brun plus pâle qu'au-dehors. C'était une égale qui se tenait devant lui ; une telle femme était une magicienne ; ses yeux pouvaient lancer des flammes, cracher du feu.

« Vous allez peut-être pas le croire, mais je parie que vous saviez pas qu'un enfant pouvait hypnotiser les gens aussi bien qu'un adulte.

– Quoi ?! Qu'est-ce que tu racontes, chenapan ? »

Se faisant maintenant l'effet d'un idiot, Harry décida néanmoins de s'en tenir à son texte.

« Un enfant peut parfaitement hypnotiser quelqu'un. En tout cas, moi je peux. Vous me croyez pas ?

– Je crois plutôt que je m'en fiche complètement ! dit la femme en tournant les talons.

– Je parie que vous me croyez pas capable de vous hypnotiser.

– Fiche-moi la paix, sale gosse ! »

Harry comprit que s'il s'entêtait à parler d'hypnose, la femme allait tourner dans la prochaine allée et le planter là comme une vieille chaussette, lui ou tout ce qu'il pourrait dire, voire même appeler le gérant.

« Je m'appelle Harry Beevers, se hâta-t-il de préciser. Je suis le fils d'Edgar Beevers. »

La femme s'arrêta, se retourna et le dévisagea de la tête aux pieds.

« Je me demande si vous l'appelez Beans, dit Harry.

– Celle-là, c'est la meilleure de la journée ! s'exclama la femme. Tu ne manques pas de toupet ! Ainsi, tu es l'un de ses fils ? Splendide. Qu'est-ce que tu veux ?

– Moi ? Je voudrais vous voir gigoter par terre comme une anguille ; je voudrais que vous vous tapiez la tête partout et que vous avaliez votre langue ; je voudrais que vous soyez morte et à six pieds sous terre ! »

Abasourdie, bouche bée, la femme semblait avoir du mal à en croire ses oreilles.

« Et puis je voudrais vous voir toute gonflée, toute bouffie par les gaz. Je voudrais vous voir pourrir, transformée en charogne putride. Je voudrais que vous soyez plus qu'un vieux squelette qu'a même plus de peau sur les os !

– Mais ce gosse est fou, ma parole ! s'étrangla la femme. D'ailleurs, vous êtes tous plus ou moins fêlés, dans la famille. Pourquoi crois-tu que ta mère n'en veuille plus, de son cher Beans, hein ?

– Je sais pas, mais après ce qu'il a fait, il peut rester où il est ! » dit Harry en jugeant préférable de ne pas s'éterniser.

Il remonta Oldtown Road, la mal famée, au galop, et prit à gauche au coin d'Oldtown Way. Il passa en courant devant le numéro 45 et fouilla vainement du regard les fenêtres de l'immeuble ; il était en nage et sentait venir le point de côté. Un instant, le bout de la rue dansa devant ses yeux et fut remplacé par l'orée d'une forêt, derrière une barrière de fils barbelés. Il produisit un dernier effort et surgit sur Palmyra Avenue. Là, les grilles rouillées des défuntes galeries Allouette ; plus loin, des magasins, plein de magasins, des neufs, des vieux ; plus loin encore, le carrefour de Livermore Street et, tiens, mais oui, la masure de M. Petrosian.

15

Par un milieu d'après-midi étouffant, onze ans plus tard dans un camp des plateaux du centre du Viêt-nam, le lieutenant Harry Beevers referma la moustiquaire de sa tente pour se protéger des insectes et s'assit sur le bord de sa couchette pour écrire, projet déjà remis plusieurs fois, une lettre à Pat Caldwell, la jeune femme qu'il désirait épouser – et qu'il épouserait dès son retour.

Voici ce qu'il lui écrivit, après bien des hésitations et de nombreuses corrections. Plus tard, Harry Beevers devait détruire cette lettre.

Ma chère Pat,

Tout d'abord je voudrais que tu saches combien tu me manques, ma chérie. Si jamais je me sors de ce magnifique et terrible pays, ce qui ne devrait plus tarder, je vais te rendre la vie impossible et ne pas te lâcher jusqu'à ce que tu acceptes de m'épouser. Dans l'euphorie de ma libération prochaine (HIP ! HIP ! HIP !), j'ai déjà imaginé ce qu'allait être ma nouvelle vie, et tu y tiens une grande place. J'ai encore quatre-vingt-six jours à tirer avant qu'on me mette dans l'avion avec une grande claque dans le dos. Maintenant que mes états de service sont de nouveau aussi clairs que de l'eau de roche, je suis sûr de pouvoir m'inscrire en droit à l'université Columbia. Comme tu le sais, mes notes étaient plutôt bonnes (au diable la modestie!), en capacité. Je suis sûr que j'aurais même pu m'inscrire à Harvard, mais j'ai choisi Columbia afin qu'on soit tous les deux à New York.

Mon frère George m'aidera et me donnera tout l'argent dont j'aurais – dont nous aurons – besoin. C'est grâce à lui si j'ai pu passer ma capacité. Tu ne devais pas être au courant de ça. En fait, personne ne le sait. Avec le recul, je me rends compte que je n'ai fait que glander pendant ces deux ans. Je voulais que tout le monde croie que j'étais issu d'une famille aisée, du moins de la classe moyenne, alors qu'en réalité, nous étions pauvres comme Job. Mais ma réussite n'en a eu que plus de mérite et plus de prix!

Tu vois, même avec tous ces affreux moments de doute et d'humiliation, le Viêt-nam est une expérience qui m'a apporté énormément de choses. J'ai eu raison de venir ici, même si je n'avais aucune idée de la réalité que j'allais trouver. Je crois qu'il fallait que je me frotte à la guerre, à la réalité de la guerre, pour devenir un homme. Je te le dis franchement, même si je sais que ce genre d'idées est tout à fait à l'opposé des tiennes. Je vais même te dire plus : d'une certaine façon, je suis content d'être ici. Même avec tous les emmerdements qu'elle m'a apportés, cette année restera comme une des étapes décisives de ma vie. Comme tu le vois, Pat, je suis résolu à me montrer honnête – à être un honnête homme. Un futur avocat se doit d'être honnête, tu ne crois pas? (Je sais, certains prétendent le contraire.) Une des choses qui ont beaucoup compté pour moi dans cet enfer, c'est l'amitié indéfectible (je ne peux pas appeler ça autrement) que m'ont témoignée mes hommes. Je dis mes hommes, mais je devrais dire mes amis. J'avoue que je préfère nettement le simple deuxième pompe, même grande gueule, au gradé standard; corollaire de ce qui précède, je n'ai eu qu'à me louer de la loyauté de mes hommes, alors qu'il y aurait beaucoup à dire sur la coopération de bien des lieutenants. J'aimerais que tu rencontres un jour Mike Poole, Tim Underhill, Pumo le Puma et, le plus étonnant de tous, M.O. Dengler, bref, tous ceux qui étaient avec moi à la grotte de Ia Thuc. On est tous comme les doigts de la main. J'ai un surnom, tiens. Beans. Tout le monde m'appelle Beans Beevers et ça me plaît bien.

C'est un peu pour ça que je ne me suis pas trop inquiété quand je suis passé devant le conseil de guerre. Tous les faits, et mes propres hommes, étaient de mon côté. Et puis, je te demande un peu : me crois-tu vraiment capable, moi, de tuer des enfants? On est au Viêt-nam ici, c'est la guerre et en temps de guerre, il faut tuer. C'est ce qu'on fait; on tue des Viêts. Mais on ne tue pas les enfants, ni les bébés. Même dans le feu de l'action, et Dieu sait si à Ia Thuc, il y en avait!

Bon, tout ceci pour te dire que le conseil m'a blanchi de toutes les accusations qui pesaient contre moi. Dengler a également été reconnu innocent. Selon certains bruits, figure-toi qu'il serait même question de nous décerner une médaille pour tout ce qu'on a dû subir au cours des six dernières semaines – je veux parler, entre autres, de cet article infâme dans Time Magazine. *Avant de parler de génocide, les journalistes devraient se renseigner et attendre d'être en possession de tous les faits. Heureusement, les magazines de la semaine dernière commencent à laisser tomber un peu toutes ces conneries.*

Parce que s'il y en a un qui sait quel drame la mort peut être, c'est bien moi.

Je ne te l'ai jamais dit, mais j'ai eu un petit frère, autrefois, Edward. J'avais dix ans, à l'époque. Une nuit, alors qu'il s'était aventuré tout seul au grenier, il est mort d'une crise d'épilepsie. Cet événement a virtuellement détruit ma famille. A la suite de ça, mon père a quitté la maison. (C'était un héros de la Deuxième Guerre mondiale, encore quelque chose que je ne t'avais jamais dit.) Quant à mon frère Albert, il a beaucoup changé, et pas dans le bon sens, loin s'en faut. Il a essayé de s'engager, en 1964, mais l'Armée n'a pas voulu de lui; il a été jugé psychologiquement instable. Pendant un moment, ma mère a bien failli perdre l'esprit, elle aussi. Elle passait ses journées au grenier, à pleurer toutes les larmes de son corps; il n'y avait plus moyen de la faire redescendre. On peut donc dire que ma famille a pratiquement été détruite, ou anéantie, quel que soit le mot employé, ça ne change rien, par la mort du petit Edward. Ça et le départ de mon père, j'ai eu du mal à m'en remettre. Ce sont des choses qu'on ne surmonte pas facilement.

La procédure a duré exactement quatre heures. Quatre heures, et emballé, pesé, comme on disait autrefois à Palmyra. Nous avions alors un voisin nommé Pete Petrosian qui disait des choses comme ça et qui, bizarrement, est mort exactement de la même façon que le petit Edward, environ quinze jours après. Qui dit que la foudre ne tombe jamais deux fois au même endroit? Oh! je sais que c'est idiot de penser à lui en ce moment, mais une des choses que la guerre t'apporte, c'est cette espèce de familiarité avec la mort: la façon dont elle survient, comment les gens réagissent, sa signification. Peu à peu, tous les morts que tu as connus dans ta vie finissent par acquérir des traits communs, par se fondre en une seule et même famille. C'est un sentiment profond, et contre lequel un conseil de guerre torché en trois coups de cuillères à pot ne peut rien. S'il y avait vraiment des enfants innocents dans cette grotte, alors ils font maintenant partie de ma famille, comme le petit Edward et Pete Petrosian, et le reste de ma vie leur sera dédiée. Mais l'Armée n'est pas de cet avis; et je suis d'accord avec elle. Je t'aime, je t'aime, je t'aime. Arrête de te tracasser : tu vas bientôt être la femme d'un brillant avocat avec un putain d'avenir devant lui. Je ne te parlerai plus de cette sale guerre, puisque tu n'en as pas envie. Oui, je te le promets, je ne te parlerai plus du Viêt-nam. Ni de Palmyra.

A toi pour toujours
Harry
(dit Beans!)

P.S. : Le lecteur curieux d'en savoir un peu plus sur le lieutenant Harry Beevers et les mystérieux événements de Ia Thuc, pourra consulter avec profit le roman *Koko.* *(N.d.E.)*

INTERLUDE : AU ROYAUME DES RÊVES

La guerre terminée, il a longtemps rêvé de son enfance. Dans ses rêves, il entend des cris retentir dans la chambre ou la salle de bains du minuscule rez-de-chaussée où il a vécu ses premières années. Lorsqu'il se tourne vers la fenêtre, apeuré, il sait que la rue, les ormes, les pelouses qui descendent doucement jusqu'au trottoir, tout cela n'est que trompe-l'œil et qu'en dessous bouillonne un océan en fusion. Ces images apocalyptiques n'ont rien à voir avec la guerre; celle-ci a commencé bien après. Des cris éclatent dans toute la maison d'un étage, jaune en haut, marron en bas; dehors, sous les rues, les flammes font rage.

Les clameurs cessent dès qu'il pose la main sur la poignée de la porte de la salle de bains. La porte ouverte, ses yeux tombent sur le rideau de la douche, maculé de sang. Il y a également du sang sur le carrelage et le siège des toilettes. Le plus dur est de tirer le rideau, mais il n'y a personne dans le bac de la douche, seulement une grande flaque de sang qui rampe lentement vers le trou de la bonde, telle une monstrueuse chenille. Voilà de quoi étaient faits ses rêves, avant et pendant la guerre.

LE GENÉVRIER

J'ai passé mon enfance dans une petite ville du Midwest, une ville où la campagne, toute rouillée par le minium des lis tigrés, était encore présente entre les lotissements, une ville avec d'affreux pavillons flambant neufs, dans le plus pur style « néo-ranch », alignés au cordeau sur leurs parcelles argileuses, des rues sans arbres écrasées de soleil et une école avec une cour de récréation goudronnée dont l'asphalte, en été, fondait et collait comme du chewing-gum aux semelles des baskets.

Entourée d'un haut grillage, espace noir et vide qui tremble sous la chaleur, la cour ressemble à l'image floue d'un poste de télévision mal réglé. Je suis avec Paul, le nouveau.

Nous sommes pratiquement à la fin du semestre, mais Paul, les cheveux poil-de-carotte, les yeux clairs, trop timide pour demander ne serait-ce que la permission d'aller aux cabinets, est arrivé il n'y a que six semaines. Les cours lui passent largement au-dessus de la tête et son accent du Sud n'est pas la meilleure des cartes de visite. D'un ton presque intimidé, tant la chose paraît énorme, les bonnes âmes ont d'ailleurs eu vite fait de répandre la nouvelle : « Paul cause comme un négro. »

Paul porte une grosse chemise rouge trop chaude pour la saison. Nous sommes au fond de la cour, à l'ombre du mur de briques jaunes percé, à hauteur des yeux, d'une fenêtre récemment cassée au verre opaque armé de fil de cuivre. A nos pieds, la cour est jonchée de petits éclats verts qui donnent envie de mordre dedans; trop durs pour se briser sur l'asphalte mou, ils s'enfoncent dans la semelle des chaussures. Avec son accent fluet, musical, Paul déclare qu'à son avis, jamais il ne se fera d'amis à l'école. Je pose le pied sur un des petits cailloux acidulés, et le sent, aussi dur que de l'acier, s'incruster dans ma semelle. « Les enfants sont tellement cruels », fait-il machinalement observer de sa voix chantante. Moi, si je m'écoutais, je m'ouvrirais la gorge avec un de ces petits morceaux de verre et laisserais la vie s'écouler hors de moi.

Paul n'est pas revenu à l'école à la rentrée. Son père, qui avait frappé un homme à mort dans le Mississippi, a été arrêté à la sortie de l'Orpheum-Oriental, le cinéma situé à deux pas de chez nous, où il avait emmené femme et enfants voir un film d'Esther Williams, avec Fernando Lamas pour partenaire. La bouche sèche d'avoir mangé du pop-corn salé, les mains du petit dernier toutes poisseuses de Coca-Cola, la police les attendait devant l'entrée. Ils étaient du Mississippi, et j'imagine Paul aujourd'hui, assis derrière un bureau, quelque part à Jackson, au milieu d'hommes assis comme lui derrière les mêmes bureaux, la cravate réglementairement serrée, les chaussures bien cirées et avec, peut-être, une lueur dans le regard qui montre qu'il n'est pas tout à fait dupe du côté artificiel de son existence.

A l'époque, je passais mes journées à l'Orpheum-Oriental.

J'avais sept ans. J'aurais bien voulu faire comme Paul, disparaître pour toujours et ne plus jamais revoir ceux que j'avais connus; n'être plus qu'une absence, une ombre, un chapitre définitivement clos.

Avant de rencontrer cet homme, à la fois jeune et vieux, « Frank », et « Stan » ou « Jimmy » selon les jours, les films que donnaient l'Orpheum-Oriental constituaient l'essentiel de mon éducation, et je passais le plus clair de mon temps avec Alan Ladd, Richard Widmark, Glenn Ford et Dane Clark. *Enquête à Chicago.* Dean Martin et Jerry Lewis, attachés au même parachute, dans *Parachutiste malgré lui.* William Boyd et Roy Rogers. Les yeux ronds, je me gavais de films policiers, vibrant aux aventures des principaux personnages et tremblant pour leur vie.

Le regard fiévreux de Richard Widmark, l'air dur d'Alan Ladd, les yeux sournois de Berry Kroeger, féminins et fureteurs – lumineux, magnifiques.

Mon père est entré un beau jour dans la salle de bains alors que j'étais en train de me regarder dans la glace. Il a vu rouge et, sans y mettre pourtant toute sa force, m'a giflé violemment.

« Qu'est-ce que tu fous à te pavaner comme ça devant la glace ? s'est-il écrié, la main déjà prête à retomber. Qu'est-ce que tu regardes ?

– Rien, ai-je répondu.

– Pour une fois que tu dis quelque chose de juste... »

Menuisier, il travaillait dur, mais, du mauvais côté de la barrière, tirait toujours le diable par la queue ; nous n'avions pas d'argent, pourtant il en parlait sans cesse, comme si, bientôt, il allait mettre la main sur un magot et régler tous les problèmes qui lui empoisonnaient la vie. Le matin, sans même en avoir conscience, il partait travailler la rage chevillée au cœur en en voulant déjà au monde entier. Parfois le soir en rentrant, il ramenait quelques amis à la maison. Des « copains » à lui, chacun avec une bouteille de Miller High Life dans un sac en papier. « Attention ! voilà les hommes ! » semblaient-ils vouloir dire en posant bruyamment leurs bières sur la table. Ma mère, rentrée depuis déjà plusieurs heures de son travail, nous faisait manger, mes deux frères et moi, lavait la vaisselle et nous couchait pendant que les hommes buvaient et riaient dans la cuisine.

Mon père était un bon artisan ; il travaillait lentement, soigneusement, et je me rends compte aujourd'hui que son atelier, un garage qu'il louait, représentait pour lui toute sa vie. Pendant ses loisirs, il écoutait la retransmission des matchs de base-ball à la radio. Hors de son travail, c'était un homme totalement dépourvu de vanité ; pour lui, il ne fallait pas perdre son temps, moi encore moins que les autres, à s'admirer devant le miroir.

J'avais vu « Jimmy » dans la glace ; je croyais que mon père l'avait vu, lui aussi, et que c'était pour cela qu'il m'avait giflé.

Un samedi, comme il arrivait parfois, ma mère nous a emmenés, les jumeaux et moi, à Bay City, au fond de la baie de Saginaw. La partie la plus intéressante du voyage était évidemment la traversée du lac Huron, laquelle s'effectuait en bac. L'escale à Bay City durait une vingtaine de minutes, puis le bac repartait. Ce jour-là, nous étions partis avec des amies de ma mère, libérées elles aussi de leur travail pour le week-end, certaines accompagnées de leur mari, des hommes comme mon père, avec le feutre et le pantalon de sortie qui bouffait sur les chaussures du dimanche. Les dames étaient maquillées avec un rouge à lèvres écarlate qui tachait le filtre de leurs cigarettes et leur salissait les dents; elles riaient beaucoup et répétaient plusieurs fois les mots qui les faisaient rire : *hot dog, glissade, chanteur d'opéra.* Une demi-heure après le départ, les hommes se sont éclipsés vers le bar. Les femmes, dont ma mère, sont restées sur le pont arrière et, excitées comme des gamines, la cigarette levée en l'air, se sont aménagé un coin du pont avec des transatlantiques, ayant des choses importantes à se dire. Mes frères s'amusaient à se poursuivre, la chemise volant au vent et les cheveux collés par la sueur, mais, comme ils se chamaillaient trop, ma mère leur a ordonné de se calmer et de se choisir un transatlantique. Moi, j'étais assis contre le bastingage, tranquille. Si quelqu'un m'avait demandé : « Qu'est-ce que tu veux faire cet après-midi ? Qu'est-ce que tu feras plus tard quand tu seras grand ? », j'aurais répondu : « Je voudrais simplement rester là, toujours. »

Au bout d'un moment, j'ai traversé le pont jusqu'à l'écoutille du bar aux cloisons plaquées de faux bois. Odeur de bière, fumée de cigarettes, brouhaha de voix masculines, l'endroit bourdonnait comme une ruche. Groupés autour du comptoir, il y avait là une vingtaine d'hommes; les discussions allaient bon train, chacun soulignant son propos à l'aide de son verre à moitié plein. Soudain, un homme aux cheveux d'un blond sale s'est tourné vers quelqu'un qui était derrière lui. J'ai senti se hérisser les poils de ma nuque et, l'estomac noué, je me suis dit : « C'est lui ! C'est " Jimmy " ! », mais, lorsqu'il s'est retourné complètement, les yeux brillants, le sourire chaleureux, heureux de boire une bière entre amis, j'ai vu que ce n'était pas lui.

« Un jour, me disais-je, quand je pourrai faire ce que je veux, quand je serai grand et serai dans une autre ville, peu importe laquelle, quand je penserai à cette époque, tout cela m'apparaîtra dérisoire. »

Les femmes riaient, à quelques brasses au-dessus du lac, lâchant de longues volutes de fumée; les hommes en faisaient autant, aussi dissipés que des gamins dans la cour de récréation de l'école, grande flaque de goudron élastique semée de petits morceaux de verre semblables à des bonbons.

Je savais que j'étais différent du reste de ma famille et constituais une entité bien distincte entre mes parents et les jumeaux. Ces deux couples entre lesquels j'étais ballotté dormaient chacun dans un grand lit et accaparaient les deux chambres du rez-de-chaussée que nous louait l'aveugle, le propriétaire des lieux qui, lui, s'était réservé l'étage. Mon lit, un lit de camp dont les jumeaux crevaient de jalousie, se trouvait dans leur chambre. Une ligne de démarcation, invisible mais reconnue par les deux parties, séparait nettement nos territoires respectifs.

Que je vous décrive comment les choses se passaient chaque matin dans notre petite moitié de maison. Ma mère se levait la première; encore couchés, nous l'entendions prendre sa douche, s'affairer dans la cuisine et disposer les bols et la bouteille de lait sur la table. Un moment plus tard, une odeur de bacon frit, le petit déjeuner de mon père, se glissait sous la porte. Mon père se levait alors, ne manquant jamais de cogner sur notre porte au passage.

« Et m'obligez pas à allez vous chercher! »

Les jumeaux se levaient et jacassaient un moment. Dès que mon père en était sorti, nous nous précipitions dans la salle de bains. Petite, la pièce était toujours pleine de buée; il y flottait toujours des relents d'excréments et une odeur prenante, presque palpable, de mousse à raser – une odeur de poils coupés barbouillés de crème. Nous pissions dans la cuvette tous les trois en même temps. Ma mère surgissait, pressée, terminait d'habiller les jumeaux et les emmenait chez Mme Candee, qui les gardait pour cinq dollars par semaine. J'étais pour ma part censé aller à la garderie organisée chaque été à l'école, institution fort utile qui reposait sur les frêles épaules de deux jeunes filles, des lycéennes qui habitaient à deux pas de chez nous. (En tout et pour tout, je n'y suis allé que deux fois.) Après avoir mis des chaussettes et des sous-vêtements propres et enfilé ma chemise et mon pantalon de tous les jours, je filais à la cuisine prendre mon petit déjeuner. Sa cigarette achevant de se consumer dans le cendrier posé à portée de sa main, mon père finissait le sien : tranches de bacon et de pain grillé, dorées à point et grasses de beurre fondu. A part nous deux, tout le monde avait déjà quitté la maison. Au premier, l'aveugle tapait sur son piano. Me voyant m'asseoir devant mon bol de céréales, mon père me lançait un bref coup d'œil, puis détournait le regard. Énervé à cause de l'aveugle qui tapait sur son piano à l'heure où les autres se levaient, il transpirait déjà, les joues et le front aussi luisants que la tranche de pain grillé qu'il avait à la main. L'air d'un martyr, sachant qu'il ne pouvait plus reculer, il plongeait la main dans sa poche et posait deux pièces de vingt-cinq cents sur la table. L'une était le prix de journée de la garderie, l'autre pour mon repas de midi. Je m'en emparais aussitôt.

« Les perd pas, surtout! »

Il avalait une dernière gorgée de café, allait poser sa tasse et son assiette avec les autres dans l'évier et se tournait vers moi en se tâtant les poches pour s'assurer qu'il avait bien pris ses clefs.

« Oublie pas de fermer la porte en partant. »

Je répondais que je n'oublierai pas. Il soulevait sa boîte à outils, emportait la gamelle qui contenait son repas de midi, enfonçait sa casquette sur sa tête et s'en allait, heurtant le chambranle au passage avec sa boîte à outils. Avec le temps, une grande marque grise s'était formée dans le montant, telle une trace laissée par un gros animal.

J'avais alors la maison pour moi tout seul. Je retournais dans la chambre, fermais la porte, la bloquais en coinçant une chaise sous la poignée et lisais des illustrés : *Blackhawk, Henry* ou *Captain Marvel*, jusqu'à l'heure de la première séance.

Plongé dans ma lecture, j'écoutais les mille petits bruits de la maison, qui semblait animée d'une vie mystérieuse, inquiétante. Le téléphone grésillait sur sa fourche; la radio crépitait par moments, comme si elle voulait me dire quelque chose; les assiettes bougeaient et s'entrechoquaient dans l'évier. A cette heure-là, tous les objets, même les fauteuils et le sofa, se révélaient sous leur jour véritable, violents comme le feu qui embrasait le ciel que je ne voyais pas encore et grondait sous les rues. Dans ces moments-là, j'oubliais tout; devenus plus inconsistants que de la fumée, les autres disparaissaient totalement.

Quand je retirais la chaise de la porte, la maison faisait immédiatement silence, comme un animal sauvage feignant d'être assoupi. Au-dedans comme au-dehors, tout reprenait son cours habituel; les flammes s'éteignaient et les piétons commençaient à réapparaître sur les trottoirs. Ensuite, j'ouvrais la porte, traversais la cuisine et la salle de séjour et gagnais la porte d'entrée, sachant que si je regardais quelque chose de façon trop insistante, je risquais de provoquer une catastrophe. La bouche sèche, j'avais l'impression de ne plus avoir de langue mais un bout de carton.

« Je m'en vais », disais-je dans le vide en partant.

Je savais que les objets me guettaient pour voir si je ne mentais pas.

La pièce de vingt-cinq cents disparaît, avalée par une fente du distributeur et le ticket jaillit, expulsé par une autre. Avant l'épisode « Jimmy », j'ai longtemps cru que si on ne conservait pas soigneusement son ticket, un contrôleur pouvait débouler au beau milieu du film, se ruer sur vous et vous jeter dehors comme un malpropre. J'y fais donc très attention et pousse les portes du hall, toujours frais, puis celle de la salle, percée d'une ouverture ronde.

La plupart des habitués de l'Orpheum-Oriental, moi inclus, donc, ont leur place attitrée. Les clochards s'assoient à droite en entrant, juste sous les fausses torches de bronze. Ils choisissent ce coin-là pour pouvoir consulter leurs papiers à loisir, leurs « documents », comme ils disent. Ils les sortent sans arrêt de la grande enveloppe froissée où ils sont rangés et se les montrent les uns aux autres; la terreur de perdre ces précieux documents est la hantise de leur vie.

Pour ma part, je choisis presque toujours le dernier fauteuil, du côté gauche du groupe central, là ou les allées se croisent, parce que je peux ainsi allonger les jambes, mais je ne déteste pas non plus la dernière ou la première rangée, à condition d'être au milieu. Lorsque le balcon est ouvert, je monte m'asseoir au premier rang. Là-haut, j'ai l'impression d'être un oiseau, de planer au-dessus des fauteuils et de pouvoir me fondre dans le film à volonté. Être seul dans la salle est délicieux. Les lourds rideaux rouges pendent, prêts à s'entrouvrir. Les appliques murales brillent sourdement, diaprant de halos de plus en plus larges et diffus la peinture rouge des murs; douce et chaude d'apparence, elle est en fait froide et humide au toucher. Le tapis a sans doute été marron, autrefois, mais n'a plus aujourd'hui de couleur bien définie, maculé çà et là de vilaines taches grises ou rosâtres, vieux chewing-gums aplatis aussi durs que du mastic. Le velours lacéré, un fauteuil sur trois perd son rembourrage.

Les meilleurs jours, j'ai le temps de regarder successivement un dessin animé, un documentaire, les bandes-annonces des prochains spectacles, un premier film, un autre dessin animé et un second film avant l'arrivée du moindre spectateur, programme aussi satisfaisant qu'un repas au service savamment orchestré. Mais je ne suis pas toujours le premier. Certains jours, quand j'arrive le matin, il y a déjà du monde : de vieilles femmes avec de drôles de chapeaux, d'autres, plus jeunes, le foulard noué sur les bigoudis, quelques couples d'amoureux. Personne ne fait attention à autre chose qu'à l'écran ou, dans le cas des amoureux, qu'à ce qui se passe entre eux.

Un jour en m'asseyant à ma place habituelle, j'ai vu un jeune homme d'une vingtaine d'années, pâle et mal peigné, allongé par terre dans l'allée centrale. Du sang séché maculait son menton et sa chemise d'un blanc sale. Sans cesser de gémir, il s'est relevé avec difficulté et s'est mis à quatre pattes; sous lui, le tapis était plein de sang rouillé. Il s'est remis debout en titubant, s'est éloigné dans l'allée et arrivant à la porte, happé par la lumière du soleil, a disparu.

A la mi-juillet, désireux de voir chaque film deux fois avant de rentrer, j'ai dit à ma mère qu'il était désormais possible de rester à la garderie jusqu'en fin d'après-midi, l'école ayant eu la bonne idée d'allonger les heures de garde. Depuis, l'Orpheum-Oriental n'a plus de secrets pour moi. Une multitude de détails que je n'avais encore jamais remarqués me sont progressivement apparus, de sorte qu'au milieu de la première semaine, j'étais capable de deviner quand les clochards allaient arriver. (Ils venaient généralement le mardi et le vendredi, juste après onze heures, quand s'ouvrait le bar du bout de la rue où ils se procuraient les litres et les demi-litres dont ils faisaient leur essentiel. A la fin de la deuxième semaine, je savais quand le contrôleur quittait la salle pour aller griller une Lucky Strike ou une Chesterfield dans le hall, et à quelle heure les vieux commençaient à arriver. La troisième semaine, au fait du moindre incident dans la salle, plus rien n'échappait à mon œil de lynx. Avant la seconde diffusion des *Mille et une merveilles des îles Hawaii* ou des *Splendeurs des mers australes*, je quittais mon fauteuil et allais jusqu'au stand de confiseries installé dans le hall où, avec ma deuxième pièce de vingt-cinq cents, je faisais provision de pop-corn ou d'une poche de bonbons.

Une salle de cinéma est une grande mécanique bien huilée et rien ne doit venir normalement en perturber l'organisation, à part la réaction des spectateurs et ce qui se passe dans la salle de projection. Ou la pellicule se cassait, ou bien il y avait une panne de lumière, quand ce n'était pas le projectionniste qui s'endormait ou ronflait, soûl comme un Polonais; sous les huées du public qui se mettait à taper des pieds, l'écran se changeait alors en grand rectangle vide. Mais ce n'étaient là que des incidents mineurs et vite oubliés, tel un orage d'été.

En étant maintenant le témoin journalier, je ne voyais plus les choses – lumières, projectionniste, pop-corn, bonbons, films – de la même façon. A chaque nouvelle projection, buvant les gestes et les paroles des acteurs, sans cesse recommencés, j'avais l'impression d'approcher une vérité qui se précisait chaque jour davantage. Quand Alan Ladd demandait au gangster « Blackie Franchot », baignant dans son sang : « Qui c'est qui t'a fait ça,

Blackie ? », sa voix prenait l'ampleur d'un fleuve, voilée d'une tendresse à peine dissimulée qui me frappait à chaque nouvelle vision.

Enquête à Chicago est le récit de l'enquête menée par le journaliste « Ed Adams » (Alan Ladd) sur la disparition tragique d'une jeune femme, « Rosita Jandreau », morte de tuberculose dans une chambre d'hôtel sordide. « Ed Adams » ne tarde pas à découvrir que « Rosita » possédait plusieurs identités et n'usait pas de son seul patronyme. Elle avait successivement eu une liaison avec un architecte, un truand, un professeur infirme, un boxeur et un milliardaire ; chacun de ses amants la connaissait sous un jour différent. Comme il fallait s'y attendre, littéralement obsédé par son enquête, « Ed », avec qui je m'identifiais totalement et que j'aurais voulu être plus tard, finissait par s'amouracher de la disparue. Mais à sept ans, on prend beaucoup de choses pour argent comptant – je n'avais pas encore vu *Laura* – et je ne voyais là pas autre chose qu'un homme dont le désir de savoir finissait par se confondre avec celui de protéger la mémoire d'une morte. Car « Rosita Jandreau » n'existait plus que dans les souvenirs de ceux qui l'avaient connue ; c'était là que le mystère commençait.

A mesure que le récit progressait, que se dévoilaient les multiples identités et les personnalités différentes que « Rosita » avait montrées à son frère et aux nombreux hommes qu'elle avait aimés, son portrait se précisait peu à peu. Deux fois par jour pendant deux semaines, un peu avant et pendant l'époque « Jimmy », j'ai pu voir ce qui existait réellement derrière les mots. Amour, souvenirs, tout cela ne faisaient qu'un ; l'un comme les autres, ils nous préparaient à la mort. (Ce sont là des choses que je n'aurais pas pu expliquer, à l'époque, mais que j'avais comprises.) Alan Ladd, le journaliste, avec ses cheveux blonds, sa mâchoire droite et son sourire meurtri, redonnait vie à « Rosita » en faisant sienne sa mémoire.

« Je crois que vous êtes le seul qui l'ayez jamais comprise », confiait Arthur Kennedy, le frère de « Rosita », à Alan Ladd.

La plupart des gens ont des besoins simples : gagner de l'argent, s'évader du carcan conjugal de temps à autre, manger, acheter le journal, déjouer les manœuvres de l'ennemi et savoir lui jouer un tour à sa façon...

« Je ne sais pas ce qu'il vous faut de plus, dit " Ed Adams " au rédacteur en chef du *Journal*. Vous avez déjà deux meurtres... »

« ... et une femme mystérieuse », ajoutai-je en même temps que lui.

Celui qui est assis à côté de moi éclate de rire. Contrairement à sa voix, il a un rire sans ampleur, haut perché. C'est le deuxième passage de la journée d'*Enquête à Chicago*; on n'est encore qu'au début de l'après-midi. Il reste encore la projection de *Parachutiste malgré lui* avant de rentrer. Il sera cinq heures moins vingt et le soleil tapera encore sur les immeubles beige de Sherman Boulevard, vide à cette heure.

Je l'ai rencontré, à moins que ce ne soit le contraire, dans le hall, au stand. Tout d'abord simple présence – grand, blond, vêtu d'un costume sombre – je n'ai pas vraiment fait attention à lui. C'était quelqu'un comme un autre. Lorsqu'il m'a adressé la parole, je ne l'ai écouté que d'une oreille distraite.

« C'est bon le pop-corn. »

J'ai levé la tête vers lui : des yeux bleus, très étroits, un sourire qui révélait des dents gâtées. Et une barbe de plusieurs jours. Je l'ai ignoré et me suis emparé de la boîte de pop-corn que me tendait le vendeur.

« Surtout pour toi. Il y a des tas de bonnes choses dans le pop-corn; c'est sain, c'est un produit de la terre. Ça pousse sur de grandes plantes aussi hautes que moi. Tu savais ça? »

Voyant que je ne disais rien, il a éclaté de rire, prenant le vendeur à témoin.

« Il n'en savait rien! Ce gosse croyait que le pop-corn sortait directement de la machine! »

Le vendeur avait autre chose à faire qu'à l'écouter.

« Tu viens souvent ici? » m'a-t-il demandé.

J'ai englouti une poignée de pop-corn et me suis tourné vers lui.

« Oui, dit-il en exhibant ses dents abîmées. Je suis sûr que tu viens souvent. »

J'ai hoché la tête.

« Tous les jours? »

Nouveau hochement de tête.

« Et en rentrant, on raconte des craques à ses parents sur ce qu'on a fait pendant la journée, hein? » demanda-t-il, les lèvres pincées et les yeux levés au ciel, tel un majordome d'opérette. Puis son humeur a changé brusquement et son ton s'est fait plus grave. Il me regardait mais ne semblait pas me voir.

« Tu as un acteur favori? Moi, c'est Alan Ladd. »

C'est alors que j'ai vu – et compris – qu'il croyait ressembler à

Alan Ladd. C'était d'ailleurs un peu vrai, et, lorsque je m'en suis rendu compte, j'ai eu soudain une tout autre image de lui et l'ai contemplé d'un œil subitement intéressé : ce n'était plus un inconnu peu soigné, mais quelqu'un en train de jouer, d'incarner un jeune homme ayant connu des jours meilleurs.

« Je m'appelle Frank, dit-il en me tendant la main. Tu me serres la pince ? »

Je lui ai pris la main.

« Ce pop-corn est rudement bon, ajouta-t-il en plongeant la main dans ma boîte. Tu veux que je te dise un secret ? »

Un secret.

« Je suis né deux fois. La première, je suis mort. C'était quand j'étais dans l'Armée. Tout le monde m'avait dit que j'aurais mieux fait de m'engager dans la Marine et c'est vrai, bien sûr. Mais je me suis empressé de renaître ailleurs. Hé ! tout le monde n'est pas fait pour l'Armée, tu sais, dit-il en me faisant un clin d'œil. Maintenant que je t'ai dit mon secret, allons voir ce film. Je vais m'asseoir à côté de toi ; tout le monde a besoin d'un peu de compagnie, et je t'aime bien. Tu as l'air d'un brave garçon. »

Il m'a suivi jusqu'à mon fauteuil et s'est assis à côté de moi. Quand j'ai commencé à prononcer les répliques en même temps que les acteurs, il s'est mis à rire.

Puis il a dit...

Il s'est penché vers moi et il a dit...

Il s'est penché vers moi, l'haleine chargée, et m'a pris...

« Non. »

« Je voulais juste plaisanter, tout à l'heure. « Frank » n'est pas mon vrai nom. Enfin, ça l'était. Mais plus maintenant, tu comprends ? Je me suis appelé « Frank » un bon moment, mais, aujourd'hui, mes amis m'appellent Stan. J'aime bien, Stan. *Stanley the Steamer. Big Stan. Stan the Man.* Ça sonne bien, non ? »

« Toi, tu ne seras jamais menuisier. Non, jamais : tu as ce regard, tu vois ? Moi aussi, je l'avais, alors tu penses si je connais. Rien qu'à te regarder, je sais qui tu es. »

Il m'a dit qu'il avait été vendeur chez Sears. Et aussi gardien de deux immeubles appartenant à quelqu'un qui alors était son ami mais ne l'était plus. Il avait également été concierge au lycée où allaient les meilleurs élèves du collège.

« C'est ce bon vieux tord-boyaux qui m'a perdu. Des vieilles biques m'ont pincé en train de boire à la cave, dans le coin que je m'étais arrangé, et je me suis fait virer comme un malpropre. Merde, c'était ma pièce! Chez moi! Les meilleures choses au monde peuvent souvent s'avérer les pires, tu apprendras ça un jour à tes dépens. Quand tu iras au lycée, j'espère que tu te souviendras de ce qu'on m'a fait. »

En ce moment, il soufflait. Il traînait dans les environs, allait voir un film de temps en temps.

« Tu as quelque chose de spécial en toi. Moi, ces choses-là, je les vois tout de suite. »

Nous avons regardé le second film tous les deux, riant de bon cœur aux pitreries de Dean Martin et de Jerry Lewis.

« Ces deux charlots sont encore plus fous que nous. »

Moi, je songeais à Paul, contre le mur de l'école, dans sa grosse chemise rouge, incapable de s'adapter à son nouvel environnement.

« Tu reviens demain ? Si je passe dans le coin, je regarderai si tu es là. »

« Crois-moi, va, je sais qui tu es. »

« Tu sais, le truc avec lequel tu fais pipi ? m'a-t-il chuchoté à l'oreille. C'est ce qu'un homme a de mieux, crois-en ma vieille expérience. »

Le grand parc providentiellement situé tout près de la maison, à deux rues à peine de l'Orpheum-Oriental, est divisé en trois zones bien distinctes. Près des imposantes grilles de fer forgé, au-delà de l'entrée de Sherman Boulevard, il y a d'abord la piscine réservée aux enfants, la grenouillère, séparée par une haie d'arbustes – d'aspect si caoutchouteux qu'ils semblent artificiels – du terrain de jeux, où l'on a le choix entre le toboggan, les balançoires et les bascules. Lorsque j'avais deux ou trois ans, j'aimais bien barboter dans la piscine; agrippé aux chaînes d'une balançoire, je me forçais à aller de plus en plus haut, partagé entre le plaisir et la peur, mais poussé par le besoin mystérieux de me prouver quelque chose.

Le zoo est situé juste au-delà du terrain de jeux. Lorsque c'était ma mère qui nous emmenait, elle restait assise à fumer sur un banc tandis que nous jouions; jamais nous n'allions au-delà de la piscine et du terrain de jeux. Lorsque mon père nous accompagnait, en revanche, nous poussions jusqu'au zoo. La trompe tendue, l'éléphant s'emparait délicatement des cacahuètes offertes et les faisait disparaître dans sa bouche. La girafe étirait son long cou à travers le plafond de sa cage, à la recherche d'un rameau encore pourvu de feuilles. Les lions somnolaient sur des branches coupées ou faisaient les cent pas derrière leurs barreaux, les yeux braqués non sur ce qui se trouvait devant eux, mais sur les immensités herbeuses restées gravées dans leur mémoire. Je savais que les lions avaient la faculté de voir à travers nous, jusqu'en Afrique, mais, lorsqu'ils nous regardaient, ce n'était pas l'Afrique qu'ils voyaient, c'était la moelle accumulée dans nos os, le sang qui coulait dans nos veines. D'un beau brun ocre, paisibles, ils me reconnaissaient, avec leurs yeux verts, et pouvaient lire dans mes pensées; ils ne m'aimaient pas, mais ne me voulaient pas de mal; je ne leur manquais pas durant la semaine, mais, lorsque j'arrivais, habitués à ma présence ponctuelle, ils n'étaient pas surpris de me voir.

(« Arrêtez de me regarder comme ça », disait June Havoc, « Leona », qui n'en pensait visiblement pas un mot, à « Ed Adams ».)

Au-delà du zoo, de l'autre côté d'une petite allée sur laquelle les employés du parc en tenue kaki poussaient des brouettes pleines de fleurs, s'étendait une pelouse bordée d'ormes et de massifs fleuris – un espace ouvert niché comme un secret entre les cages des animaux et les grands arbres. Il n'y avait que mon père pour m'emmener dans cette partie du parc; là, il essayait de faire de moi un joueur de base-ball.

« Mais bouge-moi un peu cette batte! s'emportait-il. Au nom du Ciel, vas-tu au moins essayer de taper dans cette balle?! »

Ses lancers avaient beau être parfaits, je loupais la balle à chaque fois. Excédé, il faisait alors un tour sur lui-même, levait les bras au ciel et s'écriait théâtralement :

« Mais qui c'est qui m'a fichu un gosse pareil! Qu'est-ce que j'ai fait au bon Dieu? »

Il ne me posait jamais de questions sur la garderie, et je ne lui ai jamais parlé de l'Orpheum-Oriental. Je ne m'y serais d'ailleurs pas risqué après tout ce que m'avait raconté « Stan », « Stan the Steamer ». Ce qu'il m'avait dit ne pouvait pas être vrai; il devait s'agir d'inventions, de fables, comme ces histoires d'enfants perdus en forêt, de chats qui parlaient et de bottes de sept lieues. Dans ce monde-là, des enfants coupés en morceaux et enterrés sous des buissons de genévriers pouvaient ressusciter et parler, comme si rien ne s'était passé. Les fables regorgent de signes et de prodiges; pour cette raison, l'esprit les rejette, les chasse de la mémoire, et il faut les répéter sans cesse. Je n'arrive pas à me souvenir du visage de « Stan » – je ne suis même pas sûr de me rappeler tout ce qu'il m'a dit. Dean Martin et Jerry Lewis : deux guignols encore plus fous que nous. La seule chose de sûre était que j'allais revoir demain mon nouvel ami, le plus effrayant, mais le plus intéressant aussi.

« Quand j'avais ton âge, dit mon père, je voulais devenir joueur professionnel. Toi, tu te sauves devant la balle ! Ou alors tu es trop fainéant pour bouger cette putain de batte. Hors de ma vue, poule mouillée, je ne veux plus te voir ! »

Sans me regarder, il s'éloigne à grands pas vers le zoo ; il rentre à la maison et je cours derrière lui. Je ramasse la balle qu'il a jetée dans un buisson.

« Qu'est-ce que tu comptes faire, plus tard ? demande-t-il, les yeux obstinément fixés devant lui. Je serais curieux de savoir quelle conception tu as de la vie. Jamais tu ne pourras travailler avec moi. Je ne te vois pas avec des outils dans les mains : tu te couperais un doigt. Ou la main. Il y a des fois où je me demande si les infirmières ne se seraient pas trompées de bébé, à l'hôpital. »

Je le suis, traînant la batte d'une main, la balle serrée au creux de mon gant dans l'autre.

Pendant le dîner, ma mère me demande si je me plais à la garderie et je réponds que oui. J'ai déjà subtilisé dans le tiroir de mon père ce que « Stan » m'a demandé et j'ai l'impression d'avoir un serpent dans la poche. Je voudrais demander : « C'est vrai, ou ce sont des blagues ? Est-il vrai qu'il arrive toujours ce qu'il y a de pire ? » Évidemment, je me tais. Mon père n'a aucune idée du pire : il voit uniquement ce qu'il a envie de voir.

« Je crois qu'il va finir par y arriver, dit-il. Ce garçon a simplement besoin d'améliorer son jeu de hanches. »

Le couteau à la main, il esquisse un vague sourire dans ma direction – moi le garçon qui, un de ces jours, finirais bien par la renvoyer, cette putain de balle – et se coupe un morceau de beurre pour mettre sur son steak. Il me regarde mais ne me voit pas. Mon père n'est pas un lion ; il ne sait pas voir au-delà des apparences.

Tard dans la nuit, Alan Ladd est venu s'agenouiller près de mon lit. Il portait un beau costume gris et sentait le trèfle et le foin coupé.

« Ça va, fiston ? »

J'ai hoché la tête.

« Je voulais simplement te dire que je suis très content de te voir tous les jours. Ça compte beaucoup pour moi, tu sais ? »

« Tu te souviens de ce que je t'ai dit ? »

Si je m'en souvenais. C'était donc vrai : il avait bien dit toutes ces choses et allait les répéter, comme ces contes de fées, éternellement ânonnés ; je ne savais pas quoi, mais il allait se passer quelque chose. Prisonnier du cinéma comme un lion dans sa cage, j'étais au bord de la nausée.

« Tu as pensé à ce que je t'ai demandé ?

– Oui.

– Parfait. Hé ! tu sais quoi ? J'ai envie de changer de place, pas toi ?

– Pour aller où ? »

D'un signe de tête, il a désigné le fond de la salle, voulant qu'on aille s'asseoir au dernier rang.

« Viens, tu vas voir, je vais te montrer quelque chose. »

On a changé de place.

Pendant un long moment, on est restés assis au dernier rang à regarder le film, pratiquement tout seuls dans la salle. Peu après onze heures, trois clochards sont entrés et se sont dirigés vers leurs sièges habituels, sous les appliques murales – un homme à la barbe grise en broussaille que j'avais déjà vu souvent, un gros au visage poupin que je connaissais également et un de ces jeunes dépenaillés aux yeux hagards qui traînent avec les clochards et finissent par leur ressembler. Une bouteille a commencé à circuler. Au bout d'un moment, j'ai reconnu le jeune homme : c'était celui que j'avais vu un matin, évanoui et couvert de sang, dans l'allée du milieu.

Un instant, je me suis même demandé si « Stan » n'était pas celui que j'avais surpris, ce matin-là. Je savais que ce n'était pas le cas, mais ils se ressemblaient comme deux gouttes d'eau.

« Tu veux boire un coup ? demande " Stan " en exhibant une bouteille. Ça te fera du bien. »

Fièrement, me sentant très adulte, subitement, je prends la bouteille de Thunderbird et la porte à mes lèvres. J'ai envie d'aimer cela, d'y trouver le même plaisir que « Stan », mais c'est vraiment trop mauvais, et le peu que j'en avale me brûle l'estomac.

« Allons, ce n'est pas si mauvais que ça. Il n'y a qu'une seule chose au monde de meilleure. »

Il pose la main sur ma cuisse.

« Tu sais que tu vas apprendre des tas de choses, grâce à moi ? Normal, tu m'as plu dès que je t'ai vu. Tu me crois ? ajoute-t-il en se penchant vers mois et en me regardant fixement. Tu crois ce que je t'ai dit ? »

Je réponds que oui.

« Et puis ce ne sont pas des paroles en l'air, j'en ai la preuve. Je vais te prouver que c'est vrai. Tu veux la voir, cette preuve ? »

Comme je ne réponds pas, « Stan » se rapproche encore un peu, l'haleine chargée de Thunderbird.

« Tu sais, ce truc avec lequel tu fais pipi ? Tu te rappelles que je t'ai dit comme il deviendrait gros quand tu aurais treize ans ? Et l'effet incroyable que ça fait ? Eh bien, il faut que tu croies ton copain Stan, maintenant, parce que Stan, lui, a confiance en toi. »

Il se rapproche encore ; ses lèvres chuchotent tout contre mon oreille.

« Parce que si tu me fais confiance, je te confierai un autre secret. »

Il ôte sa main de ma cuisse, s'empare de la mienne et la pose sur sa braguette.

« Tu sens quelque chose ? »

Je hoche la tête, mais, pas plus qu'un aveugle ne pourrait décrire un éléphant, je ne saurais dire exactement ce que je sens sous mes doigts.

Le sourire crispé, « Stan » tire sur la fermeture de sa braguette ; je ne sais pas pourquoi, mais il a l'air nerveux. Puis il enfonce la main dans son pantalon, farfouille quelques secondes et en sort un bout de viande d'un blanc livide qui n'a absolument rien d'humain. J'ai tellement peur que je crois que je vais dégobiller sur mon siège et je reporte mon attention sur ce qui se passe sur l'écran. Rivé à mon fauteuil par des chaînes invisibles, je suis incapable de faire le moindre mouvement.

« Tu vois ? Tu comprends, maintenant ? »

Mais il s'aperçoit que je ne le regarde pas.

« Regarde, petit. Regarde, je te dis. Ça ne va pas te mordre ! »

Mais je suis incapable de tourner la tête ; je ne ressens plus rien.

« Allez, touche-le. Regarde l'effet que ça lui fait. »

Je secoue la tête.

« Tu sais, je t'aime beaucoup. On est copains, tous les deux, non ? Ce qu'on est en train de faire, ça te paraît sans doute bizarre, mais c'est uniquement parce que c'est la première fois. En réalité, les gens font ça tout le temps. Ta maman, ton papa. Ils font ça tout le temps, eux aussi, même s'ils n'en parlent pas. »

Je hoche la tête d'un air morne. Sur l'écran, Berry Kroeger dit à Alan Ladd : « Laissez tomber, oubliez ça. Cette femme est dangereuse. »

« Eh ben, voilà ce que font deux copains quand ils s'aiment vraiment. Comme ton papa et ta maman. Regarde un peu vers là, tu veux ? Allons. »

Mon père et ma mère s'aiment-ils, tous les deux ? « Stan » pose la main sur mon épaule et me force à regarder.

La chose est à présent complètement sortie et pendouille de biais sur le tissu de son pantalon. Dès que mes yeux se posent dessus, elle se relève à petits coups saccadés et s'allonge comme un trombone à coulisse.

« Là ! Regarde, tu vois comme il t'aime. Tu lui fais beaucoup d'effet. Dis-moi que tu l'aimes bien, toi aussi. »

La terreur m'empêche de parler. J'ai l'impression d'avoir du sable à la place du cerveau.

« Tiens, j'ai une idée, appelons-le " Jimmy ". Oui, disons qu'il s'appelle " Jimmy ". Maintenant que je te l'ai présenté, dis-lui bonjour.

– Salut, Jimmy, dis-je en ne pouvant m'empêcher, malgré ma peur, de ricaner.

– Maintenant, vas-y. Touche-le. »

Je tend le bras et pose les doigts sur « Jimmy ».

« Caresse-le. Il voudrait que tu le caresses. »

J'effleure « Jimmy » deux ou trois fois du bout des doigts, ce qui a immédiatement pour effet, aussi raide qu'une planche de surf, de lui faire relever la tête de quelques centimètres.

« Fais glisser tes doigts de haut en bas ; va bien tout du long. »

Si je m'enfuis, il me rattrapera et me tuera. Je suis sûr qu'il me tuera si je ne fais pas ce qu'il me demande.

Je fais aller et venir mes doigts ; « Jimmy » se ride de grosses veines violacées.

« Tu imagines comment ça peut être avec une femme, hein ? Tu vois ? Regarde comme tu seras, quand tu seras un homme. Continue, mais tiens-le bien dans la main. Ah ! et donne-moi ce que je t'ai demandé. »

Je lâche aussitôt « Jimmy » et sors de ma poche le mouchoir blanc que j'ai pris dans le tiroir de mon père.

« Stan » prend le mouchoir de la main gauche, et, de la droite, remet la mienne sur « Jimmy ».

« Tu t'y prends comme un chef », murmure-t-il.

Dans ma main, « Jimmy » est très chaud, légèrement poisseux. Je n'arrive pas à en faire le tour avec mes doigts. J'ai la tête qui bourdonne.

« C'est " Jimmy ", votre secret ?

– Non. Mon secret, c'est pour plus tard.

– J'aimerais bien arrêter, maintenant.

– Continue, sinon je ne donne pas cher de ta peau. »

En me voyant me pétrifier, il plonge la main dans mes cheveux et murmure :

« Allons, tu vois bien que je plaisante. Tu es le meilleur gosse du monde. Voilà, c'est bon. Si tu savais le bien que ça peut faire, tu en redemanderais, toi aussi. »

Au bout d'une éternité, me semble-t-il, alors qu'Alan Ladd sort d'un taxi, « Stan » arque brusquement le dos, grimace et s'écrie dans un chuchotement :

« Regarde ! »

Tout son corps tremble. Si je m'attendais à cela ; j'en suis trop surpris pour lâcher « Jimmy ». Un épais liquide ivoirin jaillit et coule sur le mouchoir, répandant une odeur qui m'est étrangère, mais en même temps aussi familière que celle de la cuvette des toilettes ou de la berge du lac. « Stan » pousse un long soupir, replie le mouchoir et remet son « Jimmy » tout ramolli dans son pantalon. Il se penche vers moi et m'embrasse les cheveux. Je pense que je vais m'évanouir. Sentant encore « Jimmy » frémir et palpiter dans ma paume, j'ai l'impression de flotter, quelque part, d'être mort.

Au moment de partir, « Stan » m'a dit son secret : son vrai nom est Jimmy, pas « Stan ». Il voulait d'abord savoir s'il pouvait me faire confiance avant de me le dire.

« A demain, a-t-il ajouté en me caressant la joue. Tu n'as aucune raison de t'inquiéter. Tu vois que j'ai confiance en toi : je t'ai dit quel était mon vrai nom. Tu m'as fait confiance, toi aussi ; je t'avais dit que je ne te ferai pas de mal, et je ne t'en ai pas fait. On doit se serrer les coudes, tous les deux, tu comprends ? Ne parle à personne de ce qui s'est passé, sinon, on aurait des ennuis tous les deux.

– Je ne dirai rien. »

Je t'aime.

Je t'aime, vraiment.

« Maintenant, on a un secret, tous les deux, dit-il en pliant le mouchoir en quatre et en le remettant dans ma poche. L'amour est quelque chose qui doit rester secret. Surtout quand un garçon et un homme se rencontrent et deviennent deux vrais amis. Il n'y a pas beaucoup de gens capables de comprendre des choses pareilles, aussi vaut-il mieux faire attention. Dehors, oublie ce qui s'est passé, sinon, on pourrait avoir des ennuis. »

Après cela, j'ai du mal à me replonger dans l'intrigue embrouillée d'*Enquête à Chicago* ; l'histoire a fait un grand bond en avant, sautant des personnages et des scènes entières, comme si, pendant un long moment, les acteurs avaient simplement bougé les lèvres sans rien dire. Quand Alan Ladd sort du taxi, il me fait comprendre du regard qu'il m'a reconnu.

Ma mère dit que j'ai l'air pâlot ; mon père répond que c'est parce que je manque d'exercice. Les jumeaux lèvent un instant le nez de leur assiette, puis replongent la cuillère dans leurs macaronis au fromage.

« Tu es déjà allé à Chicago ? »

Mon père me demande de quoi je me mêle.

« Tu as déjà vu un acteur de cinéma ?

– Ce gosse doit avoir la fièvre. »

Ce qui fait glousser les jumeaux.

Alan Ladd et Donna Reed sont venus me trouver dans ma chambre, tard cette nuit. La démarche précise, les mouvements souples et étudiés, ils se sont agenouillés à côté de mon lit et m'ont souri. Ils m'ont parlé gentiment. « J'ai vu que tu n'as pas tout suivi, aujourd'hui, a dit Alan Ladd. Ne t'inquiète pas, je veille sur toi. » Je lui ai répondu que je le savais et qu'il était mon acteur préféré. La porte s'est alors ouverte en grinçant et ma mère a passé la tête à l'intérieur de la chambre. Alan et Donna ont souri et se sont reculés vers le mur pour lui permettre d'approcher du lit. J'aurais bien voulu qu'ils ne s'en aillent pas.

« Tu ne dors pas encore ? »

J'ai hoché la tête.

« Ça va, mon chéri ? »

J'ai acquiescé d'un nouveau signe de tête, craignant qu'Alan et Donna s'impatientent si elle restait trop longtemps.

« J'ai une surprise pour toi. Samedi prochain, on prendra le bac avec les jumeaux pour aller à Bay City. On sera toute une bande. Tu verras, ce sera très amusant. »

J'adore prendre le bac.

« J'ai pensé à toi toute la nuit et toute la matinée. »

Quand j'ai poussé les portes du hall, il était assis, les coudes sur les genoux et le menton dans la main, les yeux fixés sur la porte, sur une des banquettes où les contrôleurs viennent s'asseoir fumer une cigarette pendant les projections. Le bouchon métallique d'une petite flasque dépassait de sa poche. Un paquet enveloppé de papier brun était posé à côté de lui sur la banquette. Il m'a fait un clin d'œil en me voyant apparaître et a hoché la tête vers la porte de la salle, à l'autre bout du hall. Il s'est levé et est entré comme si nous n'étions pas ensemble. Je savais qu'il serait assis au milieu de la dernière rangée à m'attendre. J'ai tendu mon ticket au contrôleur qui l'a déchiré d'un air absent et m'a rendu le morceau qui me revenait. Je me souvenais parfaitement de ce qui s'était passé la veille; je n'avais rien oublié. J'avais l'estomac noué. Les couleurs du hall, les rouges, les ors passés, avaient un éclat que je ne leur avais jamais vu. Je pouvais sentir l'odeur du popcorn et du beurre fondu dans la machine; le tapis semblait faire des kilomètres.

Quand je me suis assis à côté de « Jimmy », il m'a ébouriffé les cheveux en souriant et m'a dit qu'il avait pensé à moi toute la nuit et toute la matinée. La chose enveloppée de papier brun était un sandwich qu'il m'avait apporté – un enfant devait manger autre chose que du pop-corn.

Les lumières se sont éteintes et le rideau s'est ouvert. La musique a éclaté brusquement et la séance a commencé par un dessin animé de Tom et Jerry. Lorsque je me suis laissé aller contre le dossier de mon fauteuil, « Jimmy » a posé le bras sur mes épaules. L'estomac barbouillé, j'étais à la fois glacé et couvert de sueur. D'une certaine manière, j'étais heureux d'être là; avec stupeur, j'ai pris conscience que, toute la matinée, j'avais attendu et redouté cet instant.

« Tu veux ton sandwich maintenant? C'est du pâté de foie; moi, c'est ce que je préfère. »

Je répondis que non, merci, que je préférais attendre la fin du premier film.

« Comme tu veux, du moment que tu le manges. »

Au bout d'un moment, il a ajouté :

« Regarde-moi. »

Son visage était juste au-dessus du mien; on aurait dit le jumeau d'Alan Ladd.

« Il y a quelque chose que tu dois savoir. Tu es le meilleur petit gars que j'ai jamais rencontré. Vrai. »

Il m'a serré contre lui, m'asphyxiant d'un mélange de sueur, de crasse, d'alcool et de cette autre odeur, peut-être imaginaire, animale, que j'avais déjà sentie hier.

« Tu n'as pas envie de jouer un peu avec Jimmy, aujourd'hui?

– Non.

– Il n'est pas en forme, de toute façon », s'est-il esclaffé, bonhomme.

« Je parie que tu aimerais bien en avoir un aussi gros que moi. »

La perspective m'épouvantait plutôt.

« Aujourd'hui, on va rester tranquillement assis et regarder le film. Je ne suis pas un obsédé. »

Sauf un moment où le contrôleur est apparu dans l'allée, on est restés comme ça toute la journée, son bras passé autour de mon cou, ma nuque posée contre son épaule. J'ai été tout surpris de voir le générique final de *Parachutiste malgré lui* se mettre à défiler sur l'écran. J'avais dû m'endormir; j'avais l'impression d'en avoir raté au moins la moitié. Je n'arrivais pas à croire qu'il était l'heure de rentrer. Jimmy a resserré son étreinte sur mes épaules et, une lueur d'amusement dans la voix, m'a dit :

« Touche-moi. »

J'ai tourné la tête vers lui.

« Allez, quoi, vas-y. Tu peux faire ça pour moi, non ? »

J'ai posé la main sur sa braguette. « Jimmy » s'est rengorgé sous le contact de mes doigts; il me semblait aussi long que mon bras, et, l'espace d'une seconde de désespoir total, j'ai songé aux enfants de la garderie qui s'amusaient tranquillement dans la cour de l'école, surveillés par les deux lycéennes.

« Vas-y. »

Fais-moi confiance, disait il, dotant son « Jimmy » d'une personnalité distincte, totalement séparée de la sienne. « Jimmy » « avait envie de parler », ou « sa petite idée derrière la tête »; il « avait faim », il « voulait un baiser. » Tout cela voulait dire la même chose : *fais-moi confiance*. Moi, je te fais confiance; alors tu dois aussi avoir confiance en moi. Est-ce que je t'ai fait mal ? Non. Est-ce que je ne t'ai pas payé un sandwich ? Si. Est-ce que je ne t'aime pas ? Tu sais bien que je ne dirais jamais rien à tes parents – enfin, tant que tu continueras à venir. Je ne leur dirai rien parce que ce ne sera pas la peine, tu comprends ? Tu m'aimes, toi aussi ?

Là ! Regarde comme je t'aime !

Cette nuit-là, j'ai rêvé que je vivais sous terre; ma chambre était en bois. Mes parents, en larmes, battaient la campagne en criant mon nom, croyant que les bêtes sauvages m'avaient capturé et dévoré. J'ai rêvé que j'étais enterré sous un buisson de genévriers; les morceaux épars de mon corps dépecé se lamentaient d'être séparés. J'ai rêvé que je courais sur un sentier au cœur d'une immense forêt; je cherchais mes parents partout. Quand je les retrouvais dans une clairière, assis devant un grand feu, ce n'étaient pas eux, mais Donna Reed et Alan Ladd. Je me rappelais tout ce qui était arrivé dans ses moindres détails. Si l'instituteur, quand il me demandait de venir au tableau, si ma mère, quand elle entrait le soir dans ma chambre, si l'agent de police, que je croisais souvent dans Sherman Boulevard, me demandaient quelque chose, je serais bien forcé de répondre. Mais, lorsque je voulus parler, je me rendis compte que je me rappelais plus de rien. Le cœur léger, je me suis élancé vers mes parents, si beaux, tous les deux, là-bas dans la clairière, en me répétant comme une comptine, les fables que l'on relit sans cesse ou les plaisanteries des femmes sur le bac.

Est-ce que je ne t'aime pas, hein ? Est-ce que je ne te l'ai pas montré ? Si. Alors pourquoi ne m'aimes-tu pas, toi aussi ? Tu ne peux pas, ou tu ne veux pas ?

Il m'observe aussi attentivement que je regarde le film. Il peut me voir, comme moi je peux le voir aussi, les yeux fermés. Je suis inscrit dans sa mémoire, tout entier. Mes cheveux, mon visage, mon corps, caresse après caresse, il m'a tout pris et l'a mis dans sa mémoire. Finalement, il m'a pris dans sa bouche. Je sais qu'il voudrait que je pose mes mains sur cette tête aux cheveux d'un blond sale qui repose, si lourde, sur mes genoux, mais j'en suis totalement incapable.

J'ai déjà oublié tout cela ; je veux mourir ; je suis déjà mort ; seule la mort pourrait faire que cela ne soit jamais arrivé.

Quand tu seras grand, je suis sûr que tu feras du cinéma. Tu seras mon acteur préféré.

Le week-end, les journées passées à l'Orpheum-Oriental me semblaient être des journées vécues sous l'eau. Ou sous la terre. L'échidné, l'oiseau-lyre, le kangourou, le diable de Tasmanie, le koala et le lézard volant sont des animaux que l'on ne trouve qu'en Australie. L'Australie est le plus petit continent, ou la plus grande île, du monde. C'est un bloc qui s'est détaché des autres masses du globe terrestre. Les plages sont pleines de filles superbes aux cheveux blonds ; Noël y est le plus chaud moment de l'année. Tout le monde prend la pose pour la photo devant la maison et échange des cadeaux, allongé sur un transatlantique. Le centre de l'Australie, son cœur, ses entrailles, n'est qu'un immense désert. Les garçons australiens sont très bons en sport. Tom le chat aime Jerry la souris, même s'il passe son temps à imaginer toutes sortes de moyens pour la croquer ; et Jerry la souris aime Tom le chat, même si elle doit souvent courir tellement vite pour sauver sa vie qu'elle en laisse des flammes sur le tapis. « Jimmy » m'aime, mais il s'en ira un jour. Il me manquera beaucoup. N'est-ce pas que je te manquerai? Dis-moi moi que je te manquerai.

Tu me...

Tu me manqueras...

Je crois que je deviendrai fou sans toi.

Tu te souviendras de moi, plus tard, quand tu seras grand?

Chaque fois que je passais devant le contrôleur en sortant, occupé à déchirer les tickets de ceux qui entraient, chaque fois que je sortais sur le trottoir brûlant et que je voyais le soleil au-dessus des immeubles de Sherman Boulevard, j'oubliais tout ce qui s'était passé dans le noir. Je ne savais pas ce que je voulais. J'aurais pourtant dû être content, j'avais déjà deux meurtres et... l'impression d'avoir tenu dans ma main, étroitement serrée entre mes doigts, celle, plus petite et moite, d'un enfant. Si j'avais vécu en Australie, j'aurais eu des cheveux blonds comme Alan Ladd et, le jour de Noël, j'aurais couru sur d'immenses plages baignées de soleil.

Les années ont passé; je suis entré au lycée. J'ai vécu toute cette période dans un état de somnambulisme à peu près total, lisant des romans et me désintéressant totalement des matières que je n'aimais pas. Sans jamais forcer mon talent, j'obtenais malgré tout des notes excellentes et, au milieu de la terminale, la Brown University m'a accordé une bourse. A la grande stupéfaction de mes parents et de mes anciens professeurs, consternés, j'ai abandonné mes études deux ans plus tard, sachant que je serais recalé partout sauf en histoire et en anglais, où au contraire j'excellais. Pour moi, écrire était quelque chose qui ne s'apprenait pas, fût-ce dans un amphithéâtre. J'avais pris ma décision; hormis la vie d'étudiant elle-même, je n'ai jamais regretté la fac.

Pendant cinq ans, j'ai vécu de presque rien à Providence, subvenant à mes maigres besoins grâce à un travail de manutentionnaire à la bibliothèque universitaire et à quelques menus larcins alimentaires. Lorsque je ne travaillais pas ou n'écoutais pas les groupes de musique locaux, j'écrivais. Puis je déchirais ce que j'avais écrit et recommençais. Malgré cette méthode, je suis tout de même parvenu à boucler un roman. C'est que la chose n'était pas facile : il fallait arpenter le parc en tous sens, revenir sur ses pas, repartir, s'assurer de la solidité des maillons de chacune des chaînes des balançoires, faire le compte de chaque poil de la crinière du lion, faire un choix dans les détails, mettre en valeur ce qui était important et rejeter le reste à l'arrière-plan. Lorsque le roman a finalement été refusé par l'éditeur auquel je l'avais soumis, j'ai déménagé et suis venu habiter New York. Tout en le réécrivant entièrement, j'en ai immédiatement commencé un autre. Pendant cette période, un bonheur diffus, comme le plaisir éprouvé par un étranger à se trouver dans une ville inconnue, présidait à tout ce que j'entreprenais. Je faisais les colis à la librairie Strand. Pendant une courte période, quelques mois, j'ai vécu de flocons d'avoine et de beurre de cacahuète. Quand mon premier livre a été accepté, j'ai quitté ma piaule du Lower East Side pour un studio sur la 9e Avenue, à Chelsea, où j'habite encore aujourd'hui. L'appartement est juste assez grand pour mon bureau, le canapé convertible, deux grandes étagères qui ploient sous les livres, une autre pour ma chaîne stéréo, et les dizaines de cartons où sont rassemblés mes disques. Chaque chose a et est à sa place.

Mes parents ne sont jamais venus dans mon repaire new-yorkais, bien que j'aie mon père au bout du fil tous les deux ou trois mois. Au cours des dix dernières années, je ne suis retourné qu'une seule fois dans la petite ville de mon enfance, quand ma mère a été hospitalisée après sa crise cardiaque. Les quatre jours où je suis resté là-bas, j'ai dormi dans ma vieille chambre. Mon père, lui, a dormi à l'étage. (Mes parents ont racheté la maison à la mort de l'aveugle.) Le soir de mon arrivée, il m'a dit que nous avions réussi tous les deux. A présent, au téléphone, il me parle des résultats des équipes locales de basket et de base-ball, et me demande avec respect des nouvelles de mon « dernier livre ». Je ne reconnais plus l'homme que j'ai connu autrefois.

Il y avait bien longtemps que mon vieux lit de camp avait disparu et j'ai couché dans le grand lit des jumeaux. La maison, la chambre, tout était plus grand que dans mon souvenir. J'ai passé la main sur la tapisserie et levé le nez vers le plafond. L'image de deux hommes qui s'injuriaient, pris dans les sangles du même parachute, m'est venue à l'esprit. Je me suis demandé si cette image allait pouvoir me servir dans le roman que j'étais en train d'écrire; peut-être était-ce le point de départ du prochain, encore dans les limbes ? Le plafond craquait sous les pas de mon père, là-haut, chez l'aveugle. Envahi par la nostalgie, je me suis surpris à penser à Mei-Mei Levitt, que j'avais connue quinze ans plus tôt à la Brown University, quand elle s'appelait encore Mei-Mei Cheung.

Divorcée, directrice d'une collection de livres de poche, elle m'avait appelé un jour pour me féliciter de la critique flatteuse qu'avait reçue mon deuxième roman dans le *New York Times*. Sur ces prémices anodines, mais qui commençaient bien, nous avons entamé une longue liaison orageuse. De retour dans le décor de mon enfance, je me sentais profondément coupable de penser à elle alors que j'avais passé la journée à côté de ma mère, prostrée sur son lit d'hôpital, sans savoir si elle me comprenait ni même si elle me reconnaissait. Je voulais serrer Mei-Mei dans mes bras et m'ennuyais de New York, où j'avais ma petite vie bien ordonnée, ma vie d'adulte. J'ai même failli l'appeler, mais il était minuit passé dans le Midwest, et, par conséquent, une heure de plus à New York. Mei-Mei, qui n'est pas une noctambule, devait déjà être couchée depuis longtemps. Pendant un moment, je me suis monté tout un scénario dans ma tête : il fallait que je revienne vivre ici pour m'occuper de ma mère malade et de mon père à la retraite. Je me suis alors rappelé, comme cela m'arrive souvent, le garçon aux cheveux poil-de-carotte dans sa grosse chemise de laine rouge. La sueur a envahi mon front et ma poitrine.

Il m'est arrivé ensuite une chose épouvantable : j'ai voulu me lever pour aller à la salle de bains, mais je ne pouvais plus faire un geste. Mes bras, mes jambes étaient comme pris dans du ciment; inertes, sans vie, jamais plus ils ne pourraient bouger. J'ai cru que j'avais fait une crise cardiaque, comme ma mère. Je ne pouvais même pas crier; ma gorge, elle aussi, était paralysée. J'ai essayé de me redresser sur mon lit, mais j'ai senti, tout près, une odeur de pop-corn et de beurre fondu. Un autre flot de sueur s'est échappé de mon corps inerte, mouillant et refroidissant le drap et la taie d'oreiller.

J'ai vu – comme si j'étais en train d'écrire – mon moi de sept ans hésiter devant l'entrée du cinéma situé à deux pas de là. Un soleil de plomb, jaune et aveuglant, écrasait toutes choses, ayant chassé toute vie du grand boulevard. Je ne suis pas entré mais suis revenu sur mes pas; l'estomac soulevé par la fumée des feux souterrains, je me suis mis à courir. La bile m'est remontée dans la gorge. Les jambes et les bras tétanisés, je suis tombé du lit; j'ai réussi à ramper hors de la chambre et à traverser le couloir pour aller vomir dans la salle de bains.

J'ai quarante-cinq ans, au moment où j'écris ces lignes. En un peu moins de vingt ans, j'ai écrit cinq romans, chacun plus dur, plus difficile à écrire que le précédent. Pour maintenir ce rythme de croisière d'un roman tous les quatre ans, je dois rester au moins six heures par jour assis derrière mon bureau, utiliser des centaines de ramettes de papier machine, des tonnes de carnets, des stères de crayons et des kilomètres de ruban. C'est une activité épuisante, prenante. Sans cesse remaniée, tournée de trois ou quatre façons différentes, chaque phrase, tel un cheval de steeple, doit franchir de multiples obstacles; chaque phrase doit être significative par elle-même, mais aussi s'inscrire dans une perspective plus générale. Il faut pour cela maîtriser son sujet du début à la fin, songer à tous les détails, laisser l'intrigue évoluer à son rythme et tout garder en mémoire. Ce travail de mémoire, cette interrogation permanente, est la grande affaire de ma vie.

Mes livres ont fait l'objet de critiques élogieuses, qui me font toutefois toujours un peu l'effet de concerner d'autres ouvrages, plus linéaires, et ont même obtenu quelques prix. (Je fais partie de ces auteurs dont les avances sont payées avec la manne rapportée par les best-sellers.) Depuis quelque temps, j'ai l'impression que l'image que l'on se fait de moi, dans la mesure où je suis un personnage public, est celle d'un peintre hermétique usant de centaines de petits détails, grotesques et fantastiques, pour construire de grandes machines. (Mes livres sont en effet inhabituellement longs.) J'enseigne les techniques d'écriture dans plusieurs universités, donne des conférences à l'occasion, et vis modestement de mes droits d'auteur. Cela me suffit, et je m'estime content. Je suis toujours étonné, et navré, d'apprendre, au Pen Club ou dans un atelier d'écriture, par exemple, que tel jeune auteur regarde mon existence avec envie. Les pauvres.

« Si vous ne deviez me donner qu'un conseil, m'a demandé un jour une jeune femme lors d'une conférence, un vrai conseil, s'entend, pas les clichés habituels sur la nécessité de travailler d'arrache-pied, quel serait-il ? Que me conseilleriez-vous de faire ? »

Plutôt que de vous le dire, je vais vous l'écrire, lui ai-je dit en inscrivant quelques mots au verso d'un prospectus. Ne lisez ceci que lorsque vous aurez quitté la salle, ai-je ajouté en la regardant plier la feuille de papier et la mettre dans son sac.

Voilà ce que j'avais écrit au dos de la feuille : Allez souvent au cinéma.

Le lendemain du voyage en bac, le dimanche, je fus absolument incapable de renvoyer la moindre balle dans le parc. J'avais du mal à garder les yeux ouverts; des visions naissaient sous mes paupières, comme des séquences de films – des fragments de rêves accélérés, automatiques. Mes bras étaient lourds comme du plomb. Après avoir suivi mon père, écœuré, jusqu'à la maison, je me suis effondré sur le sofa et j'ai dormi jusqu'au dîner. J'ai rêvé que j'étais enfermé dans une grande boîte. Avec des crayons de couleur, je dessinais des paysages sur les parois : ormes, soleil, prairies, montagnes et rivières. Au moment du dîner, le vacarme des jumeaux, qui ne tenaient jamais très longtemps en place, m'a réveillé en sursaut. « Ce gosse ne va pas bien, moi je te le dis », a déclaré mon père. Quand ma mère m'a demandé si je voulais retourner à la garderie le lendemain, lundi, j'ai senti mon estomac se retourner comme un gant. « Si, si, il faut que j'y aille ! Je t'assure que je vais bien. » Les mots sortaient de ma bouche, vides de sens ou signifiant autre chose que ce que je voulais dire. Un instant, dans la confusion la plus totale, j'ai réellement vu la cour de récréation, grande surface goudronnée, vaste comme un champ, au fond de laquelle étaient rassemblés quelques enfants, rendus minuscules par la distance. Je suis allé me coucher tout de suite après dîner. Ma mère a tiré les rideaux, éteint la lumière et m'a laissé seul. De l'étage, me parvenait une mélopée syncopée d'accords plaqués au hasard ; l'aveugle tapait sur son piano. Sans savoir pourquoi, j'avais peur. Je devais aller quelque part le lendemain mais j'avais oublié où ; j'ai alors senti sous mes doigts le velours pourpre du fauteuil faisant le coin gauche du groupe central. Des images en noir et blanc, menaçantes, de la bande-annonce – *Le voyage de la peur*, avec Edmund O'Brien – que je voyais chaque jour depuis quinze jours, se sont mises à défiler devant mes yeux. L'échidné et le koala étaient des animaux qu'on ne trouvait qu'en Australie.

J'aurais bien voulu qu'Alan Ladd, « Ed Adams », surgisse avec son crayon et son calepin ; il fallait que je me rappelle quelque chose, mais j'avais complètement oublié ce que c'était.

Au bout d'un long moment, les jumeaux ont fait irruption dans la chambre ; ils se sont brossé les dents, déshabillés, et ont enfilé leurs pyjamas. La porte d'entrée s'est refermée en claquant – mon père, qui allait faire un tour au bar. Dans la cuisine, ma mère repassait des chemises et parlait toute seule, ruminant ses rancœurs. Les jumeaux se sont endormis ; ma mère a rangé la planche à repasser et a gagné la salle de séjour.

« Ed Adams » arpentait calmement le trottoir devant la maison, beau comme un dieu dans son magnifique costume gris. Une cigarette aux lèvres, il allait jusqu'au coin de la rue, tournait autour du réverbère, puis, un instant invisible dans le halo qui tombait du lampadaire, soufflait un nuage de fumée et revenait sur ses pas. Je ne me suis rendu compte que je m'étais endormi que lorsque j'ai entendu la porte d'entrée claquer une seconde fois dans la nuit.

Le lendemain matin, mon père a cogné à la porte en se levant; à peine debout, les jumeaux ont commencé à chahuter, déjà pleins d'énergie. Comme dans un dessin animé, des odeurs de bacon frit flottaient partout dans la maison. Les jumeaux se sont précipités dans la salle de bains. De l'eau a coulé dans le lavabo et la cuvette des toilettes. Ma mère a surgi comme un diable dans la chambre, louchant à cause de la fumée de sa cigarette, et a rapidement habillé les deux petites pestes.

« C'est toi qui décides, mais si tu veux aller à la garderie, autant être à l'heure. »

Bruits de portes qui s'ouvraient et se refermaient; mon père a crié quelque chose dans la cuisine. Je me suis levé et j'ai été m'asseoir devant mon bol. Mon père fumait, m'ignorant totalement. Les céréales avaient un goût de feuilles mortes.

« Tu as l'air à peu près aussi en forme que l'autre cinglé, là-haut », a déclaré mon père en posant deux pièces de vingt-cinq cents sur la table en me disant de ne surtout pas les perdre.

Après son départ, je me suis enfermé dans la chambre. Le piano résonnait sourdement au-dessus de ma tête, comme une bande-son désaccordée. Les tasses et les assiettes en tremblaient dans l'évier; les meubles trépignaient, prêts à se jeter sur quiconque passerait à portée. *Aime-moi, aime-moi*, suppliait la radio, posée à côté de la famille d'épagneuls en porcelaine. J'ai entendu un léger bruit; sans doute une lampe ou une revue qui explorait la salle de séjour. « C'est moi, qui imagine tout ça », me suis-je dit en essayant de me concentrer sur un nouvel épisode des aventures de Blackhawk. Les dessins sautaient et se mélangeaient. *Aime-moi*, disait Blackhawk, dans le cockpit de son chasseur, prêt à exterminer une bande de criminels au teint jaune et aux yeux bridés. Dehors, le feu faisait rage dans les rues, menaçant de s'étendre au monde entier. Lorsque j'ai laissé tomber mon illustré et fermé les yeux, tous les bruits ont immédiatement cessé et le silence, attentif, est retombé sur la maison. Même Blackhawk, bouclé à son siège, m'observait.

Dans la lumière opaque et voilée d'une brume de chaleur, je descends Sherman Boulevard et me dirige vers l'Orpheum-Oriental. Autour de moi, tout est absolument immobile, figé comme sur les planches d'une bande dessinée. Au bout d'un moment, je remarque que les voitures sur le boulevard et les rares passants sur le trottoir ne sont pas totalement immobiles, mais avancent avec une infinie lenteur. Je peux voir le mouvement des jambes des piétons à travers celles de leurs pantalons, le genou qui se casse en plein mouvement, le bas du pantalon qui rebique à chaque pas, comme les griffes érectiles de Tom le chat, lorsqu'il va bondir sur Jerry la souris. Le sol, sous mes pieds, n'est qu'une écorce fragile. Comme dans un rêve, je me vois remonter le boulevard, dépasser les voitures et les gens, englués sur l'asphalte ; le cinéma ; la boutique du marchand de vin ; les grilles du parc ; la grenouillère ; les balançoires ; le zoo avec les lions et les éléphants, la patte ou la trompe tendue ; la pelouse où mon père désespérait de faire de moi un homme ; les ormes : les autres grilles, face aux grandes demeures qui bordent l'autre côté du parc ; de grandes baies vitrées ; des bicyclettes et des piscines gonflables sur les pelouses ; des allées en pente ; des buts de basket ; des hommes qui descendaient de leur voiture ; des terrains de jeux où des enfants couraient sur des carrés de goudron ; puis, au-delà des limites de la ville, de grands tracteurs jaunes aux moyeux énormes encroûtés de boue séchée, comme de la vieille laine entortillée ; des gars robustes et des donzelles solides juchés sur des charrettes pleines de paille ; des forêts profondes avec des enfants perdus, des sentiers balisés de miettes de pain et des maisons en pain d'épice ; des villes où personne ne me connaissait et ne savait qui j'étais.

Devant l'Orpheum-Oriental, je marque un temps d'arrêt. J'ai la bouche sèche et la vue qui se brouille. J'ai à peine cessé de marcher que le monde, si calme et si paisible l'instant d'avant, se remet brusquement en mouvement. Les voitures foncent sur le boulevard, avertisseurs bloqués. En arrière-fond, résonne un halètement sourd de gigantesques machines ; sous le boulevard, un incendie brûle tout l'oxygène de la ville. J'avale des flammes et de la fumée chaque fois que je respire, mais elles ressortent par le fond de ma gorge. Totalement détaché de mon corps, je glisse la main dans ma poche, en sors une pièce de vingt-cinq cents, l'échange contre un ticket et franchis les portes du hall, oasis de fraîcheur. Je donne mon ticket à déchirer, puis, au bout de l'interminable tapis brun, pousse la porte de la salle. Assis dans la dernière rangée, tout au fond de la salle obscure mais pas encore totalement plongée dans le noir, un monstre informe tend avidement les bras en me voyant entrer. *Aime-moi, aime-moi*, dit-il, la bouche aussi noire et humide que la gueule d'un puits. Révulsé d'horreur, je m'enfuis à toutes jambes, incapable de crier parce qu'il faut que je garde la bouche fermée pour empêcher les flammes et la fumée de s'en échapper.

Le reste de l'après-midi demeure confus. Je me suis promené dans les rues. Promené est un bien grand mot; en fait, j'ai erré comme une âme en peine, sans savoir où aller. Je me rappelle encore le goût de la fumée dans ma bouche et le bruit de mon cœur qui cognait. Au bout d'un moment, je me suis retrouvé au zoo devant l'enclos des éléphants. Du coin de l'œil, j'ai aperçu un journaliste qui passait, vêtu d'un beau costume gris, et je l'ai suivi. Il avait son carnet et son crayon dans sa poche, j'en étais sûr. Il avait été tabassé par des truands; lui seul savait comment recoller les morceaux du puzzle. Il allait faire croire à l'infâme « Solly Wellman », Berry Kroeger, que son pistolet était vide et, quand cette hyène sortirait de son trou en ricanant, l'abattrait froidement.

Le tuerait.

Donna Reed sourit à une fenêtre : y a-t-il jamais eu un sourire tel que celui-ci ? Un seul ? Je suis à Chicago; de l'autre côté de la porte, « Blackie Franchot » perd son sang sur le tapis. « Solly Wellman », ou quelqu'un qui lui ressemble, ne cesse de crier mon nom, depuis le cercueil où il repose désormais comme un secret bien gardé. Armé de son carnet et de son pistolet, le journaliste au complet gris pousse une porte; je suis tout près de la maison.

Paul est appuyé contre le grillage métallique de la cour de récréation; il repense au passé, voudrait bien être ailleurs. D'un geste, Alan Ladd écarte « Leona » (June Havoc), car ce n'est qu'une de ces innombrables créatures comme on en trouve dans toutes les boîtes de nuit. Cigarettes, whisky; elle n'a rien d'intéressant à dire. Derrière le monde, il y en a un autre; « Leona » n'est qu'une ombre.

Ma mère met la main sur mon front et déclare que j'ai non seulement de la fièvre, mais que cela empire de jour en jour. En conséquence, je n'irai pas à la garderie demain, je passerai la journée allongé sur le canapé de Mme Candee. La voyant s'emparer du téléphone pour prévenir l'école, je lui dis de ne pas s'inquiéter : il y en a toujours qui ne viennent pas.

Étendu sur le canapé de Mme Candee, je contemple le plafond de la salle de séjour. Les jumeaux sont dehors à se chamailler; la bonne Mme Candee, un peu sotte mais si brave, m'apporte du jus d'orange. Les jumeaux s'égaillent vers le bac à sable; Mme Candee se laisse tomber en gémissant sur une chaise de jardin bancale. Le journal du matin posé par terre à côté d'elle donne le détail de la nouvelle affiche de l'Orpheum-Oriental : *Le voyage de la peur* et *Double Cross. Enquête à Chicago* avait fait son temps et allait poursuivre sa carrière dans une autre ville, emmenant le monstre informe avec lui. Personne ne le savait, sauf moi. Dehors, les tourniquets d'arrosage aspergeaient de myriades de gouttelettes les pelouses jaunies par l'été. Les gens roulaient lentement, le coude passé à la fenêtre. Une froide évidence, un constat lucide et dépourvu d'émotion s'est imposé à moi : j'étais différent des autres. Ayant l'impression d'avoir été coupé en deux puis recollé, je vomis le jus d'orange que j'avais avalé. Différent, et seul. « Stan », « Jimmy », quel que soit son nom, ne reviendrait jamais à l'Orpheum-Oriental. Il devait avoir trop peur que je dise ce qui s'était passé à mes parents ou à la police. En l'oubliant, je l'avais tué, définitivement rejeté dans l'oubli.

Je suis retourné au cinéma le lendemain. Depuis les derniers rangs, sous le balcon, les plus hauts, jusqu'aux premiers, tout en bas, au pied de l'écran masqué par le rideau, tous les fauteuils étaient vides. J'étais tout seul; la salle paraissait encore plus grande que d'habitude. J'ai pris l'allée qui coupait la salle en son milieu et, restant dans la travée centrale, me suis assis sur le fauteuil du coin gauche. La rangée précédente me semblait presque aussi loin que la cour de récréation. Les lumières ont baissé et le rideau s'est ouvert; la musique a éclaté et les premières lettres du générique sont apparues.

Voilà qui je suis, ce que j'ai fait et pourquoi je l'ai fait. Je suis un homme ayant maintenant dépassé la quarantaine, âge fatidique, et un garçon de sept ans bien plus courageux que je le serai jamais. Je vis sous terre dans une cabane en bois; très heureux, en m'appliquant, je dessine sur les murs. Sous mes yeux, encore à moitié invisible, commence à prendre forme un monde incroyablement complexe dont je dois fignoler les moindres détails, faire qu'ils concordent tous entre eux. Autour de moi, chaque chose est à sa place. La machine à écrire, posée sur la solide table de bois, et le cendrier, où fume une cigarette. Un disque tourne sur la platine; la musique emplit tout l'appartement. (*Bird of Prey Blues*, avec Coleman Hawkins, Buck Clayton et Hank Jones.) Au-delà des murs, derrière les fenêtres, existe un monde que j'essaie de saisir entre mes mains, conscient de l'ampleur de la tâche, mais plein d'ambition. Comme si *Bird of Prey Blues* les avaient suscitées, encore balbutiantes, les idées que je vais développer dans l'après-midi, demain ou le mois prochain, commencent à s'éveiller à la vie ; penché sur le clavier, le plus fidèlement possible, j'essaie de les traduire en mots.

INTERLUDE :
RETOUR SUR SOI

Ils avaient dû regagner leur ville natale quand son père à elle était entré en maison de retraite, une résidence pour personnes du troisième âge aussi huppée qu'un hôtel de luxe. Les chambres avaient en effet ce clinquant impersonnel qui donnait aux vieux meubles des pensionnaires le pimpant d'une suite d'hôtel. Tout le monde s'y plaisait bien. Les nouveaux arrivants arboraient tous une mine réjouie. Tous les matins, en s'asseyant devant sa console, une employée pressait un bouton qui déclenchait une sonnerie dans chaque chambre; si votre interphone restait muet, on envoyait aussitôt quelqu'un aux nouvelles. La nourriture, sans génie, était servie avec abondance; la grande salle à manger était toujours bondée. Prières en commun, discussions de groupe, il y en avait pour tous les goûts. Télévision dans chaque chambre, que demander de plus? Avec son mari, elle s'assit dans le salon de son père, un peu intimidée au milieu de ces meubles qu'elle avait connus toute sa vie, et l'écouta parler avec la télévision en bruit de fond.

L'après-midi, ils traversèrent la ville pour voir le quartier où son mari était né, le quartier où il avait grandi, avant que ses parents ne partent habiter la banlieue. Ils laissèrent la voiture, firent quelques pas sur le trottoir, les yeux levés vers la façade, puis s'engagèrent dans l'allée qui menait derrière la vieille maison. Elle était semblable à l'image qu'il en avait gardé – une maison d'un étage, l'un brun, l'autre jaune, avec un bout d'arrière-cour. Elle avait bien résisté aux années, même si le voisinage avait radicalement changé. Tous les ormes étaient morts et, curieusement, tout avait l'air plus grand, plus clair et plus brillant que dans son souvenir. Il avait l'impression que c'était lui qui avait rapetissé. Ils explorèrent un peu les environs et se perdirent dans les ruelles qui couraient derrière la grande avenue. Là aussi, tout était chargé d'une foule de souvenirs; des souvenirs qui se rappelaient à lui avec une telle force qu'il en avait le cœur lourd et les larmes aux yeux. Gagné par la nostalgie, il ne savait pas si ce qu'il éprouvait était de la joie ou de la tristesse, peut-être un peu des deux. C'était là qu'il avait passé son enfance; il connaissait par cœur toutes les rues de ce quartier. Il n'aurait su dire pourquoi, brusquement confronté à son enfance, il sentait monter en lui une indicible mélancolie.

Ils retournèrent à la voiture, et c'est elle qui prit le volant pour rentrer. Il pleura tout le long du trajet, sans même s'en rendre compte, sans même avoir de raison. Quand ils quittèrent la ville, pour la première fois de sa vie, il eut l'impression de partir. De s'en aller. De ne plus avoir de foyer.

PETIT GUIDE
A L'USAGE DES TOURISTES

Le tueur du viaduc, ainsi appelé à cause du lieu où ont été retrouvés les corps de ses victimes, court toujours. A ce jour, on dénombre six cadavres, découverts par des enfants, des gens sortis faire prendre un peu d'exercice à leur chien, des amoureux ou, dans l'un des cas, par la police. La gorge tranchée, tous les cadavres reposaient au même endroit, partiellement dissimulés derrière les énormes semelles de béton des piles des dernières travées, là où le tablier, encore tapi contre la culée du grand pont, semble hésiter à se lancer dans le vide. Pour nombre de gens, le tueur du viaduc est un concitoyen, quelqu'un d'inscrit sur les listes électorales, un rentier ou un propriétaire immobilier, un produit, en tout cas, d'une des écoles dont s'enorgueillit la ville, un établissement que ses enfants fréquentent d'ailleurs peut-être aujourd'hui. Le choix est vaste, la ville ne comptant en effet pas moins de sept écoles primaires, trois lycées, deux écoles confessionnelles et une autre institution privée, purement technique celle-là. Le tueur possède peut-être un bateau; il est peut-être abonné au Grand Livre du Mois; c'est peut-être un habitué d'un des nombreux bars et cafés qui animent les différents quartiers; mélomane, il ne rate peut-être pas une seule des représentations de la saison lyrique donnée par l'orchestre symphonique de la ville. Il possède sûrement une automobile, peut-être même deux. Il fréquente peut-être les piscines municipales, ou bien préfère, pendant le mois d'août torride qui s'abat généralement sur la ville, aller se baigner dans les eaux du lac, chamarrées de voiliers.

Nous sommes une cité typique du Midwest, région au climat nordique soumis à de violents contrastes saisonniers. La rigueur du climat, qui va d'un extrême à l'autre, passant de moins vingt degrés, voire moins trente, en dessous de zéro en hiver, à des plus de quarante en été, a fini par engendrer une attitude d'acceptation passive parmi la population, tendance casanière qui pousse les habitants à se replier sur eux-mêmes au lieu de se tourner vers l'extérieur. Peu de gens quittent la ville pour les métropoles plus clémentes, plus contrastées et plus innovatrices, des rivages du Pacifique ou de l'Atlantique. La ville est fière de ce manque d'ambition et prise l'ordinaire, à tout le moins ce qui passe pour. (Nous avons le même maire depuis vingt-quatre ans; c'est un homme d'une intelligence plus que moyenne, pour ne pas dire limitée, mais qui a su bien vieillir et n'a jamais occupé d'autres fonctions ni brigué d'autres mandats.)

La soif de gloire, le désir forcené de se faire une place au soleil, bref la réussite, ne sont pas des vertus bien considérées par ici. Un de nos concitoyens est devenu gouverneur d'un autre État – oh! un tout petit. Un autre, chef d'une formation musicale, a connu une certaine notoriété. Un autre encore a joué pendant des années les seconds rôles à Hollywood, enchaînant des dizaines de films où il était le confident ou le meilleur ami de la vedette principale. Pour tout le monde, inconsciemment, c'est bien suffisant; d'ailleurs, tous ces gens-là sont morts. Il n'existe ici aucune tradition littéraire. Le seul miroir où la ville puisse se contempler est la une de ses deux quotidiens. Tous deux pourvus d'une copieuse rubrique sportive, ils peuvent être facilement lus au lit.

Trait caractéristique de la ville, la rumeur y règne en maître. Une curieuse propension au sensationnel, à l'affabulation, au on-dit, affecte tous les quartiers. Un fleuve coule au milieu de celui des affaires, comme la Liffey traverse Dublin, la Seine Paris, la Tamise Londres ou le Danube Budapest, même si le nôtre, bien modeste, n'a pas la majesté de ces grands noms.

Si l'on interrogeait tout le monde, chacun dirait qu'il mène une vie ordinaire, exemplaire. Comme tout un chacun, nous prenons cependant part à la vie de la nation et, si nous avons su nous prémunir contre les maux qui gangrènent ailleurs le pays, nous sommes marqués par la même histoire. N'allez pas croire que nous n'ayons rien à dire. Nous aussi, nous avons droit aux enquêtes de marché et aux campagnes des grands instituts de sondage, qui nous auscultent et prennent notre pouls.

Il y a une quarantaine d'années, un hiver, on a retrouvé le cadavre d'une femme sur la berge du fleuve. Elle avait été violée puis assassinée, rayée définitivement de la communauté des vivants. Prostituée, elle n'a jamais été identifiée. Les bruits de lutte qui ont dû accompagner sa mort n'ont pas été entendus par les clients du bistrot, La Femme verte, situé tout près de l'endroit où son corps a été découvert. L'hiver était particulièrement rigoureux, cette année-là; il gelait à pierre fendre et, à l'intérieur de La Femme verte, la musique battait son plein.

Dans ce quartier de petits commerces peuplé d'une population de souche irlandaise, des enfants ont trouvé un jour, dit-on, un homme ailé, blotti dans une grande caisse, un vieillard presque mort de faim qui parlait une langue bizarre qu'aucun des enfants ne connaissait. En voyant ses ailes sales et rognées, ses plumes aussi ternes et dépenaillées que celles d'un vieux pigeon, ses pieds gonflés et tout crottés, les enfants se sont moqués de lui. *Coin-coin! Croa! Croa!* lui ont-ils crié en entendant les sons qui sortaient de sa bouche. Ils lui ont jeté des pierres et des boules de neige; tout le monde croyait qu'il était venu du fleuve, ce fleuve d'où montait en hiver une humidité pénétrante, froide comme le cancer, qui leur glaçait les os et les faisait grelotter dans leurs lits, leur bleuissait les oreilles et leur donnait des engelures, et qui, l'été, était infesté par les rats et les moustiques.

L'un des quotidiens de la ville est d'obédience démocrate, l'autre républicaine. Les deux feuilles encensent pareillement le maire, qui, fin politique, se targue justement de n'en n'avoir aucune. Les deux journaux soutiennent aussi les efforts de la police, sans qui la ville connaîtrait la même violence que les autres grandes villes américaines. Chez nous, personne ne sort faire ses courses avec son parabellum, et la fréquentation religieuse est très supérieure à la moyenne nationale.

Nous avons une attitude mitigée par rapport à la violence.

Il n'y a ici que très peu de statues d'hommes publics; la plupart sont celles de généraux de la guerre de Sécession. Au bord du lac, isolée du reste de la ville par une rocade à six voies, se dresse la structure cubique de la pinacothèque, plus communément appelée le Monument aux morts. On y trouve exposées de médiocres croûtes devant lesquelles les enfants des écoles sont conduits en visite guidée par leurs professeurs, en majorité d'anciens élèves des établissements mêmes où ils enseignent aujourd'hui. Les enseignants sont des gens sans histoire et satisfaits de leur sort; les statistiques relatives à la consommation d'alcool ou de drogues, tant parmi les élèves que parmi leurs professeurs, sont très encourageantes.

Il n'y a pas à s'appesantir plus longtemps sur le Monument aux morts.

De là, en vous dirigeant vers le nord, vous vous trouverez bientôt au cœur des beaux quartiers, à l'architecture massive et bien ordonnée. C'est dans ce secteur, souvent appelé East Side, que les brasseurs et les tanneurs, qui ont été à l'origine de la première fortune de la ville, ont fait construire leurs demeures. Ces résidences ont toutes un petit air germanique, nordique, voire baltique, qui s'inscrit parfaitement dans le paysage. Faites de briques ou de pierres grises, vastes comme des usines, ces constructions majestueuses semblent manquer un peu de cette note de fantaisie qui est notre héritage le plus précieux. Ou peut-être était-ce surtout le mode de vie de ces marchands dans l'âme qui était fantastique en lui-même. Multitude de domestiques (bonnes, cochers, cuisiniers, blanchisseuses), zoos privés, mariages dynastiques longuement prémédités, armadas d'automobiles, tentures de soie, repas de vingt plats, caves à vin, abris anti-atomiques, et cetera. Peut-être il y a-t-il une part d'exagération, peut-être même que tout cela n'a jamais existé. Les gens de ce milieu ne fraient qu'entre eux, et tout ce que nous savons du beau monde, nous l'apprenons surtout par les journaux, où s'étalent des photos de bals et de réceptions, de fontaines de champagne et d'héritières somptueusement attifées. Les zoos privés ont disparu depuis longtemps. Simples citoyens, nous ne pouvons que nous promener le long des larges avenues que bordent ces magnifiques propriétés. A peine aperçoit-on de temps à autre, en passant devant les grilles, un bout de pelouse ou une ancienne écurie, aujourd'hui transformée en garage. Ici, un chauffeur en livrée qui astique une automobile ; là, quatre jeunes gens vêtus de blanc qui disputent une partie de tennis sur un court privé.

Toutes les victimes du tueurs du viaduc sont des femmes adultes.

Si vous continuez vers le nord, vous pourrez constater que plus la taille des demeures diminue, plus la distance qui les sépare augmente. Entre les maisons, qui n'ont plus maintenant ni grilles ni vieilles écuries reconverties en garages, vous apercevrez une vaste étendue d'un bleu tirant sur le gris : le lac. L'air est dégagé ; tout de suite vous respirerez mieux. L'air lacustre procure un sentiment de liberté. Gens libres aimant à laisser courir leur imagination, peut-être vous imaginerez-vous, marchant d'un pas léger, en grand de ce monde. Sur votre table, uniquement du lin, de la porcelaine, du cristal et de l'argent; tandis que les serviteurs vous présentent, un à un, les plats du service, vous soutenez avec vos hôtes une conversation brillante, cultivée, sans préjugés vulgaires ni lieux communs; de tendance plutôt conservatrice, il est vrai, vous déplorez la violence, qui ne devrait pas avoir droit de cité.

Ne poussez pas plus au nord, vous n'y trouveriez que faubourgs et banlieues sans le moindre intérêt.

Si, partant toujours du Monument aux morts, vous vous dirigez cette fois vers le sud, vous ne pouvez pas manquer le viaduc. Admirez un instant la vallée qui s'étend sous vos pieds. Sachez toutefois qu'elle n'est jamais aussi belle qu'en hiver. Ici, tout le monde attend l'hiver avec impatience. Les jours où la température plonge au-dessous de zéro et où le vent fait tourbillonner dans les rues la neige sale des tempêtes précédentes, les édifices publics se changent en sombres forteresses qui semblent se confondre avec le ciel ardoisé et se perdre, aériennes, dans le camaïeu gris des nuages. C'est à ce moment-là que la ville a son plus beau visage. La vallée s'appelle... la Vallée, tout simplement. Des panaches de flammes rouges tremblotent au sommet des torchères, et de la fumée s'échappe des cheminées d'usines. Les arbres semblent avoir été peints en noir. En hiver, la fumée s'accumule et donne au ciel l'aspect d'un vaste champ de glaciers. Des glaciers aériens, d'immenses dirigeables, qui planent, au mépris des lois de la gravité, sur des ailes d'un gris duveteux aux extrémités allant s'obscurcissant vers l'attache du corps; des glaciers qui seraient des oiseaux dont on ne verrait que les ailes et dont le reste du corps serait laissé à l'imagination de chacun.

Durant l'âge d'or de la ville, au temps des zoos privés, on élevait des loups dans la Vallée. La demande en loups était alors très forte. Aujourd'hui, les élevages ont disparu, remplacés par des usines, des cafés – des bouis-bouis tenus par d'anciens contremaîtres à la retraite –, des voies de chemin de fer et des petites rues bordées de maisons délabrées et d'ateliers de cordonniers. La plupart des anciens éleveurs de loups étaient des Polonais et, bien que les chenils, les cours envahies de mauvaises herbes et les enclos de fils de fer barbelés aient disparu, un souvenir au moins de leur existence demeure : dans la Vallée, les plaques des rues sont toutes écrites en polonais. Il est recommandé aux touristes d'éviter la Vallée; quant aux amateurs de photos, mieux vaut pour eux qu'ils se limitent à mitrailler le paysage – des plus pittoresques – du haut du viaduc. Au visiteur plus aventureux qui serait à la recherche de sensations fortes, nous ne saurions trop conseiller la plus extrême prudence, car il peut y avoir danger à pousser la porte de certains cafés du quartier, en particulier les plus anciens (tels Le Clou rouillé, ou Le Vilebrequin), au parquet si rayé et tellement fourbi par la brosse et la serpillière qu'il ressemble plus à des peaux d'animaux cousues ensemble qu'à un plancher. Pour les intrépides, ces quelques mots de mise en garde : ne vous habillez pas de façon trop voyante, et n'ayez avec vous que peu d'argent liquide. Pour ce genre d'équipée, quelques notions de polonais peuvent s'avérer utiles.

Un peu plus au sud, s'étend le quartier polonais proprement dit, qui comprend également quelques enclaves lituaniennes et estoniennes. Plus que le centre-ville, qui décline lentement mais inexorablement, le quartier polonais a toujours été regardé comme le véritable cœur de la cité et n'a pas changé depuis une centaine d'années. Ici, le visiteur peut errer librement au hasard des foires et des marchés. Enfants bien emmitouflés qui poussent des cerceaux à l'aide d'une baguette, patriarches à la barbe fleurie et coiffés de grandes toques fourrées, femmes qui papotent autour des nombreuses fontaines publiques : le spectacle est partout dans la rue. On peut consommer sans crainte les saucisses et le choux farci vendus aux étaux en plein air, et la bière locale est réputée être d'une pureté sans égale. Ici, la violence est une violence domestique, et le visiteur peut librement se mêler aux nombreuses discussions politiques, toujours empreintes d'une certaine nostalgie. C'est fin janvier ou début février que le South Side, comme on appelle le quartier, se présente sous son meilleur jour. Les jeunes filles habillées de plusieurs épaisseurs de lourds vêtements de laine ornés de motifs *flocons de neige* ou renne semblent rivaliser d'ardeur avec leurs mères ou leurs grand-mères, et c'est à qui portera les atours les plus épais, les plus sombres ou les plus lourds, le fichu traditionnel, le *babushka*, sévèrement noué sous le menton. C'est également à la fin de l'hiver que l'on peut le mieux se rendre compte de la propreté méticuleuse de ce petit peuple pittoresque : le promeneur pourra souvent voir des pater familias barbus, une pelle à la main, en train de dégager non seulement leur portion de trottoir (car les maisons sont ici aussi rapprochées que les riches demeures construites au bord du lac, si proches que, jusqu'à une date encore récente, le téléphone y était regardé comme chose absolument inutile), mais aussi leur minuscule bout de pelouse, un carré de verdure truffé de châsses mariales, de crèches et d'une foule de petits sujets : lutins, trolls ou santons. Il n'est pas rare que le visiteur soit invité par l'habitant à venir admirer la propreté immaculée de la cuisine, avec son poêle à bois noirci par les ans et ses carreaux de faïence décorés. A l'occasion, si le cœur lui en dit, le visiteur se verra même offrir un petit verre, grand comme un dé à coudre, d'eau de vie de prune ou de pêche.

L'alcool, avec son cortège de gaieté et de chaleur humaine, est partout présent ici, et rares sont les familles qui ne consacrent pas une partie de l'été à la préparation du cordial hivernal.

Pour tous ces gens, la violence est affaire privée, quelque chose qui s'exerce exclusivement sur sa propre personne, ou qui ne doit en tout cas pas sortir du cercle étroit de la famille ou des proches. Les habitants de ces petites maisons proprettes et bien briquées, avec leurs statues de la Sainte Vierge et leurs carreaux de faïence aux allures d'ex-voto, ces descendants des éleveurs de loups, grandes gueules et grands buveurs, ont depuis longtemps abandonné la pratique consistant à mutiler leurs enfants pour les maintenir dans la dépendance perpétuelle de la famille, mais l'automutilation s'est avérée beaucoup plus difficile à éradiquer. S'il en est peu qui continuent encore à s'aveugler, plus d'un grand-père cache une main seulement munie de trois doigts dans sa moufle brodée. Les doigts de pied sont une autre cible fréquente d'autochâtiment, coutume toujours vivace comme la prolifération d'échoppes de formiers – boutiques joyeuses, souvent même tapageuses, bondées de vieillards ayant tous une histoire à raconter, qui proposent aux chalands des jambes taillées à la main, embouchoirs vendus sous le nom de « pilon », pour les hommes, ou de « poupettes », pour les femmes – est là pour le rappeler. De l'avis général, le tueur du viaduc ne saurait être quelqu'un du South Side.

Les habitants du South Side vivent en relation étroite avec la violence, mais ses effets sont presque toujours limités à la sphère du privé et pour ainsi dire jamais dirigés vers l'extérieur. Une fois tous les dix ans, disons deux, un membre d'une famille décide soudain, décision venue du fond des âges et dictée par des impératifs culturels qui échappent à toute analyse extérieure, que toute la famille doit mourir, ou, pour s'exprimer plus correctement, être sacrifiée. Haches, couteaux, gourdins, bouteilles, *babushkas* maniés avec dextérité, vieux tromblons, à peu près tout est bon pour mettre ce projet à exécution. La maison où un tel sacrifice s'est déroulé est immédiatement, pour ne pas dire instantanément, nettoyée par les voisins, chacun agissant de concert. Les corps sont enterrés selon le rite catholique et inhumés en terre consacrée; une messe est dite en l'honneur à la fois des victimes et de leur assassin. Un portrait de la famille disparue est accroché dans l'église de la place du marché et, pendant une année, la maison est gardée et entretenue par les grand-mères du quartier. Jeunes ou vieux, les hommes peuvent y entrer librement, lamper les fonds de bouteille des « disparus, » comme on les appelle, allumer la radio ou la télévision et méditer sur les vicissitudes de la condition humaine. Les défunts sont réputés apparaître à leurs amis ou à leurs voisins, et prédire, le cas échéant, des catastrophes naturelles. Il est également fréquemment fait appel à leur intercession pour retrouver toutes sortes de menus objets perdus, tels que vieux boutons ou aiguilles à coudre, ce qui dispense d'un cierge à saint Antoine de Padoue. L'année écoulée, la maison est vendue, le plus souvent à un jeune couple – un jeune forgeron, ou un jeune commerçant du marché, nanti d'une épouse –, qui peut ainsi monter son ménage et son trousseau à bon compte avec les meubles, les ustensiles et même les vêtements des « disparus ».

Au-delà du South Side, les faubourgs ne nécessitent pas une visite.

A l'ouest du Monument aux morts, s'étend le centre-ville. Avant son déclin, c'était le quartier des affaires et le centre administratif de la cité, passé glorieux dont de nombreux édifices sont encore les témoins. Le long de la large avenue qui se greffe sur la rocade du lac, on trouve successivement le palais du gouverneur, l'hôtel des postes et la grande structure de l'hôtel de ville. Chacun de ces bâtiments, majestueusement dressé sur son quadrilatère, est fait de blocs de granit provenant des carrières du nord de l'État. Façades de type classique, à l'austérité rompue par des colonnades creusées de niches; portes monumentales, auxquelles on accède par des escaliers de marbre; lustres de cristal, derrière d'immenses fenêtres. (Il y a longtemps que la distribution intérieure de ces bâtisses inhumaines a été morcelée; chaque salle a été divisée en plusieurs pièces éclairées par des ampoules nues ou des tubes fluorescents; chaque petit bureau est pourvu d'un vieux comptoir de bois pour l'accueil du public et d'un panneau gravé indiquant sa fonction : Taxes et Contributions indirectes, Permis de possession d'animaux, Passeports, Cadastre, Registre des notaires, et ainsi de suite. Les salles les plus grandes, celles dont on peut voir les lustres depuis l'avenue, réservées aux banquets et aux représentations officielles, ne sont plus guère utilisées.)

Un peu plus loin, s'élèvent le bâtiment des archives, le siège de la police et le palais de justice. L'architecture en est identique : escaliers de marbre, massives portes de bronze, façades surchargées de colonnades, fenêtres miroitantes où, les jours d'hiver, se reflète le gris du ciel. Ce sont des artisans locaux, dont beaucoup étaient les descendants des premiers colons français, qui ont forgé les grilles du palais de justice.

Après avoir dépassé l'imposante façade de briques presque dépourvue de fenêtres – grand mur quasi orbe – du siège de la compagnie du gaz et de l'électricité, on arrive sur la volée métallique du pont levant jeté au-dessus du fleuve. Du garde-fou, on a une vue saisissante sur les rives envasées et les lanternes de la terrasse de La Femme verte, un lieu aujourd'hui très fréquenté où se retrouvent les fonctionnaires. (C'est tout près de là qu'un dément a un jour tenté d'assassiner le président Dwight D. Eisenhower.) Plus loin, se dressent les hauts murs maçonnés de plusieurs brasseries. Le tablier du pont n'a pas été levé depuis 1956, date de passage du dernier navire marchand.

De l'autre côté du pont, s'étend le vieux quartier commerçant, avec ses librairies pour adultes et ses cinémas pornographiques, ses cafés et ses anciens grands magasins. Ces derniers ont bien changé, de nos jours, et sont devenus des entrepôts de demi-gros ou des solderies spécialisées : tuiles, pièces détachées et accessoires automobiles, matériel de plomberie, fripe et prêt-à-porter d'occasion. Nombre de devantures et de vitrines ont étés condamnées ou murées après les émeutes de 1968. Les divers plans de réhabilitation proposés ont tous échoué à faire revivre ce quartier. Les seuls témoignages de cette politique, engagée dans l'euphorie des années soixante-dix, sont les pavés et les réverbères à l'ancienne installés dans les rues transformées en voies piétonnes. Les nostalgiques invétérés qui trouveront encore quelque charme au décor devront toutefois se méfier des bandes de gosses en haillons qui écument l'endroit la nuit tombée : même s'ils sont inoffensifs, ils peuvent parfois se montrer pressants dans leurs sollicitations financières.

Beaucoup de ces enfants habitent des cabanes qu'ils ont construites eux-mêmes sur des terrains laissés vacants entre les snack-bars et les librairies pornographiques. Ces « palombières », comme on les appelle, huttes édifiées de bric et de broc sur des monticules de pneus, hautes souvent de plusieurs étages et pourvues de morceaux d'escaliers recyclés récupérés dans les magasins aujourd'hui fermés, valent le détour, mais l'étranger ne devra pas chercher à pénétrer dans ces « cités d'enfants ». De la même façon, il ne devra jamais offrir plus que la menue monnaie qui lui sera demandée et, de manière générale, s'interdira d'exhiber caméras, montres ou bijoux de prix. Celui qui serait néanmoins tenté de s'aventurer en territoire inconnu pourra engager un de ces enfants pour lui servir de guide, service pour lequel il lui sera demandé deux dollars.

Le touriste s'abstiendra d'acheter tout ce que ces enfants pourront lui proposer, à part peut-être les cartes postales illustrées des plus belles « palombières » qu'ils proposent à l'amateur, touchés eux aussi par la crise économique qui s'est abattue sur le secteur administratif, de l'autre côté du fleuve. L'architecture naïve de ces huttes est sans doute ce que la ville a produit de plus authentique, et ces cartes postales, non dénuées certes d'un certain dilettantisme, sont un exemple intéressant de ce que l'on appelle parfois l'art populaire.

Très organisés, ces enfants ont ritualisé leur violence sous la forme de tatouages, d'incursions et de raids « spontanés » sur le territoire des bandes rivales. Au cours de ces affrontements, les protagonistes ne s'infligent que des blessures superficielles, et l'on ne pense pas que le tueur du viaduc puisse être l'un d'eux.

Plus loin à l'ouest, au-delà de la plaie toujours béante des ruines – extrêmement photogéniques – de la bibliothèque municipale et du musée, détruits pendant les émeutes évoquées plus haut, le visiteur parviendra au ghetto.

Il n'est pas conseillé d'y pénétrer à pied, mais le touriste qui aura pris la précaution de louer une voiture pourra y circuler en toute sécurité après avoir négocié le prix de son passage à l'entrée. Les habitants du ghetto vivent en autarcie complète. Le touriste attentif observera que nombre de gens vivent sous une simple toile de tente – certaines parties du ghetto ressemblent ainsi à de véritables camps de réfugiés – et notera la multitude d'officines proposant indifféremment nourriture et drogues en tous genres. Le ghetto est réputé abriter de nombreux artistes, des poètes, des peintres ou des musiciens, mais aussi des historiens, connus sous le nom de « mémorisateurs ». Archivistes et mémoire vivante du ghetto, ce sont en quelque sorte des encyclopédistes, des mémorialistes qui ne disposeraient pas de la plume. La tâche qui leur est dévolue consiste à mémoriser les œuvres des autres artistes, peintres ou poètes du ghetto, car on ne trouve ici ni imprimerie ni magasin de fournitures; c'est la méthode qu'ont imaginée ces esprits inventifs et indépendants pour préserver leurs œuvres. Personne ne croit que des gens capables d'inventer une chose telle que la « peinture orale » puissent compter le tueur du viaduc dans leurs rangs; de toute façon, personne ne peut sortir du ghetto.

Personne ne sait non plus quel genre de relations le ghetto entretient avec la violence.

Plus loin encore à l'ouest, s'étend ce que nous appelons la Sibérie. Pendant sept mois de l'année, il tombe chaque mois une moyenne de soixante-dix centimètres de neige sur les usines de pâtes à papier et les centres commerciaux implantés là. L'été, les tempêtes de poussière y sont fréquentes; l'eau véhicule certains germes, mais, au fil des générations, les gens ont fini par s'auto-immuniser.

Le parc des sports est situé encore plus à l'ouest.

Le touriste qui est allé aussi loin sera bien avisé de revenir sur ses pas et de regagner notre point de départ, le Monument aux morts. Les véhicules peuvent être laissés sur le vaste parking, d'accès facile et bien signalisé, qui flanque le côté est de l'édifice. Depuis les imposantes terrasses du bâtiment, bien dégagées, le regard est irrésistiblement attiré vers le sud-est par le grand pont inachevé, stoppé net en pleine travée, qui surplombe Wright et Arnoldville, deux anciennes bourgades. La construction de cet important ouvrage d'art a été abandonnée, exemple d'ailleurs imité par beaucoup d'autres villes dans le monde occidental, jusqu'en Finlande et en Australie, après les émeutes de 1968, le manque d'utilité de tels projets étant devenu patent. Peu à peu, cependant, les gens ont pris l'habitude de venir pique-niquer par familles entières sur les terrasses pour contempler silencieusement la grande arche inachevée; le pont a été à ce point adopté comme symbole de la ville, que son image orne aujourd'hui drapeaux, dépliants et médailles.

Cette « arche brisée » – c'est ainsi que le pont est souvent qualifié – qui plane entre ciel et terre comme les glaciers aux grandes ailes grises au-dessus de la Vallée, n'a qu'une fonction symbolique. Tel quel, sans que cela ait été voulu, ce pont inachevé est le symbole même de la violence. Violence, d'abord, qui a frappé les ouvriers tués lors de sa construction, terme bien mal approprié, compte tenu des circonstances. Les travaux ont été interrompus du jour au lendemain, et la finition laisse à désirer. Des bouts de métal rouillé et des câbles électriques lestés de morceaux de béton pendent du tablier. Tout le temps que l'accès à ce fantôme de pont n'a pas été interdit par une barrière électrifiée, deux ou trois citoyens ont choisi chaque année de s'y jeter dans le vide. Les habitants du ghetto appellent le pont « Blanche-Neige »; les enfants des palombières le nomment « Ursula », d'après une des leurs, tuée pendant les émeutes; les habitants du South Side l'appellent le « fantôme »; les fonctionnaires, eux, parlent de « serpent de mer », et les habitants de l'East Side, simplement du « machin ». Il y a dans cette arche brisée toute la violence des choses inachevées, interrompues ou laissées à l'abandon. Toute violence est l'expression d'un désir insatisfait, d'un désir qui aspire à l'accomplissement ; c'est une soif torturante qui cherche à être apaisée. Sans le corps, l'aile n'est qu'un ornement inutile. N'oublions cependant pas de dire que la majorité des habitants n'a jamais vu le pont autrement qu'en reproduction ; pour beaucoup, ce n'est qu'un mythe, sans existence réelle. Une abstraction.

La violence, bien que ce ne soit jamais dit, est un mode d'expression, une manière d'affirmer son existence. L'inabouti, tout ce qui n'a pas de traduction dans le réel, est quelque chose qui ne peut pas durer éternellement. Nous sommes dans une ville typiquement américaine, que diable.

Renversées comme des statues au pied des premiers piliers, les victimes du tueur du viaduc, cet inconnu qui choque tous nos concitoyens, qui glace les femmes d'épouvante et contraint la police à patrouiller le long du fleuve, sont toutes des femmes fauchées dans la fleur de l'âge. Chaque matin, il y vient de plus en plus de monde. Qu'il pleuve ou qu'il vente, il y a toujours une foule d'hommes (surtout des hommes), leur déjeuner dans un sac en papier, sur le couloir pour piétons. Presque sans en avoir conscience, sans se concerter, chacun s'arrête, se penche pardessus le parapet, regarde en bas, balaie l'horizon des yeux, va s'établir trois pas plus loin, puis, accoudé à la rambarde comme un pêcheur, s'attarde quelques minutes avant d'aller travailler.

Après avoir tant marché et sillonné la ville en tous sens, que le visiteur tourne maintenant le dos à « l'arche brisée », orgueil de la ville, et les yeux vers le sud-ouest, au-delà des six voies de la rocade. Au besoin, qu'il se hausse sur la pointe des pieds. (Les enfants devront peut-être monter sur la balustrade.) Les superstructures du viaduc devraient maintenant lui apparaître, puis la tête et les épaules des flâneurs alignés sur le parapet, simples coups de pinceau tracés dans l'air gris du matin. Il est clair, même vu d'aussi loin, que tous semblent attendre quelque chose.

INTERLUDE : LE VER DANS LE FRUIT

Le président prononça son nom; le célèbre poète se leva et s'avança maladroitement jusqu'à l'estrade. La jeune femme qui lui avait écrit quelques jours plus tôt (sans toutefois recevoir de réponse) retint son souffle. Le poète semblait avoir quelque difficulté à marcher; un moment, elle crut même qu'il allait tomber. Il était beaucoup plus vieux et plus insignifiant qu'elle ne l'avait imaginé. Dans la rue, elle serait passée à côté de lui sans même le regarder. Il ressemblait à ces vieillards aux ongles sales qui ne sont plus capables de se raser tout seuls. Il monta sur l'estrade, posa les mains sur la tribune, ouvrit le volume qu'il avait apporté avec lui, fronça les sourcils et s'essuya le front. Il avait chaud. Il se mit à lire.

Divine surprise, sa voix semblait être celle d'un autre homme, plus jeune et plus fort : un jeune homme habité par la puissance d'un orchestre, avec l'ampleur d'un trombone et le souffle d'une trompette. Le poète ne releva pas une seule fois la tête de son texte, mais elle aurait juré qu'il avait les yeux vitreux, comme s'il était ivre ou tombait de sommeil.

Le lendemain, si elle avait encore le son de sa voix dans la tête, elle aurait été incapable de citer un seul des poèmes qu'il avait récités. Heureusement qu'il n'avait pas répondu à sa lettre. Elle se voyait mal en sa compagnie; où aller, que faire d'un homme qui avait l'air d'un ivrogne?

LE CHASSEUR DE BISONS

Pour Rona Pondick

1

Aux paroles du paysan... des idées encore imprécises mais d'une importance capitale, libérées du carcan qui les retenaient prisonnières, se présentaient une à une à son esprit, aveuglantes de clarté et toutes dirigées vers un seul but.

Léon TOLSTOÏ, *Anna Karénine*

Ce fut une surprise, mais ses parents lui passèrent un coup de fil le dimanche de son trente-cinquième anniversaire. Pour Bob Bunting, c'était sa première conversation avec eux depuis trois ans. Il recevait une lettre tous les mois et une carte pour son anniversaire, où bien souvent l'humour caustique de son père se donnait libre cours, et répondait selon le même rythme. Ses rapports avec ses parents lui semblaient ainsi parfaits. Indépendance, chacun chez soi; c'était beaucoup mieux ainsi.

Jusqu'à la trentaine, tout seul à New York, lorsqu'il s'était trouvé au chômage, et donc gêné financièrement, il avait souvent fait le voyage jusqu'au Michigan pour passer les fêtes du Thanksgiving[1] et de Noël sous le toit familial, à Battle Creek. Il avait

1. Jour d'action de grâces, le quatrième jeudi du mois de novembre. *(N.d.T.)*

d'abord réussi à échapper aux Thanksgivings quand il avait enfin trouvé un emploi qui lui plaisait. Était-ce dû à l'âge qui venait mais, chaque année, à mesure que Noël approchait, l'idée même du pèlerinage rituel dans le Grand Nord lui pesait de plus en plus. C'est évidemment à cette possibilité que son père fit allusion après lui avoir souhaité un joyeux anniversaire – tiède et de pure forme – et évoqué la rareté de leurs conversations au téléphone.

« Vous n'avez pas l'air de vous embêter, Veronica et toi. Ce n'est pas possible, vous êtes de sortie tous les soirs.

– Oh ! tu sais, pas plus que d'habitude. »

Veronica était une pure invention. Bunting n'avait pas eu le moindre contact avec un membre du sexe opposé depuis quelques expériences peu concluantes au lycée. Au fil des lettres, Veronica qui, au début, n'était qu'une vague « amie », était devenue une grande et belle femme, une brune d'origine suisse, cadre à la DataCom Électronique, la société où travaillait Bunting. Son portrait était encore un peu flou, mais c'était un mélange de Sigourney Weaver et d'une femme à lunettes à monture d'écaille qu'il avait aperçue deux fois dans le bus M104.

« En tout cas, je ne sais pas où tu passes tes soirées, mais tu ne réponds jamais au téléphone, insista son père.

– Oh ! Robert », intervint Mme Bunting pour gommer ce que les paroles de son mari pouvaient avoir d'insinuant.

Il fallait dire qu'ayant le même prénom que son père, Bunting était censé être un joyeux drille menant une vie de bâton de chaise.

« Parfois, je ne suis pas loin de penser que tu es là mais que tu ne veux pas répondre et que tu laisses le téléphone sonner exprès », dit son père pour résumer sa pensée.

Mine de rien, c'était lâché.

« Mais enfin, Robert, il est occupé, chuchota sa mère. Tu sais bien comment c'est, New York !

– Non, pas du tout. C'est comment ? répliqua son père, goguenard. Dis donc, Bobby, tu as été voir *Cats*, finalement ? Ça t'a plu ?

– On est partis à l'entracte », soupira Bunting.

C'était ce qu'il comptait détailler dans sa prochaine lettre.

« Le peu que j'en ai vu, j'ai trouvé ça pas mal, mais Veronica a trouvé ça nul. Ensuite, on a terminé la soirée avec des amis suisses à elle ; c'était la première fois qu'ils venaient à New York.

– Des amis ? Hommes ou femmes ? demanda son père.

– Un couple. Un jeune couple très sympathique, dit Bunting. On les a emmenés dans un nouveau restaurant, L'Oie bleue.

– Un restaurant suisse ? » s'enquit sa mère.

Le récepteur contre l'oreille, le regard de Bunting fit le tour de l'unique pièce de son appartement et s'attarda un instant sur son vieux biberon posé, à côté du miroir qu'il avait acheté dans une grande surface, sur le manteau de la cheminée condamnée. Il avait l'habitude de broder sur des restaurants imaginaires dans ses lettres, mais se sentait nettement moins à l'aise lorsqu'il s'agissait d'improviser.

« Non, non, c'est un restaurant américain tout bête, dit-il.

– Tiens, puisqu'on parle de Veronica, y a-t-il une chance pour que tu nous l'amènes à Noël ? On aimerait tout de même bien la connaître.

– Euh... non. Non, non, non. Pour Noel, ce n'est pas possible, tu le sais bien. Il faut qu'elle aille en Suisse, voir sa famille. C'est très important pour elle. Tu sais, là-bas, ils vont encore à la messe de minuit en traîneau et...

– Mais on compte, nous aussi, tout de même, non ?! » dit son père.

Bunting avait la sueur qui commençait à lui couler dans le dos. Il déboutonna son col de chemise et desserra son nœud de cravate, se demandant quelle idée il avait eue de décrocher.

« Je sais, mais... »

Personne n'ajouta rien pendant un instant.

« Nous sommes vraiment contents que tu écrives régulièrement, tu sais, finit par dire sa mère.

– Mais oui. Je viendrai, oui, mais je ne sais pas encore quand. Il faudrait simplement qu'une occasion se présente.

– Eh bien, lâcha son père, espérons qu'elle ne se fera pas trop attendre. On commence à se faire vieux tous les deux, tu sais ?

– Vieux ? Allons, avec la santé de fer que vous avez !

– Ah ! ben tiens, à propos de ça, ta mère a eu un malaise, l'autre jour, sur le parking du supermarché. Tout d'un coup, crac ! la voilà qui tourne de l'œil. Elle s'est cogné la tête, forcément. Et sérieusement amoché un genou.

– Un malaise ? Comment ça, un malaise ? demanda Bunting, imaginant sa mère couverte de bandages et de pansements.

– J'aimerais autant ne pas en parler, répondit celle-ci. Ce n'est pas bien grave. Je recommence à trotter normalement, enfin avec ma canne.

– Qu'est-ce que tu veux dire par pas bien grave ?

– Oh ! je ne sais pas, mais en ce moment, je casse tout. Je ne peux rien garder dans les mains. Rien de bien grave, tu vois.

– Je parie que tu n'as même pas été voir un médecin.

– Un médecin ! s'exclama son père. Comme si on avait besoin des toubibs. C'est que ça te couperait un bras ou une jambe comme un rien, cette engeance. Ça fait vingt ans qu'on n'a pas vu de toubib et on ne s'en porte que mieux. »

Un silence suivit cette déclaration ; son père devait être en train de compter combien la communication allait lui coûter.

« Bon, c'est pas tout, mais on va en rester là, hein ? » dit son père.

Cette conversation, pleine d'allusions, d'insinuations et de reproches à peine déguisés, laissa Bunting nerveux et troublé. Il reposa le combiné, se frotta le visage et, après s'être frayé un chemin à travers la pagaille qui encombrait l'appartement, se planta face au miroir devant la cheminée inutilisable. Ses cheveux qui se clairsemaient déjà étaient tout tire-bouchonnés, tellement il avait tiré dessus pendant la conversation. Il sortit un peigne de la poche intérieure de sa veste croisée et se recoiffa rapidement. Pour marquer le coup, il avait mis une nouvelle cravate et l'un de ses plus beaux costumes, un complet gris en pure laine vierge qui donnait immédiatement à celui qui le portait l'air d'un ingénieur système d'une des cinq cents premières entreprises du classement annuel de *Fortune*. Il prit la pose, les genoux pliés, étudia un instant l'image de son visage d'enfant attardé au front dégarni, et, satisfait, consulta sa montre. Il était seize heures trente, ce qui était une heure tout à fait raisonnable pour boire un verre le jour de son anniversaire.

Bunting prit son vieux biberon, enjamba une pile de magazines pour passer dans son minuscule coin-cuisine, ouvrit la porte du réfrigérateur, tira celle du freezer, posa le biberon à côté de l'évier, sortit une bouteille de soixante-quinze centilitres de vodka Popov, décapuchonna le biberon, examina la tétine de caoutchouc toute mordillée et l'intérieur du biberon pour s'assurer qu'il n'y avait ni poussière ni corps étranger, souffla dans la tétine, décapsula la bouteille de vodka et l'inclina au-dessus du biberon. Un filet liquide aux reflets argentés passa d'un flacon à l'autre. Il remplit le biberon à moitié puis, parce que c'était son anniversaire, y alla d'une petite lichette commémorative qui fit monter le niveau aux trois quarts. Il reboucha la bouteille de vodka, la remit au freezer – dont c'était là le seul usage –, prit un magnum plastique de Schweppes dans la porte du réfrigérateur, remplit le biberon à ras bord, remit la tétine en place et secoua vigoureusement le biberon. Un peu de liquide s'écoula par l'ouverture de la tétine qu'il avait élargie avec la pointe de son couteau ; dans sa main, le verre du flacon était maintenant bien froid.

Bunting évita le fauteuil à oreillettes qui marquait la limite du coin-cuisine, enjamba une nouvelle fois journaux et magazines, cala le biberon dans les plis de son lit sommairement retapé, ôta sa veste et l'étendit sur le dossier de la chaise de paille qui lui servait de table de nuit. Il prit le roman de Luke Short posé sur la chaise de chevet et s'allongea voluptueusement; le biberon glissa et une goutte transparente de vodka tonic coula sur le couvre-lit bleu froissé. Il redressa le biberon, ouvrit son livre, entama la première page en grognant de satisfaction, et, confortablement installé, la tétine bien en bouche, se plongea au cœur de l'action.

C'était lors d'un séjour à Battle Creek, un Noël, qu'il avait déniché le biberon en fouillant dans les vieux cartons entreposés au grenier. Simple tube de verre allongé au fond d'un grand sac en papier où dormaient, pêle-mêle, un carnet de tickets de rationnement dont il ne restait plus que les talons, souvenir de la guerre, deux paires de petits mocassins ratatinés et un singe en peluche qui avait subi le supplice de l'écartèlement, il n'y avait d'abord prêté aucune attention. Il était monté au grenier pour échapper aux questions insistantes de son père et aux regards en biais de sa mère – il faut dire qu'à l'époque, les pauvres s'inquiétaient beaucoup de le voir travailler dans une revue spécialisée prônant les charmes de l'amour en solitaire – et avait passé un long moment à explorer les reliques familiales rassemblées là : vieux manteaux, albums de photographies pleins de clichés d'inconnus, de rues désertes et de chiens morts depuis longtemps, piles de journaux jaunis aux manchettes géantes de la dernière guerre (ROMMEL ÉCRASÉ! et VICTOIRE EN EUROPE!), étagères de guingois pleines de livres poussiéreux, poches bourrées d'objets dont on avait débarrassé les fonds de placards.

Le singe entrait manifestement dans cette dernière catégorie, comme les chaussures. Il était plus réservé en ce qui concernait les bons de rationnement. Le biberon était enfoui tout au fond de la poche, coincé sous les mocassins. Il avait ignoré le singe, jouet dont il se souvenait à peine, mais sorti le biberon. L'objet, avec sa collerette de plastique vissée autour du goulot, était étonnamment lourd dans la main. Il avait brusquement pris conscience que, faible et fragile créature bavante et gigotante, il avait tenu cet objet contre sa bouche; à une lointaine époque, ses petites mains s'étaient accrochées là pour téter. C'était cette imitation, cette parodie de sein maternel qui l'avait maintenu en vie. Une curiosité, un banal objet de la vie quotidienne, mais qui avait réussi à traverser les années alors qu'en revanche son enfance – époque dont il ne lui restait que des souvenirs fugaces – était morte depuis longtemps. Cela l'avait fait rire. Tout le temps qu'il avait exploré le grenier, il n'avait pas lâché le biberon, ne voulant pas s'en séparer. Il l'avait caché dans sa valise lorsqu'il avait regagné sa chambre, puis avait complètement oublié son existence.

En rentrant à New York, la présence du biberon dans sa valise, au milieu de ses chemises sales, l'avait tout d'abord surpris. Comment cet objet avait-il pu le suivre à New York? Puis il s'était rappelé l'avoir fourré sous ses chemises la veille de son départ, soirée au cours de laquelle son père s'était pris une cuite au dîner, déclarant trois fois de suite, chaque fois d'un ton plus convaincu: « Tu s-sais Bobby, j-j'crois qu't'arriveras j-jamais à r-rien dans la vie! » Sa mère s'était mise à pleurer; excédé, son père avait préféré aller faire un tour dehors dans la neige. Sa mère était montée se coucher; prostré devant la télévision, il avait regardé comment les autres passaient les fêtes de Noël. Son père avait fini par rentrer et, sans un mot, était venu s'asseoir à côté de lui, les yeux fixés sur l'écran. Le lendemain, à l'aéroport, il lui avait maladroitement écrasé ses moustaches sur la joue et avait ajouté qu'ils avaient été heureux de le revoir; sa mère avait du mal à cacher sa tristesse de le voir partir. Il les avait trouvés vieux, tous les deux. La perspective de finir ses jours dans une petite ville industrielle du Michigan avait quelque chose de glaçant, d'odieux, qu'il ressentait encore.

Il avait rangé le biberon dans le buffet, sur l'étagère du haut, et l'avait à nouveau oublié.

Pendant plusieurs années, il n'avait redécouvert son existence que les rares fois où il avait eu besoin de quelque chose sur l'étagère. Il prenait presque tous ses repas dans les snacks du quartier ou se faisait livrer quelque chose par Empire Szechuan, aussi n'avait-il pas souvent une casserole ou une poêle à la main. Puis il avait trouvé cet emploi d'agent de saisie à DataCom Électronique. Il avait inventé Veronica pour faire plaisir à ses parents (et par là même disposer d'un prétexte pour ne plus foutre les pieds dans le Michigan) et laissé ses trente ans derrière lui pour s'installer dans ce qu'il croyait être les habitudes de toute une vie.

Il mettait de l'argent de côté, n'ayant pratiquement aucun frais, à part son loyer. Deux fois par an, à l'automne et au printemps, il faisait tous les magasins de mode masculine de Manhattan. A chaque fois, il achetait deux costumes, plusieurs chemises et cinq ou six cravates. Ces expéditions étaient toute une aventure, et il les préparait longuement à l'avance, étudiant les publicités des différentes maisons et comparant la qualité des articles exposés dans les vitrines des meilleures boutiques de vêtements pour hommes, Barneys, Paul Stuart, Polo, Armani et deux ou trois autres chemiseries qu'il avait remarquées et tenait en haute estime. Il lisait les mêmes westerns et les mêmes romans policiers que son père autrefois. Ponctuellement, il avalait ses deux repas dans la journée et se faisait couper les cheveux tous les quinze jours par le coiffeur japonais du coin, qui ne manquait jamais de lui faire des compliments sur ses cols de chemise en lui nouant sa serviette autour du cou. Il ne faisait la vaisselle que lorsque tout était sale ; il passait la serpillière et faisait un peu de ménage à peu près une fois par mois. Il répandait de la poudre insecticide pour contenir les cafards et posait des tapettes pour attraper les souris, quitte à fermer les yeux quand il devait relever les cadavres. Il ne recevait personne mais, à son travail, discutait parfois avec Frank Herko, son voisin de saisie. Frank lui enviait sa garde-robe et ne lui épargnait aucun détail de ses fredaines sexuelles – il fréquentait assidûment les bars et les boîtes – en échange du récit nettement moins coloré de ses soirées avec Veronica.

Bunting aimait bien lire allongé tout en buvant un petit quelque chose. L'hiver, l'appartement était glacial, et le lit était le seul endroit où s'allonger. Aussi, pendant quatre mois de l'année, passait-il le plus clair de ses soirées et de ses week-ends couché tout habillé sous les couvertures, un verre de vodka – sans tonic, jamais après le Labor Day [1] – dans une main, un livre dans l'autre. La seule difficulté du système, sans cela parfait, était qu'il occasionnait parfois quelques incidents fâcheux. Tenir le verre droit tout en tournant les pages avait posé quelques problèmes techniques qu'il avait fallu résoudre. Une solution consistait bien sûr à bien caler le verre au creux de la taille avant de tourner chaque page, mais cette méthode, de même que celle qui visait à poser le verre en équilibre sur le ventre ou la poitrine, s'était souvent soldée par un échec. Une autre solution aurait été de débarrasser sa chaise de tout ce qui l'encombrait, livres, mouchoirs en papier, neufs ou ayant déjà servi, tubes de cachets, boules de coton, bâtonnets pour les oreilles, flacon d'huile de vaseline et miroir de poche, mais il n'avait pas envie de tendre le bras et voulait avoir son plaisir directement sous la main.

1. Fête du travail, le premier lundi du mois de septembre. (*N.d.T.*)

Selon l'heure du jour, la lecture de *New Gun In Town* ou de *Saddles and Sagebrush* pouvait s'agrémenter d'un peu de thé, de jus d'orange, de lait chaud, de Pepsi-Cola ou d'eau minérale. Tous breuvages aussi délicieux qu'inoffensifs qu'il aurait aimé, douillettement allongé, pouvoir ingurgiter sans avoir à lever les yeux de la page. Mais la vie n'est qu'une longue suite de frustrations.

La solution lui était venue il y avait presque un an, un soir du mois de novembre, suite à un incident, aussi étrange que terrifiant, qui s'était produit pendant la rédaction de sa lettre mensuelle à Battle Creek.

Ma chère maman, mon cher papa,

Tout marche tellement bien, en ce moment, que je me demande parfois si ce n'est pas un rêve. Veronica dit qu'elle n'a jamais vu quelqu'un grimper aussi vite que moi. Hier soir, on a été danser au Rainbow Room, après un dîner en amoureux au Quaglino's, un nouveau restaurant qui fait actuellement fureur. Alors qu'on regagnait Park Avenue, au milieu de la foule élégante de la 5e Avenue, elle m'a une nouvelle fois supplié de l'accompagner en Suisse pour Noël. C'est qu'elle a besoin de moi, vous comprenez, avec son frère qui n'arrête pas de lui jeter à la tête qu'elle a trahi son pays, sans parler des autochtones, qu'elle a aussi sur le dos...

La pensée de Noël avait fait naître dans son esprit, comme imprimée sur une carte postale, l'image de la vieille maison blanche de Battle Creek. Debout devant les marches du perron, son père avait sa tête des mauvais jours, sous la visière de sa casquette à carreaux; nerveuse, sa mère clignait des yeux. Il avait posé son stylo. Les deux visages lui faisaient face, figés et sinistres, tels les fermiers d'un célèbre tableau naïf américain. Laissant ses parents au bas du perron, comme dans un rêve, il avait traversé la porte d'entrée et s'était retrouvé au premier dans un silence terrifiant. Un moment, si ce n'était pas d'ailleurs déjà fait, il avait bien cru qu'il allait s'évanouir. Des lumières blanches tournoyaient au-dessus de sa tête; il tombait à travers l'espace. Comme électrisé, tous les sens en alerte, il avait alors senti s'éveiller en lui un savoir fantastique, un pouvoir jusque-là endormi, et avait compris que sa vie dépendrait de la manière dont il saurait garder ce secret, enfermé comme la dernière petite poupée gigogne d'un jeu de matriochka. Car un tel secret était aussi dangereux qu'un fauve, qu'un tigre aux griffes assoiffées de sang; c'était un monstre qui avait failli le détruire en voulant franchir les portes de son cerveau. Impressionné par la puissance et la férocité de la bête enfermée en lui, ses yeux étaient tombés sur le pâté qu'il avait fait sur sa feuille après le mot *dos*. Il ne s'était donc pas évanoui mais, pendant une horrible seconde, avait visité il ne savait quelle mystérieuse contrée de l'esprit.

Songeur, il était resté allongé, la tête sur l'oreiller, essayant de mettre un nom sur ce qui s'était passé. Le phénomène s'estompait déjà. Il avait vu ses parents, puis s'était... envolé ? Il avait encore en mémoire l'expression du visage de sa mère, ses petits yeux papillonnants, presque simiesques, les rides profondes qui creusaient son front. Le cœur battant, il était soulagé de constater qu'il avait réussi à échapper à ce qui menaçait de tout ravager à l'intérieur de lui, même s'il n'avait aucune idée de ce que c'était, l'ayant même si bien oublié qu'il doutait de la réalité de son expérience.

C'est alors qu'il avait été visité par l'inspiration.

Songeant au vieux biberon oublié sur son étagère, il avait tout de suite vu l'usage qu'il pouvait en faire et, remettant sa lettre à plus tard, s'était précipité jusqu'au buffet. Couvert d'une pellicule de poussière grise, le biberon était venu avec un petit bruit sec ; n'ayant pas bougé de place depuis des années, le pied avait fini par s'incruster dans le vernis de l'étagère. Il avait expédié un jet de liquide vaisselle dans le flacon de verre et l'avait rempli d'eau chaude. Après avoir bien gratté le fond, il avait dévissé la collerette de plastique et récuré soigneusement les rainures, celles de la collerette comme celles du goulot, et essuyé le biberon tout chaud avec un torchon propre, se rappelant sa mère, penchée au-dessus de l'évier de la cuisine, les bras plongés dans l'eau chaude et la tête auréolée de vapeur.

Chassant cette image, il avait examiné avec attention le biberon qu'il tenait à la main, étonné qu'un objet aussi usuel fût aussi beau et qu'un simple morceau de verre pût réfléchir autant de lumière. Fait étrange, doux et caressant sous ses doigts, le biberon lui avait semblé aussi parfaitement adapté à sa main d'adulte qu'autrefois à sa menotte de bébé. C'était un véritable plaisir que de revisser la délicate collerette de plastique autour de la bouche en cœur du goulot. Une minuscule bulle d'air était restée prise dans le fond. Le nom du fabricant, Prentiss, s'étalait en surépaisseur, juste sous la collerette.

Posant le biberon sur la partie la plus propre du plan de travail, à côté de l'évier, il s'était reculé d'un pas pour admirer son œuvre. Une pure merveille, un obélisque de cristal. Derrière, en comparaison, le mur semblait terne, gris et sale. Ah ! si seulement ses deux fenêtres – deux tristes fenêtres qui donnaient sur une rangée d'immeubles décrépits du West Side – étaient faites du même verre épais et déformant.

Il était sorti acheter de nouvelles tétines et en avait finalement trouvé dans un drugstore de la 8e Avenue, suspendues par sachets de trois comme des préservatifs au-dessus d'un assortiment de biberons. Il avait décroché le premier sachet venu et s'était approché de la caisse en se demandant ce qu'il allait bien pouvoir raconter à la caissière, une Portoricaine à la mine renfrognée, si celle-ci lui demandait pourquoi diable il achetait des tétines. *Oh! ne m'en parlez pas! C'est bien simple, je ne suffis plus à les acheter.* Mais, après lui avoir tendu son ticket – quatre-vingt-seize cents –, et tendu un sac, l'employée zélée s'était emparée de son dollar et lui avait rendu la monnaie sans faire de commentaire ni même paraître le moins du monde surprise.

Excité comme s'il venait d'échapper à un grand danger, son sac bien serré dans la main, il était rentré aussi vite qu'il avait pu. Le sol ne s'était pas ouvert sous ses pieds; sa vie prenait enfin tournure.

De retour à l'appartement, il avait sorti le sachet de tétines de la poche et pu constater, outre le conditionnement du produit – les tétines étaient enfilées les unes sur les autres, comme les étages d'une pagode –, qu'il ne s'agissait absolument pas de n'importe quelles tétines, mais bien au contraire des tétines P'tit Glouton, « spécialement conçues pour l'absorption des liquides ». C'était parfait pour ce qu'il voulait faire.

Parents, prévenait l'étiquette au dos du sachet, *chaque enfant est unique*. Face à la standardisation croissante qui prévalait de nos jours, on ne pouvait que louer société à la politique commerciale aussi éclairée. Le procédé P'tit Glouton permettait de jouer sur le débit d'écoulement de manière à ce que chaque bébé pût téter à son aise. *Autre avantage, bébé avale ainsi moins d'air*. Article de qualité, la tétine P'tit Glouton était en effet livrée munie d'un embout percé non pas d'une, mais de deux fentes, voyez-vous, l'une longitudinale et l'autre transversale. Des ouïes, ainsi que le précisait le fabricant, qui n'avait tout de même pas poussé le vice jusqu'à faire des tétines en forme de têtes de poisson.

Il ne fallait surtout pas mettre les tétines au micro-ondes et se méfier comme la peste des tétines usagées. Il y avait même un numéro de téléphone à composer en cas de réclamation.

Ces recommandations bien comprises, Bunting avait sorti la bouteille de vodka du freezer et rempli le biberon jusqu'au col. Prenant soin de ne pas déchirer la notice, il avait ouvert le sachet avec son couteau de poche et soulagé la pagode d'un étage, notant, satisfait, la consistance particulièrement ferme du caoutchouc. Il avait ensuite enfilé fébrilement la tétine, serré la collerette à fond et, les yeux fermés, porté le biberon à ses lèvres.

C'était à croire que la tétine avait été faite pour sa bouche : tout de suite elle avait trouvé sa place naturelle, entre sa langue et ses dents. Malgré la fente cruciforme, la quantité de liquide avalé à chaque succion était ridicule. Il s'était entêté et, au bord de l'apnée, avait accéléré son rythme d'aspiration, triturant l'embout de la tétine comme si c'était du chewing-gum, mais cela n'avait en rien amélioré la parcimonie du débit.

Décidé à faire quelque chose, il avait sorti son couteau de poche, un petit canif en argent qui, en réalité, appartenait à Frank Herko. Il en avait eu marre de le voir traîner sur le bureau de son collègue et avait fait main basse dessus. Oh! ce n'était qu'un emprunt, il lui rendrait, son couteau, mais, en attendant, nul doute que cet élégant canif était beaucoup mieux avec lui qu'avec un imbécile comme Frank Herko. De toute façon, ce béotien avait dû le trouver sur le trottoir ou sous la table d'un restaurant – Frank essayait souvent de nouveaux restaurants, ceux-là mêmes dont Bunting s'appropriait les noms pour ses sorties avec Veronica; ce n'était donc pas comme s'il l'avait acheté. Fort de ces considérations, Bunting avait introduit délicatement la fine pointe de la lame au milieu des incisions croisées. Après avoir allongé la fente d'environ trois millimètres dans un sens et d'une longueur égale dans l'autre, il avait replacé la tétine sur le biberon, resserré la collerette et enfin pu tester ses améliorations : une généreuse giclée de vodka glacée avait inondé sa langue.

Il s'était alors débarrassé de sa veste et de sa cravate et avait emporté sa merveilleuse trouvaille au lit. Sirotant sa vodka à petites gorgées, il s'était plongé dans un roman de Luke Short. Pour tourner la page, il suffisait de mordre fermement la tétine et de laisser pendre le biberon, planté entre les lèvres comme un monstrueux cigare. Quelque chose le tracassait, cependant, quelque chose qu'il aurait dû finir. Il chevauchait au milieu d'un vaste plateau herbeux, monté sur un cheval louvet, son brave Shorty. Au loin, un troupeau de bisons pâturaient dans la plaine. Poussée par le balancement du biberon, la lettre destinée à ses parents vola entre ses jambes et tomba au beau milieu du troupeau de bisons.

« Tiens! s'écria-t-il. Ça recommence! »

C'était bizarre, mais le même phénomène que tout à l'heure, lorsqu'il avait commencé à rédiger son pensum mensuel, était en train de se reproduire. Personnellement, s'il s'était écouté, il serait resté au lit à traquer les bisons, cahoté par ce bon vieux Shorty, son fidèle biberon serré au creux du poing, mais un mystérieux sens du devoir l'avait obligé à plier le coin de sa page et à refermer le livre. Il avait repris le bloc qu'il avait commencé à noircir pour annoncer qu'il ne pourrait malheureusement pas venir cette année, récupéré son stylo dans les plis de la couverture et, tout à son nouveau bonheur, d'humeur inspirée, terminé sa lettre.

Aussi j'ai bien l'impression que je vais être encore de corvée cette année.

Vous ai-je vraiment décrit Veronica ? Vous ai-je tout dit sur elle ? Vous ai-je dit comme elle est belle, intelligente, et comme tout lui réussit ? Il ne se passe pratiquement pas une journée sans que je m'étonne qu'un photographe ne lui ait pas encore demandé de faire des photos; il est même étonnant qu'elle n'ait pas encore posé pour la couverture d'un magazine. Elle a les cheveux bruns, les pommettes hautes et bien dessinées; souvent, on dirait un félin prêt à bondir. Elle a une licence en je-ne-sais-plus-quoi et un livre par jour ne lui fait pas peur. Elle fait toujours ses mots croisés directement au stylo et a énormément de goût pour s'habiller. Tout le monde la prend pour un modèle. Vous voyez ces mannequins sur les publicités dans les journaux, ces grandes filles longilignes avec de longs cheveux bruns et de belles lèvres pleines ? Eh bien, c'est elle. La grâce avec laquelle elle se penche, la façon dont elle marche, la manière dont elle tient ses lunettes par la branche, son air mutin quand elle les met sur son petit nez : tout en elle a la grâce et la souplesse d'une panthère. Elle ne jure que par l'Amérique. Tu devrais l'entendre, papa, quand elle parle de tous les avantages que les gens ont ici. Honnêtement, il n'y a pas deux femmes comme elle et je remercie chaque jour ma bonne étoile de l'avoir trouvée et d'avoir su gagner son cœur.

Cette lettre était une manière de chef-d'œuvre. Au départ purement fictive, Veronica avait fini par prendre tellement d'importance que son ombre le suivait maintenant partout, même dans le bus le matin quand il partait travailler ou le soir quand il rentrait chez lui. Aujourd'hui, Veronica n'avait jamais été aussi présente, aussi belle.

Il était temps de conclure.

Bref, entre Veronica et moi, les choses vont de mieux en mieux. Elle m'apporte ce réconfort et cette quiétude dont tout homme a besoin en rentrant le soir chez lui. Une fois la porte fermée, il faut pouvoir oublier la tension et les soucis de la journée. Je ne sais pas si je vous ai raconté cette façon qu'elle a de me faire des chatteries alors qu'on est en pleine discussion avec un client important – juste une petite moue, un simple mouvement des lèvres que personne, à part moi, ne remarque, mais qui suffit à me mettre dans tous mes états. C'est elle qui m'a fait connaître New York et su m'en faire découvrir les meilleurs côtés. Avant elle, je croyais qu'il n'y avait que des pépins dans la Grosse Pomme. Nous sommes faits l'un pour l'autre. Un de ces jours, je vais finir par lui poser la question piège! Elle dira oui tout de suite, j'en suis sûr, car elle m'aime autant que moi je suis fou d'elle.

2

Le lendemain de son anniversaire, le lundi matin, Bunting se réveilla avec la gueule de bois et ne jugea pas utile d'aller travailler.

Il avait à l'évidence passé une nuit agitée. Il avait laissé la bouteille de vodka, presque vide, sur le comptoir, entre l'évier et le réfrigérateur; le plafonnier était resté allumé toute la nuit. Les pièces du beau costume en pure laine vierge qu'il avait acheté chez Paul Stuart étaient éparpillées aux quatre coins de la pièce; apparemment, il avait quitté sa veste à la hâte, débouclé sa ceinture, abandonné son pantalon sur place et quitté ses chaussures sans se soucier de savoir où elles pouvaient bien tomber; cravate, chemise et sous-vêtements étaient entassés au pied du lit. Le biberon Prentiss, vide, blotti tout contre lui, il découvrit *Le chasseur de bisons* non pas posé sur la chaise, mais simplement retourné sur le lit, à portée de sa main. Il avait manifestement voulu lire après s'être couché : son corps avait agi par instinct, bien que son esprit n'en ait gardé aucun souvenir.

Il jeta les jambes hors du lit mais, sous peine d'évacuer le contenu de son estomac avant d'avoir pu atteindre le siège des toilettes, renonça à se lever. La clarté d'esprit qui était la sienne s'était envolée, chassée par la migraine; dans l'état de faiblesse où il était, il avait sûrement quelque chose de cassé. Le corps qu'il occupait n'était pas le sien, mais celui de quelqu'un d'autre, plus délabré. La nausée finit par refluer et il put enfin se lever. Se pouvait-il que ces jambes maigres, ces longues pattes blêmes de héron, fussent les siennes ? Elles le portèrent malgré tout jusqu'à la salle de bains et le déposèrent sur la cuvette des toilettes. Il se sentait si mal qu'il geignait sans même s'en rendre compte ; ses gémissements lui semblaient ceux d'un étranger. Il réussit à se traîner sous la douche et laissa l'eau chaude l'asperger, se faisant l'effet d'être un mannequin de bois. Deux mains ridées lui savonnèrent la peau et lui passèrent du shampooing dans les cheveux.

Lentement, il enfila un costume noir, une chemise blanche et une cravate bleu marine à rayures blanches, tenue qui n'aurait pas été déplacée pour un enterrement. Sa tête lui semblait flotter plus haut que d'habitude ; ses jambes et ses bras décharnés lui paraissaient aussi grêles et fragiles que des allumettes. Un bref instant, pensée qui faillit le faire hurler de rire, il se crut un serpent qui venait d'abandonner sa vieille peau sur le plancher.

La glace du lavabo lui renvoya l'image d'un Bunting âgé, les cheveux poivre et sel et les yeux battus. Il n'avait pas tout à fait complètement récupéré. Pourquoi donc avait-il forcé de la sorte sur la vodka ? Ne voyant aucune autre raison, il décida qu'il avait simplement dû fêter son anniversaire avec un peu trop de ferveur.

« Trente-cinq, dit-il au spectre grisonnant qui le regardait dans la glace. Trente-cinq ans et un jour. »

En ce qui le concernait, Bunting n'accordait guère d'attention aux choses comme les fêtes ou les anniversaires, et seul l'appel de Battle Creek lui avait appris qu'hier n'était pas une journée ordinaire. Il y pensait si peu qu'il ne s'était même rien offert pour son anniversaire.

Eh bien, voilà à quoi il allait occuper sa matinée. Il allait se faire un petit cadeau, tiens, pour fêter ses trente-cinq ans. Ensuite, s'il se sentait suffisamment d'attaque, il irait travailler.

Il prit ses lunettes de soleil sur la table, les glissa dans sa poche de poitrine et donna un tour de clef à la serrure. Le couloir avait l'air encore plus sinistre qu'à l'accoutumée. Le papier mural pendait aux raccords et bâillait sur les baguettes d'encadrement des portes ; plus loin, le mur avait été bombé d'inscriptions bouffonnes artistiquement signées BANGO SKANK et JEEPY. Décidément très faible, il avait l'impression de marcher sur des échasses. Il dut attendre et appuyer plusieurs fois sur le bouton d'appel pour faire venir l'ascenseur. Quelques minutes plus tard, il sortit de la cabine en se pinçant le nez. Comparé à l'ascenseur, le hall d'entrée fleurait bon la rose. Deux canapés au similicuir tailladé se regardaient en chiens de faïence de chaque côté du hall. Un grand bureau, vide, protégeait un coin de mur sale miraculeusement vierge de graffitis. Une fougère d'un mètre quatre-vingts achevait de se momifier dans un pot.

Bunting poussa la porte intérieure, passa devant les plaques des locataires, chacune munie d'un bouton pour l'interphone, tira à lui la lourde porte d'entrée et mit le pied sur le trottoir sous un soleil éclatant. Partout, sur les toits des voitures, les vitrines des magasins, les bracelets de montres, les boucles d'oreilles, caché dans les endroits les plus inattendus, le soleil brillait de mille feux. Bunting sortit ses lunettes et se les mit sur le nez.

En passant devant le drugstore, il faillit oublier qu'il avait besoin d'autres tétines. Dans l'entrée, une glace déformante lui renvoya l'image d'un nain hydrocéphale aux yeux mangés par de grosses lunettes noires. Il avait l'air d'un extraterrestre déguisé en épouvantail. Il ignora les rayons ruisselants de lumière et alla directement au fond du magasin, là où se trouvaient les articles pour enfants et où il savait pouvoir se procurer quelques-unes des excellentes tétines P'tit Glouton.

Il tendit la main... et vit ce qu'il n'avait pas vu la première fois. Non seulement il y avait là les fameuses tétines orange à l'embout fendu en croix, mais aussi des tétines couleur chair pour boire du mélange premier âge, des tétines blanches pour boire du lait et des tétines bleues pour boire de l'eau.

Il décrocha un sachet de chaque variété et découvrit, étalée sous ses yeux, une multitude de cadeaux susceptibles de combler le plus exigeant des anniversaires. Dire que lors de sa première visite, il n'avait même pas songé à inventorier le contenu du rayon. Il avait des excuses : obnubilé par son biberon Prentiss, il n'avait pensé qu'aux tétines. Si on lui avait dit qu'un jour il se mettrait à concevoir une passion pour les biberons... Grossière erreur de jugement, et ce n'était d'ailleurs pas la seule. Par exemple, il était persuadé que la forme des biberons était quelque chose d'immuable, de fixé une bonne fois pour toutes, comme la chemise blanche qu'il fallait mettre pour sortir, les chaussures noires pour aller travailler, les livres que tout homme un tant soit peu cultivé se devait d'avoir lus. Pour lui, la forme des biberons répondait à des normes qui avaient dû se généraliser au début du siècle; par conséquent, soixante-dix ou quatre-vingts ans plus tard, mais à une tout autre échelle bien sûr, on devait se contenter de reprendre peu ou prou les mêmes formes. Quelle naïveté. Au même titre que l'automobile ou les flocons de céréales, les biberons étaient des produits de consommation courante et, partant, susceptibles de mutations étonnantes.

Abasourdi, ravi, sans lâcher ses belles petites tétines blanches, bleues, chair et orangées, il se pencha pour mieux examiner les trésors offerts à ses yeux. Formes, matériaux, couleurs, tout avait beaucoup évolué. Le secteur semblait avoir été balayé par un vent de restructuration et nombre de maisons respectables avaient disparu. Il eut beau chercher, il ne vit pas un seul biberon Prentiss. Deux géants dominaient apparemment le marché, Playtex et P'tit Glouton. Qu'était donc devenue la maison Prentiss ? La firme qui avait fabriqué son biberon – un article si robuste qu'on l'emportait pour ainsi avec soi dans la tombe et qui se prêtait à une foule d'usages différents – n'existait plus, vendue, absorbée ou bradée pour cause de faillite.

Bunting se sentit rougir de honte : ses parents avaient élevé un minable.

Drôle d'époque, mais beaucoup de biberons n'étaient même plus ronds. Presque tous étaient des flacons hexagonaux, excepté un modèle – le modèle Patapouf – qui, évidé en son milieu pour faciliter la prise des doigts de bébé, ressemblait à une merveille. Quant aux ronds, les Playtex, la tétine rabattue à l'intérieur du bec, ils avaient l'air de missiles emballés sous vide. Tous ces articles hybrides, qui tenaient plus de l'éprouvette que du biberon et évoquaient plus la vieillesse et la maladie que la prime enfance, faisaient froid dans le dos. Parmi les biberons hexagonaux, jaunes, orange, ou bien gradués d'une face de clown tous les décilitres, certains étaient encore en verre, mais la plupart étaient en plastique.

Bunting comprit immédiatement que, à l'exception des Playtex, il lui fallait tous les biberons présentés dans le rayon. Son mal de crâne semblait s'éloigner; il avait trouvé ce qu'il allait s'offrir pour son anniversaire. Après ce qu'il avait vu, il lui était difficile de ne pas prendre un biberon de chaque marque. Une idée lumineuse, telle une flèche venue des hauteurs célestes, lui traversa l'esprit.

Pourquoi ne pas destiner chaque biberon à un usage bien spécifique ? N'auraient-ils pas fière allure, alignés sur le comptoir de la cuisine, à côté de l'évier ? Un pour le café, un pour le thé, un pour la vodka frappée, un autre pour le lait chaud, des biberons spéciaux pour les boissons sans alcool et d'autres pour la bière, un pour l'eau minérale, enfin bref, tout un bar de biberons. Des biberons pour le matin, d'autres pour le soir, et puis d'autres encore pour plus tard. Calculant qu'il allait lui falloir un grand nombre de tétines, il décida d'être prudent et en décrocha plusieurs autres sachets.

Aussitôt rentré, il lava ses présents à grande eau et les mit à sécher sur le comptoir. Cela ne faisait pas une rangée aussi impressionnante qu'il l'avait cru; il y avait là, quoi, sept biberons ? Son vieux biberon Prentiss et les six nouveaux. Sept, le chiffre semblait ridiculement bas. Il aurait dû en acheter plus. Des biberons sur deux rangs, voilà qui aurait eu une tout autre gueule que sept malheureux biberons solitaires, non ?

C'était néanmoins un début, un semblant de collection. Il fit courir ses doigts sur l'épaule galbée de chaque biberon et choisit un exemplaire en plastique, curieux de faire la comparaison avec son vieux Prentiss en verre. La gorge un peu sèche, il remplit le biberon d'eau du robinet et le coiffa d'une tétine bleue. Une tétine qui devait s'adapter merveilleusement à la langue. Il bâilla et, presque sans y penser, décida de s'étendre un peu. Ne comptant pas rester allongé plus de quelques minutes, il se laissa tomber sur le lit défait, ouvrit son livre et porta la toute nouvelle tétine bleue à ses lèvres. Il tomba dans les bras de Morphée comme s'il avait reçu un coup de merlin sur le crâne.

Il se réveilla deux heures plus tard, incapable de se rappeler exactement où, ni même exactement qui, il était. Rien ne lui paraissait familier. Il y avait quelque chose qui n'allait pas avec la lumière, enfin la relative pénombre qui régnait. Il n'arrivait pas à croire qu'il avait pu se coucher tout habillé, mais il avait pourtant gardé son costume, sa chemise, sa cravate et ses chaussures. Il se sentait aussi honteux que s'il s'était oublié sur le tapis et avait un goût horrible dans la bouche. Graduellement, la chambre reprit ses contours habituels. S'il était au bon endroit, il y avait cependant un problème avec l'heure. Pourquoi n'était-il pas à son travail ? Son cœur se mit à battre plus vite. Il se redressa en grognant contre son oreiller et aperçut, à côté de l'évier, la rangée de biberons flambant neufs, chacun muni de sa tétine. Poussant un soupir de soulagement, il se souvint qu'il avait décidé de s'accorder la matinée; voilà qui expliquait tout. Dès qu'il aurait les idées un peu plus claires, il écrirait à ses parents.

Mais il venait juste de leur parler au téléphone. Il avait échappé à la corvée de Noël, mais sa victoire n'était pas complète, assombrie par les mauvaises nouvelles que lui avait annoncées son père. Nouvelles sur lesquelles il préférait pour l'instant ne pas s'étendre, l'esprit encore trop embrouillé.

Il regarda sa montre et fut surpris de constater qu'il n'était que onze heures et demie.

Il s'extirpa du lit, bien décidé à aller travailler. Dans la salle de bains, il s'aspergea le visage d'eau froide et se brossa rapidement les dents, prenant garde de ne pas renverser d'eau ou de pâte dentifrice sur sa veste ou sa cravate. Alors qu'il se rinçait les dents à grand renfort de borborygmes, la mémoire lui revint. Sa mère avait eu un malaise sur le parking du supermarché. Son père avait-il laissé entendre que sa présence à Battle Creek était souhaitable ? Non, à aucun moment il n'y avait fait allusion. De toute façon, qu'est-ce qu'il aurait fait de plus là-bas ? Sa mère allait déjà beaucoup mieux – la preuve, elle cassait tout ce qui lui tombait sous la main.

3

Bunting sentit la vie revenir en lui en retrouvant le soleil radieux du dehors. Comme son bus n'arrivait pas, il décida, pour une fois, d'aller travailler à pied. Il n'avait pas l'impression d'avoir recouvré toutes ses forces, mais avançait d'un bon pas. Columbus Circle. C'était le milieu de l'automne; l'air était clair et revigorant. Tapie dans un coin de son esprit, la perspective de retrouver ses six biberons tout neufs en rentrant était une pensée réconfortante qui lui mettait du baume au cœur.

Une jeune maman était-elle entrée un jour dans un drugstore, en quête d'un biberon pour son bébé nouveau-né, sans trouver chaussure à son pied?

Bunting arriva à la salle de saisie au moment où la victime du jour, réquisitionnée pour aller chercher sandwichs et boissons, en sortait.

Peu nombreux étaient ceux qui mangeaient dans les snacks des alentours; presque tout le monde se contentait d'un sandwich ou d'un plat préparé; à l'approche de midi, des attroupements se formaient devant le distributeur à café mais certains préféraient rester seuls devant leur écran. Bunting avait adopté cette dernière solution et mangeait généralement sur son lieu de travail, ou à côté, chez Frank Herko, tenant la plupart de leurs collègues en aussi piètre estime l'un que l'autre. Oh! certains avaient suivi des études commerciales ou des filières techniques, mais seuls Bunting et Herko avaient fait des études supérieures. Bunting avait passé deux ans à l'université de Lansing, la capitale du Michigan; Herko avait un semblable palmarès à son actif, mais il sortait de Yale, même si on avait du mal à voir en lui un produit de cette prestigieuse institution. Brun, petit, costaud, râblé, la barbe hirsute, les cheveux longs et bouclés, il exhibait généralement des pantalons qui lui faisaient des poches aux genoux et des chandails élimés, quand ils n'étaient pas carrément troués. Son comportement, agressif, bruyant et si direct que ses façons frisaient souvent la grossièreté, était à l'avenant et rappelait aussi peu Yale que son allure patibulaire. Bunting avait eu quelques problèmes avec lui, les premiers mois; sa méfiance avait mis longtemps à fondre, malgré l'amitié et la gentillesse que son collègue lui avait toujours témoignées. Plus jeune que lui, Herko devait le prendre pour une sorte de dinosaure, une espèce en voie d'extinction nécessitant des attentions spéciales.

Bunting arrêta l'estafette dépêchée au ravitaillement et la chargea de lui rapporter un sandwich au gruyère et au jambon de la Forêt Noire – avec moutarde, mayonnaise, salade et tomate.

« Oh! et puis du café. Noir.

– Ouais! dit Herko en arrivant au même moment, tout heureux de le voir. Noir et salé. Dans ton cas, ça me semble être le seul remède indiqué. Ben alors, mon p'tit Bunting, qu'est-ce qui t'arrive, dis? On s'est couché tard?

– On peut voir les choses comme ça.

– Ben, tiens. Monsieur se pointe comme une fleur sur le coup de midi tout juste sorti du pieu... Ne proteste pas, je te prie, tu as même dormi dans ton costume. Regarde-moi ça, il est tout fripé.

– A vrai dire... » commença Bunting.

Sa veste semblait avoir servi de pouf; sa cravate était toute chiffonnée. La tête dans le sac, il ne s'en était pas rendu compte au sortir de son petit somme.

« ... je sors du lit », avoua-t-il en tirant sur les pans de sa veste pour essayer d'en effacer les faux plis.

Frank s'approcha, les narines frétillantes, et se planta devant lui, voulant juger la bête sur pied.

« C'est du joli, tu pues l'alcool à plein nez. La fête que tu n'as pas dû faire, tiens. Si tu voyais ta tête. Pourquoi es-tu venu travailler, bougre d'andouille? Tu ne pouvais pas prendre ta journée?

– Qu'est-ce que tu racontes? J'ai pris une demi-journée, c'est tout.

– Une demi-journée ! Tu n'aurais pas plutôt fait la grasse matinée avec la pulpeuse Veronica ? Allez, viens, si jamais une des vieilles biques te voyait, elle en perdrait son dentier, la pauvre », dit Herko en l'entraînant vers leurs box.

Bunting s'affala sur sa chaise. Une pile de documents épaisse de plusieurs centimètres l'attendait à côté du clavier de son terminal.

« Tiens, gargarise-toi un peu avec ça, dit Herko en lui tendant un tube de Binaca.

– Je me suis brossé les dents, protesta Bunting. Deux fois, même !

– T'occupe. Garde-le, ça ne pourra pas te faire de mal. »

Bunting fit docilement gicler un peu de liquide parfumé à la cannelle sur sa langue et rangea le tube dans la poche intérieure de sa veste.

« Sacré vieux Bunting, dit Herko. Il s'encanaille, on dirait. Il paraît qu'à ton âge, c'est normal, c'est le démon de midi. C'est elle qui t'a violé, ou c'est toi qui t'es jeté sur elle ? »

Bunting se frotta les yeux.

« Hé ! mec, mets-toi à ma place. Tu t'amènes dans tes fringues de la veille avec l'air de ne pas avoir fermé l'œil de la nuit, tu prends ta demi-journée, comme tu dis, et tu voudrais que je ne me pose pas de questions ? s'exclama Herko en écartant les bras, comme si son chandail n'était pas déjà assez distendu. Bon, alors raconte ! Qu'est-ce qui s'est passé ? Vous vous êtes fait un gros câlin, Veronica et toi, ou vous vous êtes foutus sur la gueule ?

– Ni l'un ni l'autre. »

Les mains sur les hanches, Herko attendait visiblement un récit beaucoup plus circonstancié.

« En fait, je n'ai pas dormi chez moi, dit Bunting.

– Ça, tu n'as pas besoin de me le dire.

– Et je n'étais pas avec Veronica. »

Poussant un rugissement d'extase, Herko tendit le bras droit et, coude plié, fit jouer ses biscoteaux.

« Ah ! le porc ! s'exclama-t-il. Il les aura toutes eues ! »

Bunting revit ses parents devant la maison décrépite, comme le couple de fermiers d'*American Gothic*. Son père, posant avec sa fourche, devait ruminer une quelconque vacherie ; sa mère semblait morte d'inquiétude. Ils étaient tout petits, aussi minuscules que des poupées.

« J'ai fait la connaissance de nouvelles personnes, ces derniers temps.

– Tiens, tiens, des nouvelles têtes ? s'étonna Herko.

– Deux ou trois, oui. Trois, en fait.

– Et qu'est-ce que Veronica pense de ces... nouvelles personnes ? Si tant est qu'elle soit au courant ?

– En ce moment... Veronica et moi sommes comme qui dirait un peu en froid. On a décidé de prendre du recul pendant quelque temps. Je suis sûr qu'elle voit quelqu'un de son côté, mais elle jure ses grands dieux que ce n'est pas vrai. »

L'inspiration venait, facile. La main sous le menton, Bunting plongea hardiment les yeux dans ceux, ô combien intéressés, de son collègue.

« Je crois qu'elle commençait à me fatiguer un peu. J'avais envie de changement. Je ne vois pas pourquoi on devrait se contenter de la même femme toute sa vie.

– On ne veut pas s'encroûter, c'est ça ? demanda Herko. Limiter son horizon à une seule personne ?

– Veronica n'a besoin de personne. Les gens comme elle ne songent qu'à leur carrière et passent finalement à côté de la vie. Ils ne pensent qu'à se mettre en avant, qu'au moyen de se faire un nom ou de gagner plus d'argent.

– Je ne connaissais pas Veronica sous ce jour-là », dit Herko.

Il s'en était même fait une image fort différente.

« Eh bien, pourtant, si. Je n'ai pas voulu l'admettre pendant longtemps, mais il arrive toujours un moment où on ne peut plus continuer à s'aveugler, dit Bunting en haussant les épaules. Oh ! je ne m'en fais pas pour elle, elle trouvera vite quelqu'un. Enfin, on éprouve encore de l'amour l'un pour l'autre, mais...

– ... mais ce n'est plus ça, apparemment, dit Herko. Ce n'était pas la femme qu'il te fallait ; vous n'aviez pas les mêmes valeurs, ça n'aurait jamais pu marcher. Tu as bien fait. Tu es maintenant entièrement libre de tes mouvements. Que demande le peuple ?

– Que sa migraine se calme, répondit Bunting, qui n'avait plus cependant l'impression d'avoir un casque autour de la tête, ni celle d'habiter un corps étranger.

– Tu ne pouvais pas le dire ? »

Herko disparut dans son édicule. Par-dessus la cloison qui séparait leurs deux box, on ne voyait que ses cheveux : Herko, ou l'homme invisible qui aurait oublié d'enlever sa perruque. Après force raclements de tiroirs, il fit sa réapparition, posa deux aspirines sur le bureau de Bunting et alla chercher un peu d'eau au rafraîchisseur. Assis sur sa chaise dactylo tel Salomon sur son trône, Bunting n'était pas mécontent d'être l'objet de tant de sollicitude. Un gobelet plein à la main, Herko fut de retour en même temps que la préposée aux provisions de bouche.

« Servez-nous vite ces mets exquis et laissez-nous seuls, mon petit », dit Herko.

Chacun prit son sandwich et mordit dedans. Bunting s'efforça de manger lentement; Herko, lui, sans cesser de le couver des yeux, bâfrait goulûment. Pendant un instant, on n'entendit plus que des bruits de mandibules.

« Délicieux, ce sandwich, fit remarquer Bunting.

– Tu parles! Ce serait un vieux bout de pneu, tu trouverais ça bon. Alors, cette nouvelle nana ? Raconte.

– Oh ? Carol ?

– Oui, Carol. Comment est-ce que je pourrais connaître son prénom ? Raconte-moi tout : où tu l'as rencontrée, l'âge qu'elle a, son métier, la forme de ses gambettes, la grosseur de ses nénés – tout, je veux tout savoir! »

S'appliquant à mastiquer posément, Bunting considéra son collègue d'un œil critique. Des poils partout, il ressemblait à un bon gros chien-chien.

« Je l'ai rencontrée dans une galerie d'art.

– Quel tombeur, ce Bunting.

– Une galerie que je ne connaissais pas. En passant devant la vitrine, je l'ai vue, assise derrière son bureau. Le lendemain, quand je suis repassé, elle était toujours là, assise à la même place. Je suis entré et j'ai fait semblant de m'intéresser aux tableaux. Nous avons lié connaissance et je suis revenu plusieurs fois. Un soir, je l'ai invitée à dîner.

– Ces nanas des galeries d'art, tout de même, elles savent y faire, dit Herko, une main sous son sandwich. Remarque, c'est pour ça qu'elles sont là. Dame, comment veux-tu vendre une croûte si tu fous un singe devant ? »

Pauvre, pauvre Herko. Une coulée de sauce blanchâtre dégoulina sur sa serviette en papier; il avait les lèvres poissées d'un film crémeux.

« En tout cas, tu caches drôlement ton jeu, espèce de chaud lapin. Obsédé, va. Tu ne fais pas dans la dentelle, du moins en ce qui concerne les petites culottes, hein, vieux renard ?

– Carol correspond beaucoup mieux à mon idéal féminin, c'est tout », dit Bunting.

Secrètement, il se serait donné des gifles, tellement il était mauvais.

« Elle n'est pas aussi terre à terre que Veronica; elle ne pense pas uniquement à sa carrière et à ce genre de choses. A ses yeux, j'existe, moi aussi.

– Ce qui veut dire qu'au plumard, elle se débrouille cent fois mieux que Veronica.

– Eh bien... » hasarda Bunting.

S'il voulait bien rester honnête, Veronica ne se défendait pas mal non plus, sur ce chapitre.

« Ces choses-là, ça se voit comme le nez au milieu de la figure. Ce n'est pas aux vieux singes comme moi qu'on apprend à faire la grimace, allez. »

Bunting haussa les épaules.

« Comment s'appelle-t-elle au fait, cette Carol ?

– Even. Carol Even. C'est un nom anglais.

– Ah ! au moins, en voilà une qui parle anglais. Carol et toi êtes issus d'une même culture, c'est normal qu'elle soit plus ton type de femme que cette ogresse de Suissesse âpre au gain. Bon, laissons Carol tranquille pour l'instant. Parle-moi donc plutôt des deux autres.

– Oh ! tu sais... dit Bunting en portant son gobelet de café à ses lèvres. Franchement, je ne vois pas ce que je pourrais t'en dire d'intéressant.

– Elles travaillent aussi dans une galerie de peinture ? Comment les as-tu levées, ensemble ou séparément ? Où les as-tu emmenées ? En boîte ? Au concert ? Ou bien tu les a simplement invitées chez toi à prendre un dernier verre ? »

Personne n'avait jamais dit à ce pauvre Herko qu'on ne parlait pas la bouche pleine. Une pâtée rosâtre, pulpe de viande hachée, de mayonnaise et de pain complet, lui plâtrait les dents. C'en était écœurant.

« Tu veux que je te dise, Bunting ? Tu es malade. J'ai su que tu étais cintré le jour où je t'ai vu débarquer. Oh ! tu peux faire illusion sur toutes ces vieilles rombières, avec tes sapes de milord, mais moi, tu ne m'impressionnes pas. Je vois tes crocs, mon ami ; je vois tes longs crocs pointus, monstre lubrique ! »

Affirmation que Herko agrémenta d'un clin d'œil allumé et d'un bruit de gorge indiquant que ce qui lui entartrait les dents venait d'être expédié vers l'estomac.

« Des crocs ?

– Oui, mon ami, des crocs, répondit Herko entre deux hoquets étouffés. De longs crocs pointus. Bon, si tu me parlais de ces deux greluches ? Grouille-toi un peu, on n'a pas des heures. »

Le déjeuner s'acheva vingt minutes plus tard. Bunting se sentait fatigué, mais sa vieille joie de vivre était revenue. Libéré d'un poids, il avait envie de rire et de crier. Ses doigts se mirent à courir sur les touches du clavier ; ce pauvre Herko avait tout gobé, son sandwich et les deux petites cailles qu'il lui avait servies sur canapé. De temps à autre, l'image des tout nouveaux biberons qui l'attendaient sagement à côté de l'évier venait agréablement lui titiller l'esprit.

Il commit un nombre de fautes inhabituel.

En fin d'après-midi, Herko passa la tête par-dessus la cloison mitoyenne.

« Comment ça gaze ?

– Pas très fort, répondit Bunting.

– Normal, tu es encore convalescent. Écoute, il me vient une idée. Euh... c'est sûr, tu ne sors plus avec Veronica ?

– Je n'ai pas dit ça, se récria Bunting.

– Tu sais bien ce que je veux dire. Bon, résultat des courses, tu es un homme libre, non ? Or il se trouve que Lindy, enfin la fille avec qui je vis, a une amie, Marty, qui justement aimerait bien rencontrer quelqu'un. C'est une fille très chouette, tu l'aimeras d'emblée. Je te jure que si je pouvais, c'est moi qui m'en occuperais. Mais Lindy m'arracherait les yeux si elle l'apprenait. Non, vrai, je parle sérieusement. A mon avis, vous devriez très bien vous entendre et passer un bon moment ensemble. Après, si ça marche, et je ne vois pas pourquoi ça ne marcherait pas, on pourrait se faire une petite sortie tous les quatre, un de ces soirs.

– Marty ? Tu voudrais que je sorte avec quelqu'un qui s'appelle Marty ? »

Herko poussa une sorte de hennissement.

« Hé! ne réagis pas comme ça ; elle est vraiment mignonne, tu sais. C'est une idée de Lindy. Je lui parle souvent de toi, ce qui fait qu'elle a sa petite idée sur le Bunting, elle aussi. Elle a tout de suite pensé à toi quand sa copine Marty a rompu avec le sale type avec lequel elle vivait. Je l'ai vue venir quand elle a commencé à me poser des tas de questions à ton sujet. “ Pas question, que je lui ai dit. Ce type est amoureux fou de sa Veronica. ” Mais puisque tu es maintenant libre comme l'air, tu devrais au moins rencontrer cette Marty, je ne plaisante pas. »

Comme si un ours mal peigné pouvait plaisanter. Les yeux exorbités, sa grosse tête paraissait énorme. La barbe lui jaillissait par tous les pores de la peau ; ses cheveux lui mangeaient les sourcils. Comment un gorille pareil pouvait-il plaire à une femme ?

« Je vais y réfléchir, dit Bunting.

– Bien. Voyons, demanda Herko en se plongeant dans un tiroir, j'ai ton numéro de téléphone, quelque part ? »

Bunting ne se rappelait pas le lui avoir donné ; il ne le donnait d'ailleurs que rarement. Là, il ne pouvait pas faire autrement. La tête de Herko disparut derrière la cloison de séparation le temps de noter le numéro, puis réapparut aussitôt.

« Je te jure que tu ne vas pas le regretter. Parole.

– Euh... dit Bunting, glacé de la tête aux pieds. Attends un peu. Qu'est-ce que tu es en train de faire ?

– Devine ? s'esclaffa Herko.

– Ne donne pas mon numéro à n'importe qui ! »

Sa voix ayant dérapé vers les aigus, l'interdiction, qui se voulait pourtant catégorique, se transforma en couinement pleurnichard ; dans la salle, tout le monde devait l'avoir entendu. Sourcils froncés, Herko passa la tête par-dessus de la cloison.

« Dis donc, mec, est-ce que j'ai dit ça ?

– Euh... en tout cas, ne le fais pas ! »

La foudre serait tombée sur lui qu'il n'aurait pas été plus paniqué. Il porta les mains à ses yeux et vit qu'elles étaient devenues, comme sans doute le reste de son corps, d'un curieux rouge écarlate semé de taches blanches.

« Là, mon p'tit Bunting, tu me fais beaucoup de peine. Depuis le temps, tu devrais savoir que tu peux me faire confiance. Enfin quoi, on dirait que tu ne me connais pas. Tu en trouveras beaucoup, tiens, des types qui se décarcassent pour t'être agréables. »

Furieux, Bunting baissa les yeux sur son clavier.

« Oui, beaucoup de peine. Vraiment !

– Mais non, ce n'est pas ça, grogna Bunting. J'ai confiance en toi. »

Mais il ne releva pas le nez de son clavier avant d'entendre Herko pianoter sur le sien.

La journée terminée, Bunting quitta rapidement la salle de saisie et s'engouffra dans l'escalier, n'ayant aucune envie de faire la queue devant les ascenseurs. Au rez-de-chaussée, à trois mètres de la délivrance, il sentit les deux cabines s'ouvrir simultanément dans son dos. Il se rua sur le trottoir, redoutant d'entendre son nom, puis, aussi vite qu'il le put sans toutefois se mettre à courir, tourna dans la première rue transversale. Il choisit de rester sur le côté le plus à l'ombre et sortit ses lunettes de soleil. Les piétons étaient en majorité des étrangers ; les boutiques de tapis orientaux et les restaurants indiens, tous interchangeables, avaient un air rassurant, anodin. Il ralentit le pas. Sans que ce fût volonté délibérée de sa part, il s'écartait de son trajet habituel. Il fuyait quelque chose, c'était clair, même s'il n'avait pas une idée précise de ce que c'était. Il se faisait des idées. Pour quelle raison fuirait-il ? Herko ? Absurde. Qu'avait-il à craindre de la part de ce macaque ?

Bunting ralentit encore, trop fatigué pour soutenir le même rythme et voulant maintenant prendre son temps, conscient qu'une aube nouvelle venait de se lever sur sa vie.

Parvenu sur Broadway, il se rendit compte qu'il aurait été incapable de savoir quelle ligne de métro prendre pour rentrer chez lui. Il n'avait pris le métro qu'une seule fois, peu après son arrivée à

New York. La rame était bondée et surchauffée; il avait cru ne jamais revoir la lumière du jour. Les voyageurs avaient tous des têtes d'assassins; les murs étaient couverts d'inscriptions ésotériques. Frank Herko, lui, prenait le métro tous les matins pour venir de Brooklyn. S'il fallait en croire les journaux, il n'y avait plus de graffitis dans les couloirs. Cela faisait dix ans que Bunting vivait à New York et jamais il ne s'était fait agresser. Il marchait souvent seul dans les rues; le métro ne devait plus être une épreuve aussi redoutable. Et c'était beaucoup plus rapide que le bus.

Animé de telles pensées, il s'arrêta devant l'entrée de la première station qu'il rencontra, une volée de marches qui s'engouffraient dans un tunnel obscur plein de fumée. D'ici, cela puait le bouc et les parties intimes mal lavées.

Bunting recula, épouvanté, et prit vers l'ouest pour rejoindre la 8e Avenue. A un moment donné, faible au point de ne plus pouvoir avancer, il crut qu'il allait être obligé de sacrifier cinq dollars et de héler un taxi. Frank Herko et son amie Lindy lui avaient arrangé une rencontre avec une certaine Marty; à la réflexion, c'était peut-être pour cela qu'il avait bêtement envie de ricaner depuis un moment.

Car l'idée était complètement grotesque. Stupide et grotesque.

Mais pourquoi diable la perspective d'un rendez-vous était-elle une idée grotesque? Il était toujours vêtu avec recherche et avait un emploi stable. Il inspirait confiance; ce n'était plus un gamin, il avait trouvé sa voie. Des millions de gens pire que lui avaient des rendez-vous tous les jours. Il n'avait pas fréquenté une femme telle que Veronica pendant des années sans acquérir un certain vernis, des manières qui n'étaient évidemment pas celles d'un simple agent de saisie. Il avait passé des milliers d'heures avec elle dans des centaines de restaurants, des dizaines d'avions. Il connaissait la Suisse et avait fréquenté les plus grands hôtels de luxe.

A bien y réfléchir, il n'y avait pas grande différence entre ce qui était purement imaginaire et ce qui ressortait du réel. Réel ou inventé, un fait était un fait. On se souvenait – et on parlait – aussi bien de l'un que de l'autre. Même purement fictif, un fait avait autant d'importance dans la vie qu'un autre, pourtant bien avéré celui-là. A long terme, il était même pratiquement impossible de distinguer entre ce qui était authentique et ce qui n'avait jamais existé ou n'avait jamais eu lieu. Les choses, les êtres, tout avait un passé, une histoire. Lui qui avait été l'amant d'une femme raffinée comme Veronica pouvait certainement se sortir haut la main d'un rendez-vous avec le genre de mal peignées qui devait constituer l'ordinaire de Frank Herko. Marty, je vous demande un peu.

Il la voyait déjà ; il aurait même pu faire son portrait. Son nom, le fait même de fréquenter un hurluberlu du style de Frank Herko, militaient en faveur d'une petite brune pas spécialement fute-fute qui ne détestait pas s'amuser de temps en temps. Belle, sans toutefois être une gravure de mode; jupes courtes et pulls angora. Dingue de ciné, c'était une habituée des salles obscures. Sa gentillesse et sa bonne volonté naturelles faisaient oublier son côté parfois un peu vulgaire. Froid, ironique, distant, avec son âge et sa culture, nul doute qu'il ferait forte impression sur la donzelle.

Il l'inviterait peut-être, un soir, dans un futur indéterminé. Puis, chacun ayant conscience de l'abîme qui les séparait, ils se sépareraient, un peu tristes, mais en même temps soulagés. Encore imprécis dans ses détails et par conséquent riche de mille possibilités, tel était le scénario modifiable à l'envi qui lui trottait dans la tête.

Souriant d'une oreille à l'autre, il aperçut un drugstore sur la 8ᵉ Avenue. Il poussa la porte, grogna de satisfaction en constatant que la maison possédait un rayon biberons ma foi des plus honnêtement achalandés et s'y transporta sur-le-champ. Outre les Playtex et les trois modèles P'tit Glouton qu'il connaissait déjà, il y avait là des choses qu'il n'aurait même jamais soupçonnées. Finis les biberons Prentiss, si robustes, la mode était maintenant au biberon fantaisie. Petits bidons de toutes les couleurs, biberons décorés de dessins, de drapeaux, d'oursons. Une firme du nom de Babydoux en avait mis toute une nouvelle gamme sur le marché. On voyait immédiatement qu'il s'agissait là d'une maison sérieuse. Le siège social était situé en Floride. De fait, tous ces mignons petits biberons dénotaient une sensibilité, à la fois inventive et chaleureuse, qu'on ne rencontrait nulle part ailleurs qu'en Floride, et c'est un Bunting aux bras chargés mais au cœur léger qui se présenta devant la caissière.

« Mon Dieu ! s'inquiéta cette jeune personne. Vous avez combien de gosses ?

– C'est... pour un projet, dit Bunting.

– Oh ? dit la caissière, la tête penchée, consciente que la lumière tamisée de l'avenue qui filtrait à travers le verre épais de la devanture lui lustrait joliment la permanente. Une collection ?

– En quelque sorte, oui. Une collection », dit Bunting.

Dehors, il s'avança jusqu'au bord du trottoir et leva la main pour appeler un taxi. Pénétré du même sentiment d'importance qui l'habitait lorsqu'il portait un de ses magnifiques costumes, il rentra chez lui bringuebalé sur la banquette arrière défoncée d'un tacot puant qui s'avalait ses quinze cents à chaque tour de compteur.

4

Ce soir-là, il se fit chauffer un plat allégé dans le four à micro-ondes et partagea son attention entre le journal du soir et les deux rangées de biberons tout frais lavés installées de chaque côté du téléviseur. Autant les nouvelles semblaient mornes et répétitives, autant les biberons irradiaient de pureté. Il avait déjà entendu tout cela ; c'étaient toujours les mêmes meurtres et les mêmes attentats, les mêmes déclarations et les mêmes explications. Que ce soit la veille, la semaine dernière ou au cours des trois derniers mois, tout cela s'était déjà produit un nombre incalculable de fois. Les biberons, eux, avaient une existence qui se suffisait à elle-même, sans nul besoin de déclarations fracassantes ou de publicité tapageuse. Les informations n'étaient que rabâchage quotidien ; les biberons, une source perpétuelle d'émerveillement. Il avait du mal à en détacher les yeux.

Combien en faudrait-il, se demanda-t-il, pour couvrir toute la table ? Ou le lit ?

Un instant, dégustant sa dinde allégée et le bourgogne espagnol qu'il avait mis à décanter dans un tout nouveau P'tit Glouton, il essaya d'imaginer l'aspect de l'appartement tapissé de cylindres de verre et de plastique – les biberons bleus sur un mur, les jaunes sur un autre, une allée pour circuler entre ceux disposés par terre, un doux édredon de biberons pour étendre sur le lit.

Repu, il jeta la barquette de son repas à la poubelle et ses couverts dans l'évier, nettoya soigneusement le biberon, rinça la tétine et mit une casserole d'eau à chauffer sur la cuisinière. Il choisit une de ses dernières acquisitions et y versa le contenu de deux doses de café lyophilisé auquel il ajouta un peu de lait froid et l'eau chaude quand elle commença à frémir. Il remplit de cognac un second biberon – un petit modèle costaud, tout rose et potelé, de chez Babydoux – et, sans oublier de se munir au passage d'un stylo et d'un bloc de papier, emporta les deux biberons au lit.

Il but d'abord son café, puis, le Babydoux de cognac bien calé contre la poitrine, la tétine fermement coincée entre les dents, se mit à écrire.

Ma chère maman, mon cher papa,

Il faut que je vous informe de certains changements qui viennent de se produire. Depuis quelque temps, il y avait du tirage entre Veronica et moi, des difficultés dont j'avais préféré ne pas vous parler pour que vous ne vous fassiez pas de souci. Pour expliquer les choses aussi simplement que possible, disons que je ne pouvais plus supporter de vivre une relation dont j'avais l'impression qu'elle ne m'apportait plus rien. Cela n'a pas été facile, évidemment, depuis le temps que nous étions ensemble, mais c'était devenu inévitable. Nous ne sommes plus que de simples amis. J'en ai bavé, j'en bave encore, mais la liberté n'a pas de prix.

Dernièrement, j'ai rencontré une jeune femme vraiment formidable. Carol. Elle travaille dans une galerie de peinture. Nous nous sommes plus tout de suite. Avec elle, au moins, j'ai le sentiment d'exister. J'y suis déjà beaucoup attaché mais je ne veux pas commettre deux fois la même erreur et me jeter dans la gueule du loup à peine débarrassé de Veronica. Et comme chat échaudé craint l'eau froide, je sors aussi avec deux autres femmes, formidables elles aussi. Et toc! Mais je vous en dirai plus la prochaine fois.

Ah! malheureusement, cela ne change rien pour Noël. Tout est devenu tellement cher, ces temps-ci, à New York, et avec mon loyer qui vient encore de grimper de façon astronomique...

Si personne n'entend tomber l'arbre dans la forêt, l'arbre est-il tombé pour autant ?

Est-ce que le ciel les entend, lui, les arbres qui tombent dans la forêt ?

Sa lettre terminée, Bunting la plia et la glissa dans une enveloppe qu'il mit de côté pour la poster le lendemain matin. Il pouvait encore s'accorder deux heures avant de dormir. Il ôta sa veste, défit son nœud de cravate et, assis sur le bord du lit, enleva ses chaussures. Que faisait Veronica, en ce moment ? Elle devait s'apprêter à se coucher, elle aussi, quelque part dans l'East Side. Au bout d'un long cordon, le téléphone était posé à côté d'elle sur la table de nuit. Ses yeux étaient durs, fixes ; entre ses épais sourcils, une profonde ligne verticale lui barrait le front. Pour la première fois, il remarqua qu'elle avait le mollet un peu avachi et des cernes sous les yeux. Il ne s'en était pas rendu compte, mais Veronica avait vieilli. Elle avait cet aspect terne et cassant des choses laissées dehors à sécher au soleil. Il réalisait à présent qu'ils n'étaient absolument pas faits l'un pour l'autre. C'était même pour cela qu'elle l'avait choisi. C'était une constante chez elle, de toujours se fourrer dans des situations dont elle savait pourtant dès le départ qu'elles étaient sans issue. Il avait passé des années « avec » elle, oui, mais ce n'était qu'aujourd'hui qu'il comprenait enfin certaines choses.

Acteur de son propre drame, il s'était contenté de jouer un rôle. Si Veronica l'avait délibérément introduit dans un monde qui n'était pas le sien, c'était uniquement pour mieux l'en priver plus tard. S'il n'avait pas pris les devants, c'est elle qui aurait rompu. Il voyait maintenant clair dans son jeu, et elle lui faisait pitié. Toutes ces mimiques étudiées, ces effets de jambes pendant les entretiens avec des clients importants n'étaient que fioritures dans un plan plus vaste inconsciemment destiné à le faire souffrir. A présent qu'il n'encombrait plus le paysage, Veronica allait pouvoir jeter son dévolu sur quelqu'un d'autre – un jeune poète ayant besoin de se faire connaître, par exemple – et recommencer son petit jeu : dîners à L'Oie bleue, voyages en Suisse en première classe (Bunting n'avait jamais osé dire à ses parents qu'il voyageait en première) et fauteuils d'orchestre dans les meilleurs théâtres de Broadway. Puis, exactement comme elle avait tenté de le faire avec lui, ce qu'il y avait de mauvais en elle finirait par détruire le jeune poète et elle passerait à une autre victime.

Brrr, songea-t-il avec un frisson rétrospectif. Dire qu'il avait vécu avec un tel monstre.

Il se leva, lava le P'tit Glouton dans l'évier, s'offrit un second Babydoux de cognac pour la route, se recoucha aussitôt, s'empara du roman qu'il avait commencé, se tortilla un instant sur les couvertures pour trouver la bonne position, aspira une gorgée de cognac et reprit sa lecture là où il l'avait interrompue.

Les mots lui sautèrent aux yeux ; immédiatement, il se retrouva sur le dos de Shorty, son fidèle petit cheval gris, contemplant du haut d'une colline brunie par la sécheresse un troupeau de bisons en train de paître. Le ciel, immense et presque entièrement dégagé, écrasait l'horizon. Au loin, si loin qu'ils semblaient à peine une ondulation de la terre, les premiers contreforts d'une chaîne de montagnes s'élevaient au-dessus du jaune de la plaine. Shorty poussa un hennissement et se mit à descendre le flanc de la colline. Bunting se rendit compte qu'il portait des jambières de cuir par-dessus son pantalon, une chemise bleu marine, une canadienne et des bottes marron crottées aux éperons désargentés. Deux biberons étaient passés, tétine en bas, dans les étuis fixés à sa ceinture, et une carabine était glissée dans le fourreau qui pendait à l'arçon de sa selle. Bientôt, il ne sentit plus la lourde odeur animale du petit cheval, chassée par les vagues de senteurs composites qui montaient du paysage grandiose qui les entourait. Une puissante odeur d'herbe dominait toutes les autres, plus forte que la faible odeur musquée des bisons. Il devait y avoir un point d'eau à proximité. Vers l'est, quelqu'un faisait brûler des mauvaises herbes. Enivré par la force et la précision de cette multitude d'odeurs, Bunting faillit choir de sa monture ; Shorty s'arrêta et tourna vers lui un grand œil brun étonné. Bunting sourit et fit repartir le brave animal d'une pression des chevilles. L'air était d'une fraîcheur étonnante. C'était la température normale dans ce monde-ci.

Parvenu au pied de la colline, Shorty remonta lentement le flanc du troupeau. Bunting sentait l'animal prêt à se mettre au galop, sachant qu'il fallait foncer au-milieu des bêtes pour les diviser, mais il avait les rênes bien en main. La robe de Shorty frémissait, luisante de sueur ; ses poils courts et rêches lui râpaient les jambières. Il était important de procéder avec méthode et impératif de se porter à distance de feu sans affoler les bisons. Quelques grosses têtes barbues se tournèrent vers eux et les regardèrent avec indifférence progresser vers la tête du troupeau. Une femelle poussa un mugissement et s'élança vers le centre de la horde, insouciante de ses congénères qui s'écartèrent en beuglant pour la laisser passer. Bunting sortit sa carabine de son fourreau, s'assura qu'elle était bien chargée, la posa en travers de ses cuisses et glissa six cartouches supplémentaires dans les poches de sa canadienne.

Shorty n'était maintenant plus qu'à une cinquantaine de mètres du chef du troupeau. Quelques bisons levèrent la tête, le mufle velu et dégoulinant de bave, mais, quand Bunting disparut de leur champ de vision, les animaux se désintéressèrent de lui et se remirent à brouter les graminées de la prairie. Bunting se porta résolument en tête du troupeau, puis fit décrire à Shorty un large mouvement débordant.

Une légère agitation parcourut la horde; à présent, les mâles l'avaient remarqué et observaient son manège. Bunting savait que s'il mettait pied à terre et se contentait d'attendre sans bouger, les mâles s'avanceraient lentement jusqu'à lui pour renifler les odeurs qu'il avait rapportées des quatre coins du pays. Les bêtes qui apprécieraient ces senteurs étrangères resteraient groupées autour de lui, les autres s'éloigneraient un peu. Les bisons n'étaient pas agressifs; c'était tout juste s'ils ne venaient pas vous manger dans la main. Il suffisait de pouvoir supporter leur puanteur.

Bunting arma sa carabine; un grand mâle leva la tête et secoua les cornes, comme pour se débarrasser d'un mauvais rêve.

Bunting lança Shorty dans une diagonale dirigée droit vers le centre du troupeau. Lentement, les bêtes s'ébrouèrent et commencèrent à se séparer.

Lorsque Bunting n'en fut plus qu'à une dizaine de mètres, le grand mâle sembla sortir de son rêve et s'avança vers lui. Le gros du troupeau était concentré à environ une quinzaine de mètres en arrière. Les choses auraient pu être mieux, mais ce n'était pas trop mal.

Bunting leva son arme et visa le grand mâle juste au milieu du front. Le taureau se figea sur place et poussa un beuglement apeuré qui fit frémir tout le troupeau. Une seule et même inquiétude habitait maintenant les animaux rangés devant lui. Bunting appuya sur la détente; la carabine fit entendre un bruit sec et pétaradant qui se répercuta dans toute la plaine; le grand mâle s'effondra sur les jarrets puis roula sur le côté.

Le troupeau se débanda en tous sens. Certains animaux s'enfuirent vers la colline, d'autres en sens contraire vers la plaine. Bunting éperonna Shorty et, faisant tonner la poudre, lança le brave petit cheval au milieu de la horde affolée. Deux autres bisons s'abattirent aussitôt, puis un troisième, que Shorty évita en faisant un écart. Deux bêtes particulièrement rapides avaient déjà atteint le pied de la colline; Bunting visa, les abattit toutes les deux et rechargea sa carabine. Fous de peur, les bisons qui avaient choisi la colline rebroussèrent chemin et détalèrent vers la prairie. L'animal de tête tomba et roula dans l'herbe. Shorty gagnait rapidement sur les fuyards. Bunting abattit le nouveau chef d'une décharge dans l'œil; l'animal frissonna sur ses pattes et s'effondra.

Se tournant sur sa selle, Bunting régla leur compte à deux gros malins qui s'étaient séparés du reste de la horde et essayaient de prendre la tangente.

L'herbe de la prairie baignait maintenant dans le sang; l'air retentissait des râles des animaux à l'agonie et du bourdonnement des mouches. Bunting avait les mains écarlates et de longues traînées rouges zébraient ses jambières. Quand sa carabine fut vide, il la rechargea une nouvelle fois et, encourageant Shorty de la voix, fit de nouveaux ravages chez les bisons épouvantés. Seuls quelques animaux parmi les plus rapides réussirent à s'enfuir. Mâles ou femelles, semblables à d'énormes ballots de laine brune, une quinzaine d'animaux morts ou agonisants gisait maintenant dans la prairie, sans compter les cadavres des bouvillons piétinés dans l'affolement.

Bunting descendit de sa monture et se mit à aller d'une carcasse à l'autre, ouvrant le ventre des bêtes mortes. Indifférent aux flots de sang et d'entrailles dégorgés par les corps éviscérés, il eut bientôt tout le bras poissé de sang et d'humeurs. Trouvant une jeune femelle qui luttait encore pour essayer de se relever, il dégaina un biberon, appliqua la tétine derrière l'oreille de l'animal et pressa la détente de caoutchouc souple. La jeune bisonne eut un dernier sursaut et s'affala dans l'herbe, le mufle ensanglanté. Bunting lui ouvrit le ventre, l'écorcha et passa à une autre victime. Il réussit à dépouiller quatre autres bisons, le tiers de ceux qu'il avait tués, avant la tombée du soir. Il avait mal aux bras et aux épaules, à force d'écharner les peaux visqueuses des animaux. Toute la plaine empestait la mort et le sang. Bunting fit un feu sommaire, déroula sa couverture et s'étendit pour la nuit.

La prairie, la nuit, les cadavres des bisons éventrés, tout se fondit dans le néant. Bunting redressa vivement la tête. Il était couché dans un lit; il n'y avait pas de feu à côté de lui. Pendant un moment, il se demanda pourquoi il ne pouvait pas voir le ciel. Une odeur de suint et de renfermé – mélange de sa propre sueur et des remugles qui stagnaient dans l'appartement – prenait à la gorge. Posant les yeux sur son livre, il vit qu'il était arrivé à la fin de son chapitre. Il secoua la tête et se frotta le visage; il portait une chemise, une cravate et un de ses meilleurs pantalons.

Il y avait plus de trois heures qu'il avait ouvert *Le chasseur de bisons* : il n'avait tout de même pas lu qu'un chapitre pendant tout ce temps-là, même si les événements décrits lui avaient paru incomparablement plus réels que bien des épisodes de sa vie. Troublé, Bunting se surprit à regarder ce qui n'était qu'un roman comme s'il s'agissait d'une bombe, d'une arme secrète qui l'avait littéralement projeté dans un autre monde. Plongé dans le roman de Luke Short, il s'était senti plus vivant qu'à n'importe quel autre moment de la journée.

Il ne put résister à l'envie d'effectuer une seconde tentative. Simple vérification. Il avait la bouche sèche ; son cœur battait si fort que cela devait faire trembler le lit. Il reprit *Le chasseur de bisons* et avala une gorgée de cognac pour se donner du courage. Le livre s'ouvrit au chapitre trois. Ses yeux se posèrent sur la première ligne. Il lut les mots « Le soleil le réveilla » et se réveilla effectivement le soleil dans l'œil, couché sur un matelas d'herbes épaisses à côté d'un feu mourant. Shorty renâclait doucement à quelque distance. Le soleil, déjà chaud, était éblouissant ; Bunting rejeta sa couverture et se mit debout. Ses lèvres étaient douloureuses, craquelées. Les tas d'entrailles disséminés dans la plaine disparaissaient sous des nuées de mouches ; de grandes plaques de sang noir achevaient de sécher dans l'herbe. Bunting ferma les yeux et s'arracha à la page pour regagner l'enveloppe qu'il avait laissée à Manhattan. Comme une image rémanente qui s'obstine à ne pas mourir, l'expérience qu'il venait de vivre semblait encore extrêmement présente à son esprit. Jamais il n'avait pu vérifier avec autant d'acuité la véracité d'une expression telle qu'avoir le monde dans le creux de sa main.

Il reposa précipitamment l'ouvrage sur la chaise et se leva. Le sol tangua sous ses pieds ; instinctivement, il leva la main droite pour ne pas perdre l'équilibre. Il ne s'était écoulé que quelques heures, mais il avait l'impression d'avoir dormi toute la nuit dans la prairie ensanglantée, sombre veilleur de la horde massacrée. Il retourna le livre pour ne plus voir la couverture, s'offrit un nouveau biberon de cognac et en avala deux longues gorgées à même le goulot avant de remettre la tétine en place.

Ce qui lui était arrivé était à la fois inquiétant et merveilleusement excitant. Tout se passait comme si, transplanté dans un corps étranger, il avait vécu une autre vie, une existence différente dont il avait brûlé chaque minute avec une ardeur et une fougue qu'il n'avait jamais connues jusque-là. Il en tremblait encore. La fraîcheur et la pureté de l'air, le frottement des poils de Shorty contre ses jambières, la façon dont le grand mâle s'était lentement approché de lui tandis que le reste du troupeau commençait à se faire attentif : dans ce monde-là, le moindre détail était important. Rien n'était superflu ; non seulement chaque chose était à sa place, mais chaque chose avait une place.

Bunting aspira un peu de cognac, troublé par quelque chose dont il venait seulement de prendre conscience.

Il avait déjà lu *Le chasseur de bisons* trois ou quatre fois. Il avait une étagère pleine de westerns et de policiers qu'il avait tous relus au moins plusieurs fois. Ce qui le turlupinait, c'était qu'il n'y avait aucun massacre de bisons dans le roman. Il lui semblait bien se rappeler – mais très vaguement, car cela ne l'avait pas particulièrement frappé – qu'il y avait quelques scènes où le chasseur traquait et tuait un bison de temps à autre, mais aucune, il en était sûr, où il massacrait des troupeaux entiers et pataugeait dans un océan d'entrailles fumantes.

Le biberon coincé entre les dents, Bunting balaya des yeux le capharnaüm qui encombrait la minuscule pièce étriquée qui lui servait d'appartement. Pendant un instant, moins que cela, en fait pendant une fraction de seconde presque imperceptible, le côté sordide de ce qu'il n'osait même pas appeler un studio lui parut se diluer, rongé de l'intérieur comme par un acide, sous les assauts d'une réalité encore dans les limbes mais qui ne demandait qu'à naître, telle l'histoire qui n'a pas encore pris forme, suspendue aux lèvres du conteur. Bunting eut la conviction qu'il avait frôlé une fantastique révélation, mais cette impression disparut rapidement et tout ce qu'il en garda fut un vague étonnement.

Oserait-il se replonger dans *Le chasseur de bisons* ? Question inutile : il savait qu'il ne pourrait pas résister. Il allait lire encore une heure ou deux, puis reposerait le livre, car il ne fallait pas non plus rogner sur ses heures de sommeil.

Il se déshabilla, prenant soin de suspendre comme il convenait sa veste et son pantalon, se brossa les dents et, pour décourager les cafards, noya sous l'eau chaude la vaisselle qui traînait dans l'évier. Il éteignit ensuite le lampadaire et le plafonnier, ne laissant que la liseuse allumée, et se remit au lit. Le cœur battant la chamade, tremblant d'un émoi presque sexuel, il s'empara du livre posé sur le fouillis de sa chaise de chevet, s'étira, se pelotonna contre son oreiller préalablement plié en deux et, installé comme un prince, reprit sa lecture.

5

Pris par son sujet, Bunting apprit très vite à ménager une infime pause – simple exercice mental – au moment de tourner chaque page. A peine réveillé, il avait achevé le dépouillement des bisons et attelé à la sous-ventrière de Shorty le traîneau qu'il avait fabriqué de ses mains pour transporter les peaux. Un tanneur lui avait acheté tout son lot, mais il s'était fait voler l'argent au cours d'une embuscade où il avait failli perdre la vie. Comme si cela ne suffisait pas, il avait été jeté en prison. Il n'avait pas tardé à s'en échapper et, après avoir récupéré Shorty, parqué dans un enclos, avait passé deux nuits à la belle étoile. Puis il avait trouvé du travail dans un ranch. Là, il avait très vite compris que le tanneur avait toute la ville dans sa manche. Ensuite, il avait tué un homme en duel, échappé de justesse à une nouvelle arrestation, récupéré ses peaux enfermées dans un entrepôt, tué deux autres adversaires en combat singulier, abattu le tanneur malhonnête et refusé la fonction de shérif que la ville, reconnaissante, lui offrait. Il était simplement parti à cheval, avide de retrouver la liberté qui était sa raison d'être ; deux jours plus tard, il se trouvait au cœur de la prairie, les yeux fixés sur un troupeau de bisons en train de paître. Au petit trot, Shorty s'élança vers eux, ayant déjà choisi le meilleur angle d'approche pour déborder le troupeau. Bunting tâta les poches de sa canadienne pour vérifier s'il avait une provision de cartouches suffisante et tira lentement sa carabine hors de son fourreau. Une femelle hirsute hocha la tête et les regarda passer avec placidité. Bunting savait que quelque chose était sur le point de s'achever, quelque chose qui allait au-delà du simple récit bien ordonné d'une existence aventureuse et touchait à l'essence même de la vie. Un vent froid portait l'odeur forte des bisons jusqu'à lui. Il baignait dans une harmonie – totale, absolue, parfaite – si étroite avec le monde qu'il avait découvert par hasard, que, le doigt posé sur le coin de la dernière page, la plus belle et la plus chargée d'émotions, il ne put s'empêcher de pleurer.

De retour dans un monde terne et limité, Bunting laissa le livre lui glisser des mains. Une faim dévorante et certain besoin naturel n'arrivaient qu'imparfaitement à dissiper le déchirement qu'il éprouvait. Il avait besoin d'aller aux toilettes; c'était même urgent. Il avait les jambes ankylosées, la nuque raide et les genoux qui craquaient. Lorsqu'il réussit finalement à poser les fesses sur le siège des toilettes, il en aurait hurlé de douleur tellement il avait l'impression d'être resté des jours sans bouger. Il prit conscience qu'il mourait de soif; incapable de bouger, il eut toutes les peines du monde à attraper le verre posé sur le bord du lavabo et à le mettre sous le robinet. Il ressentit un véritable bain de fraîcheur quand l'eau se fraya un chemin à travers sa gorge et sa poitrine. Comme un rêve qui s'effiloche à mesure que l'aube se lève, Shorty, la prairie qui moutonnait à l'infini et les bisons qui broutaient, tout s'effaçait; le monde où il avait vécu si intensément commençait déjà à perdre toute consistance. Le retour à la réalité quotidienne avait un amer parfum d'exil.

Il se mit sous la douche; le savon lui fit l'effet d'un baume.

Une fois sec, il se rendit compte qu'il n'avait aucune idée de l'heure qu'il était. Il n'était même pas certain du jour. S'il ne se trompait pas, il lui semblait avoir vu, à un moment donné, les ténèbres pâlir derrière les fenêtres. Il fallait qu'il se dépêche s'il ne voulait pas être en retard à son travail. Bunting se réveillait tous les jours à la même heure, sept heures et demie, sans avoir besoin de réveil. Mais peut-être avait-il lu tard dans la nuit? Peut-être s'était-il finalement enivré, comme le soir de son anniversaire? Avait-il vraiment terminé le livre? L'avait-il vécu jusqu'au bout, comme il le lui avait semblé? Si tel était le cas, alors il n'avait pas dû fermer l'œil de la nuit, bien qu'il eût conservé le souvenir d'avoir dormi dans des fossés, la prison d'une petite ville de l'Ouest, un baraquement de bûcherons, l'arrière-salle d'un saloon, ou encore à côté d'un feu de bois, seul dans la prairie sous un ciel clouté de millions de têtes d'épingles.

Il passa une chemise propre, un complet à petits carreaux et une paire de mocassins bien cirés au crissement de bon aloi. Lorsqu'il mit sa montre à son poignet, il constata qu'il était six heures et demie. Il avait lu toute la nuit, ou la plus grande partie de la nuit ; il avait dû s'assoupir de temps en temps et rêver certains passages. La faim le poussa hors de son antre dès qu'il fut habillé, bien qu'il eût encore une heure devant lui. Il décida de ne pas attendre le bus et de rentrer tôt pour faire un peu de ménage. Maintenant que ses muscles avaient retrouvé une certaine souplesse, il se sentait, malgré une légère sensation de courbature, le corps et l'esprit aussi frais et dispos qu'après une dure séance d'entraînement.

La lumière du couloir lui parut plus sombre qu'à l'accoutumée. A côté de la fougère moribonde, dans le hall d'entrée, deux jeunes qui avaient passé la nuit là à tirer sur force chiloms de crack et, vraisemblablement, à ourdir quelque mauvais coup, se passaient un stick d'herbe. Bunting les ignora et s'empressa de gagner la rue. Il y avait beaucoup de monde, ce qui ne fut pas sans le surprendre. A mi-chemin du snack où il comptait prendre son petit déjeuner, il réalisa soudain que la foule, l'obscurité, les mille bruits de la ville, tout, absolument tout, concourait à faire croire qu'on était le soir et non le matin. Il s'était écoulé une journée entière.

Il acheta un journal, chercha la date des yeux et découvrit que les choses étaient encore pires que ce qu'il avait imaginé. On était jeudi soir, pas mardi ; il n'avait pas quitté son appartement – et son lit – de deux jours et demi. Pendant quelque soixante heures, il avait vécu dans un livre.

Bunting entra dans le snack brillamment éclairé. Le patron assis derrière la caisse enregistreuse, qui pourtant le voyait tous les matins au moins quatre fois par semaine depuis dix ans, lui jeta un drôle de regard. Pendant une seconde ou deux, Bunting eut même l'impression que le brave homme semblait craindre quelque chose. Puis le patron le reconnut et son visage se détendit. Bunting esquissa une vague mimique, mais il ne devait pas être encore tout à fait remis du choc causé par la perte de ces soixante heures et son sourire ne devait guère être convaincant.

Il s'installa au comptoir, glissa son journal plié sous son coude et commanda une omelette au fromage et un café ; le garçon pivota d'un demi-tour à droite pour lui tirer son express. Les titres et les colonnes du journal parurent se détacher du papier pour venir danser sous ses yeux. Bruit des machines et des ustensiles, brouhaha des conversations, tout se mêlait, tout grondait et, comme les roues d'un train, semblait ânonner le même refrain mille fois répété : *Ça-y-est-c'est-ça, ça-y-est-c'est-ça.* Un instant suspendue, la réalité reprit son cours habituel : d'un demi-tour à gauche, le garçon posa devant lui une tasse de café fumant ; l'encre retomba sur le papier et, comme au théâtre, le décor qu'il n'avait fait qu'entrevoir disparut, remplacé par un autre, plus classique et conforme au programme habituel.

Bunting porta la lourde tasse de porcelaine à ses lèvres ; le bord en était ébréché, rongé par l'usage. Il avait pris des milliers de repas dans ce snack-bar. Les clients avaient ce visage à la fois familier et anonyme qui est un des côtés rassurants des grandes villes, mais Bunting n'avait qu'une idée en tête : ce n'était pas au milieu de tout ce bruit qu'il aurait voulu être, mais dans la pagaille de son appartement, étendu sur son lit défait, un biberon planté entre les dents et un livre ouvert entre les mains. S'il existait une Terre Promise, il y avait vécu du lundi soir au jeudi matin.

Il était toujours sous le choc, effrayé par l'intensité de ce qui lui était arrivé, mais n'avait plus qu'une envie, obsédante : recommencer.

Son omelette arriva ; elle était trop cuite et trop salée, mais il l'engloutit voracement sans même prendre la peine d'y goûter.

« Vous aviez faim », commenta le garçon en lui tendant son ticket sans juger utile de s'approcher plus qu'il n'était strictement nécessaire.

Sur le trottoir, il lui fallut quelques secondes pour mettre un visage familier sur l'obscurité totale, ponctuée çà et là par les halos des réverbères et les phares des véhicules, qui s'était abattue sur Broadway. Des feux passaient au rouge, d'autres au vert. Un agent des forces de l'ordre bâti comme un colosse lui fit signe de s'écarter, une agression venant de se produire. Bunting se retourna et aperçut deux corps allongés sur le trottoir, l'un recroquevillé au milieu d'une grande flaque noire, l'autre presque nonchalamment étendu, face contre terre et menottes aux poignets. Le policier s'avança vers lui ; Bunting jugea plus prudent de ne pas s'attarder.

Visages blêmes, hagards, surgis de nulle part ; chuintement des automobiles qui filaient dans la nuit, avertisseur hurlant : partout ce n'étaient que bruit et confusion. Le rouge des feux lui vrillait les pupilles. Autour de lui, les gens étaient des créatures d'une autre espèce, plus animale, plus instinctive et plus brutale ; des créatures qui passaient sans le voir, bougeaient les lèvres et montraient les dents. Il entendit un bruit de pas retentir derrière lui et imagina son propre corps exsangue effondré sur le trottoir, son portefeuille vide jeté dans la flaque formée par son sang. Dans son dos, le rythme des pas s'accéléra ; glacé d'épouvante, il s'écarta du milieu du trottoir. Une main se posa sur son épaule.

« Du calme, voyons! » déclara une voix grave.

Tournant la tête, il aperçut un faciès prognathe affublé d'une paire de moustaches, une face de cauchemar grêlée de points noirs. Il crut qu'il allait s'évanouir.

« Je voulais juste vous poser une petite question, monsieur. »

Bunting reconnut alors le policier qui lui avait fait signe de s'écarter; le visage de l'homme exprimait l'amusement.

« Vous sortez du snack, je crois? »

Bunting hocha la tête.

« Vous avez vu ce qui s'est passé?

– Ce qui s'est passé?

– Le coup de feu. Avez-vous vu quelqu'un tirer? »

Bunting tremblait sans pouvoir se contrôler.

« Si j'ai vu...? »

Il s'interrompit, prenant brusquement conscience qu'il s'apprêtait à dire : *Si j'ai vu quelqu'un tirer? Non, j'ai été plus rapide que lui. Dans l'Ouest, il faut savoir dégainer le premier.* Il jeta un regard de dément vers le snack éclaboussé de rouge par les lueurs des gyrophares; une douzaine de policiers en tenue montaient la garde autour du carré de trottoir qui avait été isolé par quatre piquets et un cordon fluorescent.

« Euh... non, je n'ai rien vu du tout. C'est à peine si... » reprit Bunting en faisant un vague geste de la main en direction du cordon de sécurité.

Le policier hocha la tête d'un air las et plia son calepin de l'air de celui qui désespère du genre humain.

« Ouais, dit-il. Bonne nuit, monsieur.

– Je n'ai rien vu... Rien du tout... »

Mais le policier avait déjà tourné les talons.

Ce devait être la providence qui avait amené l'homme à l'interpeller là, entre l'entrée de sa banque d'un côté et la vitrine illuminée du drugstore, sur le trottoir d'en face. Tiens, l'étalage avait été refait, peuplé aujourd'hui d'une ribambelle de personnages de dessins animés en peluche et d'une fille en carton-pâte dont on ne savait trop ce qu'elle était plus fière d'exhiber, son maillot de bain ou une des caméras disponibles au rayon vidéo. Le policier avait presque rejoint ses collègues. Avant d'attirer l'attention, Bunting se précipita dans l'entrée de la banque, poussa la porte du réduit des guichets automatiques, glissa sa carte dans un distributeur et retira cent dollars de son compte courant.

Ceci fait, il traversa la rue sans regarder les voitures de police garées devant le snack-bar et entra dans le drugstore. Il acheta cinq tubes de colle époxy et pour quatre-vingt-dix dollars de tétines et de biberons, ce qui lui remplit une caisse de dimensions respectables qu'il eut quelque peine à transporter jusque chez lui, le menton tendu par-dessus pour voir où il mettait les pieds.

Dans l'ascenseur, il dut poser son carton sur le plancher de la cabine pour appuyer sur le bouton de son étage, et renouveler l'opération une fois sur le palier pour ouvrir sa porte. Enfin parvenu à bon port, le verrou de sécurité tiré, lumière faite et un Babydoux de couleur idoine plein de vodka à la main, il se sentit enfin redevenir lui-même. Son cauchemar s'éloignait. Mis à part le bref épisode de décalage sensoriel dont il avait été l'objet au snack-bar, il n'avait conservé aucun souvenir de tout ce qui s'était passé depuis qu'il avait mis le nez dehors, poussé par la faim. Il aurait très bien pu être attaqué et molesté. Il ne se rappelait même pas avoir acheté autant de tétines et de biberons; il avait dû agir sur un coup de tête.

Un à un, il se mit à déballer les biberons du carton, ne s'interrompant que pour siroter de temps en temps une gorgée de vodka Popov. Quand il en eut sorti soixante-cinq, constatant qu'il n'en restait plus qu'une couche au fond de la caisse, il regretta amèrement de n'avoir retiré que cent dollars de son compte. Il allait lui falloir au moins deux fois plus de biberons s'il voulait mettre son projet à exécution, ou alors il faudrait les espacer. Or justement, il ne voulait pas les espacer, bien au contraire, mais les serrer, les rapprocher le plus possible. Plus ce serait serré, comme les mailles d'un filet ou la trame d'un tapis, meilleur ce serait.

Il décida de faire avec les moyens du bord et de s'y mettre sans tarder; demain après-midi, il effectuerait une nouvelle ponction sur son compte et ramènerait encore une fournée de soixante-dix ou quatre-vingts biberons. D'ici là, une fois terminé ce qu'il avait à faire ce soir, il lirait un peu. Pas *Le chasseur de bisons*, non, mais un autre livre, pour voir si la magie allait une nouvelle fois opérer.

Le phénomène restait encore en grande partie mystérieux, mais ce qu'il voulait faire de tous ces biberons était lié à ce qui lui était arrivé pendant la lecture du roman de Luke Short. Cela avait quelque chose à voir avec... avec son moi. Il n'aurait pu mieux expliquer sa pensée. Le roman, les biberons, tout cela venait du plus profond de lui-même, de ce qui le distinguait des autres. Bien que toute son existence pût être prise pour une illustration de cette réflexion intérieure, c'était quelque chose qu'il n'avait encore jamais compris, jamais vu clairement. Cette prise de conscience devait être ce qu'il avait senti s'éveiller en lui au snack-bar. Tout ce qui faisait son être, sa vie, était là, contenu entre les quatre murs de son appartement.

Les biberons sortis du carton, Bunting déchira les emballages des tétines et en mit une sur chaque flacon. Cette tâche accomplie, il ouvrit un tube de colle époxy, en déposa quelques gouttes sur le cul d'un biberon, appliqua le biberon contre le pan de mur qui lui parut le mieux approprié, à côté du coin-cuisine, l'y maintint quelques secondes et se recula pour juger de l'effet produit. Soudé au mur comme une excroissance, le biberon capuchonné de rose avait quelque chose d'irréel. Bunting en avait le souffle coupé. On aurait dit le bec verseur d'une machine distributrice, libéralement prête à laisser couler lait, jus de fruits, eau, vodka, enfin tous les liquides dont pouvait avoir envie un honnête homme.

Il barbouilla de colle le fond d'un autre biberon et le fixa délicatement à côté du premier.

Une heure et demie plus tard, en panne de biberons, il avait recouvert plus d'un tiers du mur : du coin-cuisine à la porte d'entrée, toute la cloison était hérissée de biberons parfaitement alignés et dûment capuchonnés de caoutchouc. Bunting avait mal au bras, mais il aurait bien voulu pouvoir finir le mur et en commencer un autre. C'était magnifique, bien sûr, mais ce serait encore beaucoup plus beau une fois tout terminé.

Il s'étira, bâilla et se passa les mains sous le robinet. Affolés, quelques cafards s'enfuirent précipitamment; il décida de faire la vaisselle avant que ces sales bêtes n'envahissent tout l'évier. Il avait les mains plongées dans l'eau mousseuse quand une pensée inquiétante lui vint à l'esprit : à part les biberons qu'il venait d'acheter, il ne savait toujours pas ce qu'il avait fait de la journée du mardi, ni de celle du mercredi et de la plus grande partie du jeudi. Cette hâte à vouloir couvrir les murs de son appartement de biberons était peut-être une réaction opportuniste à l'incident.

Mais c'était là le point de vue d'un esprit qui n'était déjà plus le sien. Le monde dans lequel il partait travailler tous les matins et rentrait chez lui tous les soirs n'était qu'un théâtre d'ombres chinoises, un spectacle monté par la société. Dans ce monde, s'il fallait en croire des gens comme son père ou comme Frank Herko, on « comptait », on « arrivait à quelque chose », ou bien on n'était rien. Pendant une seconde de vertige, Bunting s'imagina, ayant complètement largué les amarres avec ce monde illusoire et superficiel, devenu un Magellan des abysses intérieurs.

Le téléphone sonna. Il s'essuya les mains avec un torchon sale, souleva le récepteur et entendit prononcer son prénom comme s'il s'agissait d'un mot obscène. Son père. Son cœur s'arrêta. Il venait de penser à lui il n'y avait pas dix secondes; c'était de la transmission de pensée. Impression déconcertante qui l'empêcha de comprendre les premières paroles de l'auteur de ses jours.

« Maman a eu un nouveau malaise ?

– Oouuaais ! Tu as les oreilles bouchées, ou quoi ? Je viens de te le dire !

– Elle s'est fait mal ?

– Même topo que la dernière fois. Comme je te le disais, j'ai pensé que tu devais le savoir.

– Euh... Elle s'est blessée ? Son genou ?

– Ça va. C'est surtout la figure qui a pris, cette fois, le genou n'a rien. Remarque, c'est uniquement parce qu'elle avait encore son gros bandage, car sans ça, probable que le genou y aurait eu droit aussi.

– Mais comment est-elle tombée ? Qu'est-ce qu'en pense le médecin ?

– Je ne sais pas, il n'a pas dit grand-chose. Elle doit passer des radios demain. On va voir ce que ça va donner.

– Je peux lui parler ?

– Non. Madame est en bas, à l'entresol, en plein lavage. C'est pour ça que je t'ai appelé ; elle ne voulait pas que je te mette au courant. Je ne sais pas ce qu'elle a après ce putain de lave-linge, mais voilà maintenant qu'elle nous fait jusqu'à des deux, trois machines par jour. L'autre jour, je l'ai surprise à descendre à la cave avec un torchon. Tu te rends compte, elle voulait faire tourner la machine pour un putain de torchon ?! »

Bunting baissa les yeux sur son propre torchon, tout crasseux.

« Pourquoi est-ce que... Qu'est-ce qu'elle cherche à... ?

– Elle perd la tête, voilà ce qui se passe. C'est bien simple, elle oublie tout.

– Est-ce que je dois venir ? Je pourrais peut-être faire quelque chose ?

– Oh ! que sa seigneurie ne se dérange surtout pas, nous savons trop combien elle est occupée. On a reçu ta lettre, tiens : Carol, Veronica, le loyer et tout et tout. Tu as l'air de mener une vie palpitante, dis-moi ? Tu dis que tu as un boulot stable, mais je donnerais ma main à couper que tu n'as pas un fifrelin devant toi. Bravo, belle réussite. Et puis même si tu venais, qu'est-ce que tu pourrais faire, hein, de toute façon ?

– Pas grand-chose, je suppose, admit Bunting d'un ton mortifié, piqué au vif par le portrait dressé par son père.

– Rien du tout, oui ! Je suis encore capable de faire ce qu'il y a à faire. Et puis si elle veut laver deux fois par jour, après tout, la belle affaire. Moi, je n'ai rien contre. On a rendez-vous avec le radiologue demain. Remarque, ce n'est pas que j'en attende grand-chose. Tout ce qu'il va nous dire, c'est que ça va s'arranger. Il va falloir cracher je ne sais combien pour entendre ce charlot dire à ta mère que ça va s'arranger. Il semblerait tout de même que ça ne soit pas très grave. Bon, je voulais juste t'informer de ce qui s'était passé. Heureux d'avoir pu te parler.

– Oui. Moi aussi.

– Parce que tu ne dois pas être souvent chez toi, en ce moment, hein ? Encore moins que d'habitude, je présume ?

– Euh... non. Enfin, pas vraiment.

– Tu sais qu'il n'y a jamais moyen de t'arracher une réponse claire et nette, Bobby ? Des fois, je me demande si tu sais ce que c'est que de répondre par oui ou par non. Ça fait deux jours que je m'esquinte à essayer de t'avoir, et tout ce que tu trouves à dire, c'est : “ Enfin-euh-non-pas-vraiment ? ” Bon, appelle de temps en temps, tout de même, nom de Dieu. »

Bunting promit de le faire; son père s'éclaircit la gorge et raccrocha sans lui dire au revoir.

Il resta longtemps assis comme une âme en peine, le combiné à la main, l'encéphalogramme à la stricte horizontale. Il aurait été incapable de dire ce qu'il était en train de faire lorsque le téléphone avait sonné, une sonnerie outrecuidante, lui avait-il semblé, aussi gonflée de suffisance qu'un crapaud-buffle. Il songea à sa mère, la voyant comme si elle était devant lui. Le visage soucieux et marqué par les traces de sa récente chute, le genou enveloppé d'un gros morceau de coton hydrophile maintenu par un bandage, elle descendait à l'entresol en catimini pour se faire une petite lessive. Son torchon sale à la main, elle ressemblait à une Sainte Vierge éplorée allant enterrer son Jésus mort-né à la cave. Elle laissa tomber le torchon dans le tambour du lave-linge, versa un gobelet de lessive dans le bac d'alimentation, referma la porte et mit le programmateur en route. Qu'est-ce qu'elle allait faire ensuite ? Hocher la tête et s'éloigner avec la satisfaction du devoir accompli, heureuse d'avoir contribué à son modeste niveau à l'harmonie de la grande mécanique céleste ? Regagner le rez-de-chaussée, au cas où il y aurait encore des torchons sales ?

Il n'avait pas songé à demander à son père si elle était tombée dehors ou à l'intérieur de la maison.

Il reposa finalement le combiné sur son socle. Sans même avoir conscience d'avoir traversé la pièce, il se retrouva devant la portion de mur qu'il avait artistiquement tapissée. Les bras ballants, il colla le torse contre le mur; les tétines vinrent doucement s'écraser contre son front, ses yeux clos, ses joues, ses épaules, sa poitrine. Il tourna la tête de côté et, les bras en croix, se plaqua plus étroitement contre le mur. L'effet devait être sensiblement identique à ce que devait ressentir un fakir sur sa planche à clous. C'était très agréable. Pas mauvais du tout, même. Personnellement, il adorait. Les tétines étaient plus dures qu'il ne l'aurait cru, mais pas au point cependant de provoquer de sensation de douleur. Il n'y avait pas un millimètre de jeu; collés au mur, les biberons étaient désormais inamovibles. A part avec une lampe à souder ou un ciseau à froid, il ne voyait pas comment les desceller. Crainte révérencielle, effroi mêlé d'admiration, il ressentait un peu de tout cela face à son œuvre. Il soupira. *Elle perd la tête, voilà ce qui se passe. C'est bien simple, elle oublie tout.* Les petits mamelons de caoutchouc érectile lui chatouillaient délicatement le creux des paumes; il commençait à se sentir mieux. L'écho de la voix de son père et le fantôme de l'image de sa mère se traînant à la cave pour aller laver sa saloperie de torchon reculèrent à distance rassurante. Il s'arracha à la succion du mur et balaya de la main les rangées de tétines, prenant plaisir à les sentir s'aplatir sous ses doigts avant de reprendre leur forme initiale. Demain, il irait à la banque et retirerait encore un peu d'argent. Avec cent ou cent cinquante dollars, il devrait pouvoir finir le mur.

Dans ces conditions, il voyait mal comment il aurait pu aller à Battle Creek; cela n'aurait été qu'une perte de temps. Et puis sa mère avait rendez-vous avec un spécialiste.

Il s'arracha du mur. Dizaines de clous, minuscules gouttes de sang qui coulaient de chaque perforation de la peau, l'image du fakir assis sur ses pointes refit surface dans son esprit, image qu'il chassa à l'aide d'une longue rasade de vodka; l'alcool lui brûla la gorge comme une coulée de feu. Diantre, diantre, il était pompette.

Il ne pouvait pas faire mieux pour ce soir; l'incrustation de biberons était un sport extrêmement éprouvant pour les épaules et les bras; il allait juste se remplir un Babydoux de vodka – histoire de lire une petite heure – et se coucher. Car demain, il y avait école.

Sans quitter des yeux les biberons collés au mur, il se déshabilla et plia soigneusement ses vêtements. Il craignait de ne pouvoir revivre une expérience similaire à celle du *Chasseur de bisons* et redoutait de ne se trouver confronté qu'à un vain exercice de lecture.

Mais il avait tout aussi peur du contraire. Désirait-il vraiment faire le grand saut chaque fois qu'il lui arriverait d'ouvrir un livre?

Tenant toujours à la main le cintre sur lequel il venait de pendre son costume, il parcourut des yeux l'étagère où était rangée sa modeste bibliothèque; gêné, il accrocha le cintre à la barre de la penderie de façon à pouvoir mieux distinguer les titres. Il possédait une quarantaine d'ouvrages, tous des éditions de poche et tous vieux d'au moins cinq ou six ans. Certains dataient même des tout premiers temps de son arrivée à New York. Tous avaient la couverture écornée et le dos craquelé ; comme pour la plupart des éditions de poche, le papier était de si piètre qualité, qu'avec le temps, les pages avaient l'air d'avoir été repêchées dans une baignoire. Une grosse moitié de l'étagère était occupée par des westerns, pour la plupart ramenés de Battle Creek; le reste regroupait des romans policiers. Il choisit finalement un de ces derniers, *La dame du lac*, de Raymond Chandler.

L'ouvrage paraissait relativement innocent – ce n'était pas l'un de ceux où Philip Marlowe se faisait copieusement passer à tabac, droguer jusqu'aux yeux ou enfermer dans un asile psychiatrique. Détail important, il l'avait encore relu l'année dernière et s'en souvenait parfaitement. Il allait donc cette fois pouvoir détecter toute variante éventuelle par rapport à l'original.

Il se lava la figure, se brossa méticuleusement les dents, et, écartant le store, s'absorba un instant dans la contemplation des immeubles délabrés qu'il avait pour vis-à-vis. Les gens qui vivaient derrière ces fenêtres éclairées avaient-ils jamais ressenti quelque chose de semblable à la formidable expectative qui lui nouait les tripes ?

Il vérifia le niveau du Babydoux, éteignit la lumière, puis, se ravisant, la ralluma et retourna à la penderie chercher le vieux réveil qu'il avait ramené du Michigan mais dont il ne s'était encore jamais servi. Il trouva l'objet au fond d'un sac, derrière ses chaussures. Il le mit à l'heure, fit un peu de vide sur sa chaise de chevet, le remonta, le mit à sonner pour sept heures et demie le lendemain matin et éteignit le plafonnier pour de bon. La seule lumière était maintenant celle de la liseuse, à la tête de son lit. Il tira les couvertures, conscient de la solennité de l'instant, se glissa entre les draps, roula son oreiller en boule, se le cala sous la nuque puis ouvrit *La dame du lac* à la première page. Le sang lui battait les tempes, le bout des doigts, l'arrière du crâne. Manhattan disparut dès la première phrase.

6

Que ce fût le ciel couvert, le bruit ou bien le regard plus aiguisé qu'il portait sur le monde, presque tout était différent. Il pouvait faire jouer toute sa mémoire et puiser à toutes ses connaissances. Autour de lui grouillait une ville en pleine expansion; l'air y était plus pollué que celui de la prairie où paissaient les bisons, mais cependant beaucoup moins que celui qui planait actuellement sur New York. Avec la prescience que donne la faculté de pouvoir vivre des événements avec quarante-cinq ans de recul, le futur n'avait plus de secrets pour lui, lui qui savait que la bêtise, la violence et l'appât du gain finiraient par triompher. Il marchait dans Los Angeles; des ouvriers étaient en train d'ôter le revêtement de caoutchouc du trottoir qui faisait le coin de la 6e Avenue et d'Olive Street. Le monde se révélait devant lui comme une plaque photographique. Les détails se faisaient de plus en plus précis; de nouveaux ne cessaient d'apparaître. Il entra dans un immeuble et, sans transition, se retrouva au sixième étage dans un bureau, entouré d'une foule de nouveaux détails on ne pouvait plus concrets : les portes à double vitrage aux montants de métal chromé, le tapis chinois, la vitrine où étaient exposés des pots de crème, des pains de savons et des flacons de parfum. Un certain Kingsley voulait qu'il retrouve sa mère. Grand – il devait bien faire dans les un mètre quatre-vingt-dix –, nerveux, élégant dans son costume de flanelle grise à fines rayures blanches, il ne cessa d'arpenter son bureau tout le temps que dura l'entretien. Depuis un mois, il n'avait plus de nouvelles de sa mère et de son beau-père, partis passer l'été dans leur chalet de Puma Point, en pleine montagne.

« Vous croyez que votre mère n'y est plus ? » demanda Bunting.

Kingsley hocha la tête.

« Qu'est-ce que vous avez fait, jusqu'à présent ?

– Rien. Absolument rien. Je ne suis même pas monté là-haut. »

Kingsley s'attendait visiblement à ce que Bunting lui en demande la raison ; ce dernier pouvait parfaitement sentir l'impatience et l'énervement de son interlocuteur.

« Pourquoi ? » demanda-t-il donc.

Kingsley ouvrit un tiroir de son bureau et en sortit un télégramme. Bunting le déplia, peu impressionné par l'expression excédée de l'homme d'affaires. Envoyé à Derace Kingsley à son domicile de Beverly Hills, le pli disait en substance : AI DÉCIDÉ ME SÉPARER CHRIS – STOP – NE PEUX PLUS SUPPORTER CET ENFER – STOP – SEULE SOLUTION – STOP – BONNE CHANCE – STOP – TA MÈRE.

Quand Bunting releva les yeux, Kingsley lui tendit un cliché sur papier glacé. On y voyait un couple en maillot de bain assis sur une plage à l'ombre d'un parasol : une femme enjouée d'une soixantaine d'années, mince et toujours séduisante, l'air d'une riche veuve en croisière, et un individu plutôt bel homme, brun et bronzé à souhait. Des bras de débardeur, des jambes de maître nageur, l'homme était le parfait prototype du bellâtre croqueur de femmes mûres.

« Ma mère, dit Kingsley. Crystal. Et Chris Lavery. Ex-gigolo. Accessoirement mon beau-père.

– Ex-gigolo ? demanda Bunting.

– Un spécialiste, du moment qu'une femme a ce qu'il faut. Je parle du compte en banque, bien sûr. Il les a toutes eues. Ma mère est simplement celle qui l'a épousé. C'est une saloperie de fils de pute et je n'ai jamais pu l'encadrer. »

Bunting se fit confirmer qu'en époux attentionné, Lavery avait bien accompagné sa femme au chalet.

« Il n'y mettrait jamais les pieds s'il n'y avait pas ma mère. Il n'y a même pas le téléphone, pensez. Autrement, ils habitent à Bay City. Attendez, je vais vous donner l'adresse. »

Il griffonna quelque chose sur une carte à en-tête *(Derace Kingsley, Parfums et Cosmétiques Gillerlain),* plia la carte en deux et la confia à Bunting comme s'il s'agissait d'un document confidentiel.

« Avez-vous été surpris d'apprendre que votre mère voulait divorcer ? »

Kingsley sembla considérer la question un moment, sortit un *panatela* d'un coffret de cuivre et d'acajou, en sectionna la pointe avec un coupe-cigares en argent et l'alluma selon les règles de l'art.

« Ce qui m'a surpris, c'est plutôt quand elle m'a annoncé son mariage. En revanche, qu'elle veuille maintenant se débarrasser de cet individu ne me surprend guère. Ma mère a une fortune personnelle. Sa famille possédait des intérêts dans les pétroles et elle a toujours fait ce qu'elle a voulu. J'ai toujours pensé que ce mariage ne durerait pas. Non, je n'ai donc pas été surpris quand j'ai reçu ce télégramme il y a trois semaines. Depuis, j'aurais tout de même aimé avoir des nouvelles. Mais rien. Jusqu'à avant-hier, quand un hôtel de San Bernardino m'a appelé. La Packard Clipper de ma mère dormait dans le garage depuis plus de deux semaines sans que personne soit venu la réclamer. A mon avis, elle a quitté l'État, peut-être même le pays. L'hôtel va garder la voiture pour l'instant; j'ai envoyé un chèque à cet effet. Et puis hier, je suis tombé sur Chris Lavery devant l'Athletic Club. Monsieur a fait semblant de tomber des nues. Quand je lui ai dit que j'étais inquiet, il a pris ça à la légère et m'a répondu que, pour ce qu'il en savait, ma mère devait être au chalet en train de se faire dorer au soleil.

– C'est donc là qu'elle serait, dit Bunting.

– Ce fumier ment comme il respire; ça l'amuse. Mais... il y a autre chose. Il se trouve, voyez-vous, que ma mère a déjà eu dans le passé... disons quelques petits ennuis qui pourraient s'avérer gênants si la police devait y mettre son nez... »

Il avait l'air diablement embarrassé, et Bunting lui tendit la perche.

« La police ?

– Oui. Elle ne peut pas s'empêcher de voler dans les magasins. Surtout quand elle a sifflé deux ou trois Martini de trop. Elle s'est fait prendre plusieurs fois et, croyez-moi, il y a eu des moments parfois très pénibles. Jusqu'à présent, personne n'a porté plainte, mais s'il arrivait la même chose dans une ville où elle n'est pas connue... conclut Kingsley en levant les mains en l'air avant de les laisser dramatiquement retomber sur son bureau.

– Mais dans ce cas, je suppose qu'elle chercherait à vous joindre ?

– Elle préférerait plutôt se casser une jambe! s'exclama Kingsley. Il se peut également qu'elle ne soit pas en état d'appeler...

– Jusqu'à plus ample informé, dit Bunting, laissons tomber la piste kleptomanie. Si elle s'était fait pincer, la police vous aurait contacté, non? »

Kingsley se servit à boire pour chasser ses soucis.

« A vous écouter, on se sent déjà mieux, dit-il.

– Pas de conclusions hâtives, dit Bunting. Nous ne savons pas encore ce qui s'est passé. Peut-être est-elle partie avec un autre homme? Elle a peut-être perdu la mémoire – imaginez qu'elle ait eu un accident, qu'elle soit blessée et ne se souvienne ni de son nom ni de son adresse. Peut-être s'est-elle laissé embarquer dans une tout autre histoire, une histoire louche que nous sommes encore à cent lieues d'imaginer? Peut-être s'est-elle trouvée au mauvais endroit au mauvais moment?

– Mon Dieu, dit Kingsley, ne dites pas ça!

– Toutes les hypothèses sont à envisager, assura Bunting. On ne sait jamais ce qui peut passer par la tête d'une femme de l'âge de votre mère. A partir d'un certain âge, vous savez, beaucoup de femmes commencent à perdre les pédales – je l'ai vu des fois et des fois. Voilà soudain qu'elles se mettent à laver des torchons au beau milieu de la nuit. Ou qu'elles tournent de l'œil en sortant du supermarché et se cassent le col du fémur. Comme je l'évoquais tout à l'heure, il y en a qui oublient jusqu'à leur nom. »

Atterré, Kingsley se servit un autre verre.

« Ce sera cent dollars par jour, dit Bunting. Et cent d'avance. »

Bunting se rendit à l'adresse de Bay City que lui avait donnée Kingsley. La maison où vivaient sa mère et Chris Lavery dominait le creux d'un V découpé par l'océan dans la côte rocheuse. La pente était raide et le terrain frisait l'à-pic; le rez-de-chaussée était situé en contrebas de la route côtière. Des meubles de jardins paressaient sur le toit, transformé en terrasse. Les chambres devaient être à l'entresol, le garage encore plus bas, comme la poche cornière d'un billard américain. Les dalles de l'allée étaient vertes de mousse. La porte d'entrée, étroite, était percée d'un judas grillagé sous lequel pendait un marteau de fer forgé.

Bunting actionna le marteau. Rien ne se passant, il appuya sur la sonnette. Toujours rien. Il réessaya le marteau mais n'obtint pas plus de succès. Il contourna la maison, avisa la porte du garage, la releva jusqu'à hauteur des yeux et découvrit une automobile chaussée de pneus à jantes blanches. Il regagna la porte d'entrée.

Il usa cette fois de la sonnette et du marteau simultanément, se disant que Chris Lavery avait peut-être eu une nuit difficile. Ne recevant toujours aucune réponse, il se mit à faire les cent pas devant la porte, incertain de la conduite à adopter. Il allait devoir se payer la grimpette jusqu'au lac, pas moyen d'y couper; son petit doigt lui disait cependant que la balade ne servirait à rien. A Puma Point, il trouverait une autre maison déserte, se casserait le nez sur une autre porte fermée et aurait beau sonner, frapper, personne ne viendrait répondre. La perspective de faire tant de kilomètres pour rien ne l'enchantait guère.

Comment était-il devenu détective? Qu'est-ce qui l'avait poussé à faire ce métier? C'était cela la grande question, le gros point d'interrogation, plutôt que le fait de savoir où avait bien pu passer une vieille catin milliardaire qui se mordait les doigts d'avoir épousé un gigolo. Pour se donner du courage, il caressa le Babydoux rose qu'il avait glissé dans son holster, sous sa veste.

Bunting refit le tour de la maison, souleva la porte du garage et la rabaissa aussitôt derrière lui. La voiture aux jantes blanches était un cabriolet qui devait sucer l'essence comme si c'était du gros rouge et se taper son petit deux cents sur autoroute. S'il avait eu les clefs, il aurait pu s'asseoir derrière le volant, mettre le moteur en marche et, son bon vieux Babydoux dans la bouche, partir droit devant lui. L'ultime randonnée, la révérence finale.

Mais il n'avait pas les clefs et, les aurait-il eues, comment oublier qu'il était détective privé, avec un bristol dûment visé par les autorités et une sulfateuse dûment enregistrée? Il avait une enquête à mener. Au fond du garage, il découvrit une porte en contre-plaqué qui devait permettre d'accéder à l'intérieur de la maison. Apparemment, la serrure avait été achetée en solde; quelques coups de pied bien appliqués suffirent à la faire sauter. La porte s'ouvrit sur un couloir.

Le cœur de Bunting battait follement. *Voilà pourquoi je suis détective*, se dit-il. Ce n'était pas tellement le goût de l'action qui le motivait, non, c'était surtout l'amour du mystère, du secret. Au-dessus de lui, la maison était un grand cœur qui battait silencieux; il était dans l'aorte.

Il régnait cette lourde odeur de renfermé qui, à l'approche de midi, imprègne les lieux qui n'ont pas été aérés depuis un certain temps, remugle auquel se mêlaient des effluves de Vat 69. Bunting enfila le couloir, jeta un coup d'œil au passage dans la chambre d'amis, plongée dans la pénombre à cause des stores tirés, et, au bout du couloir, pénétra dans une seconde chambre, meublée avec beaucoup de goût. Un lévrier de cristal était posé sur une coiffeuse à la glace maculée de traces de poudre. Deux oreillers voisinaient sur le lit défait; une serviette de toilette rose ensanglantée de traces de rouge à lèvres avait été négligemment jetée sur le bord de la corbeille à linge. Il y avait également des marques de rouge à lèvres, semblables à des traînées de sang, sur un des oreillers. Presque suffocante, une âcre odeur de parfum flottait dans l'air.

Bunting se tourna vers la porte de la salle de bains.

Non, il ne voulait pas entrer. Il aurait préféré être à mille lieues d'ici, dans la jungle de Sumatra ou sur la calotte polaire. Le rouge à lèvres qui tachait la serviette gouttait lentement sur le tapis, poissé d'écarlate, et celui qui étoilait l'oreiller avait dégouliné sur les draps.

« Non, se dit-il. Assez de sang, par pitié. Si tu pousses cette porte, tu vas trouver un cadavre, peut-être même deux ; ça va être une véritable boucherie. N'entre pas, tu vas le regretter... »

Bunting tourna la poignée et ouvrit la porte. Du sang avait giclé partout sur les carreaux, les murs comme le sol ; de la peinture rouge semblait avoir été vaporisée sur le rideau de la douche.

Sacré Bunting. Un cadavre par jour, jamais plus.

Pataugeant dans le sang, il s'avança jusqu'à la douche et tira le rideau.

Personne. Pas de cadavre, mais une épaisse couche de sang qui s'écoulait lentement par le trou de la bonde.

Un affreux bruit de sonnette lui parvint à travers la fenêtre fermée. Il y avait quelqu'un à la porte. Ce n'était pas la peine de sonner comme cela ; il se plaqua les mains sur les oreilles. La nuque, le dos, il avait mal partout. Il voulut quitter la salle de bains, mais celle-ci avait disparu. Il ne pouvait plus bouger les jambes. Tel un navire embrasé de feux Saint-Elme, son corps n'était qu'un bloc de souffrance. Il poussa un gémissement sourd, ferma les yeux et les rouvrit, hagard, allongé entre les quatre murs d'un appartement où un réveil ne cessait de sonner.

Les murs étaient pleins de sang. Il lâcha le livre qu'il tenait à la main et se jeta hors du lit avec un glapissement affolé. Ses jambes se dérobèrent sous lui et il s'écroula comme une masse, hurlant de douleur. On avait dû le torturer ; son corps n'était plus qu'une plaie à vif. Incapable de se relever, il se mit à ramper par terre et ne s'arrêta que lorsqu'il réalisa où il était. Il resta allongé à gémir sur le tapis, attendant que le sang soit revenu dans ses veines, et se traîna jusqu'à la salle de bains. Il eut un moment difficile lorsqu'il dut tirer le rideau de la douche, mais aucune des nombreuses taches qui piquaient les carreaux n'était rouge. L'eau chaude acheva de lui faire retrouver ses esprits.

7

Quelques minutes plus tard, à peine sorti de son immeuble, juste après l'étrange expérience qui vient d'être rapportée, comme s'il y avait relation de cause à effet, un événement capital se produisit dans la vie de Bunting. Il avait un peu mal au crâne et les mains qui tremblaient : en nouant sa cravate, tout à l'heure devant la glace, il avait eu l'impression que son visage s'était modifié d'une manière que les cernes qui lui agrandissaient les yeux n'expliquaient pas entièrement. Il avait les joues creuses et la peau d'un blanc livide. Il n'avait pas dû fermer l'œil de la nuit. Il ne parvenait pas à chasser de son esprit l'image de la salle de bains pleine de sang.

Quelque chose lui parut bizarre dès qu'il posa le pied sur le trottoir. Il n'aurait su dire quoi, mais quelque chose avait changé. Les bruits, les couleurs, tout lui semblait haussé d'un cran, plus éclatant. Tout semblait animé d'une vie mystérieuse : les voitures qui passaient sur l'avenue, les piétons qui se pressaient sur le trottoir, les clochards en haillons qui serraient leur litron dans leur sac en papier. Et même les détritus et les vieux journaux agacés par le vent. Cela ne relevait peut-être pas d'une attitude consciente de sa part, mais, chaque matin, il allait généralement travailler sans regarder ni à droite ni à gauche. A l'abri d'une bulle transparente, il évitait ainsi de poser les yeux là où il ne fallait pas. C'était comme cela qu'il fallait vivre à New York; il fallait se cuirasser, s'envelopper d'un cocon protecteur. Malgré le bruit assourdissant des marteaux-piqueurs, il ne remarqua pas tout de suite l'équipe d'ouvriers en salopettes et casques orange qui défonçaient le trottoir, à vingt pas de l'immeuble. Le monde lui parut vaciller sur ses bases et, l'espace d'une seconde, il se crut de retour à Los Angeles, quarante-cinq ans plus tôt. N'avait-il pas rendez-vous avec un certain Derace Kingsley? Il frissonna, puis se rappela : au tout début de *La dame du lac*, des ouvriers défonçaient aussi un trottoir.

Un bref instant, les nuages qui masquaient le ciel se déchirèrent; un rayon de soleil balaya le trottoir, puis l'air s'assombrit de nouveau.

Le bruit des marteaux-piqueurs s'interrompit net et un concert de cris et d'exclamations s'éleva dans son dos. Les ouvriers avaient dû trouver quelque chose en creusant. Il ne savait pas ce que c'était et ne voulait surtout pas le savoir. Autant ne pas rester là et se dépêcher d'aller prendre son bus. Une trombe d'eau s'abattit sur lui. Sans le moindre signe annonciateur, une pluie torrentielle venait de crever au-dessus de la ville. Il était trempé jusqu'aux os. Le ciel vira au noir et un formidable coup de tonnerre, immédiatement suivi d'un éclair qui pétrifia l'avenue entre cauchemar et réalité, noya les cris des ouvriers. Le monde disparut une longue seconde, remplacé par son négatif. Trempé comme une soupe, les cheveux dans les yeux, Bunting aurait été incapable de bouger le petit doigt. Au spectacle de l'éclair démentiel et du déluge qui mitraillait l'arrêt d'autobus, la taie qui limitait habituellement son horizon se volatilisa; ce qui était en suspens depuis plusieurs jours se produisait enfin et, maintenant, les yeux dessillés, il voyait.

Les gens le bousculaient pour s'abriter dans les renfoncements de portes ou se réfugier sous l'aubette, mais il était toujours incapable de faire le moindre mouvement. Le voile des apparences venait enfin de se déchirer; s'il avait pu bouger, il serait tombé à genoux et se serait confondu en remerciements. Pendant de longues, longues secondes après la disparition de l'éclair, le monde lui apparut sous un jour resplendissant, lavé de toute sa saleté. Tout ce qui en faisait le décor – bois, métal, verre, corps, automobiles, bouches d'incendie, béton craquelé de la chaussée – tout lui semblait fait de la même substance que son corps. S'il avait été religieux, il aurait attribué ce qui lui arrivait à une vision envoyée par Dieu, mais, ne l'étant pas, c'était l'univers tout entier qui lui apparaissait comme sacré.

Tout s'était passé en un clin d'œil, un clin d'œil long de plusieurs années. Quand le phénomène commença à se dissiper et le temps à reprendre son cours normal, Bunting s'essuya le visage, baigné de larmes et de pluie, et, ayant retrouvé la faculté de se mouvoir, marcha jusqu'à l'aubette. Comme les nuages qui pesaient sur la ville, ses yeux ne pouvaient plus contenir leur trop-plein. Lorsqu'il se glissa sous l'aubette, il lui sembla que tout le monde le regardait d'une drôle de façon. Quel spectacle offrait-il ? Il n'en aurait pas juré, mais n'aurait pas été surpris si son visage brillait, auréolé de lumière. Le bus apparut au bout de l'avenue, cahoté par les nids-de-poule comme un paquebot sur l'océan. Ce qui lui était arrivé – et qu'il commençait déjà à appeler son « initiation » – était d'une nature similaire à ce qu'il avait vécu en ouvrant *Le chasseur de bisons*.

Il soupira profondément et s'essuya les yeux. A côté de lui, plusieurs personnes s'écartèrent nerveusement.

8

Il arriva à DataCom Électronique sans un poil de sec et, sans qu'il sût pourquoi, irrité. Il avait envie de pousser les gens qui se mettaient en travers de son chemin, d'engueuler tous ceux qui l'obligeaient à ralentir, mauvaise humeur qu'il attribua au fait de se présenter à son travail dans des vêtements trempés. En réalité, c'était le cadet de ses soucis. Non, il ne décolérait pas car il avait le sentiment d'avoir été frustré de sa part de gâteau. Il avait troqué un palais pour une chaumière; d'avoir pu poser les yeux sur le palais rendait le retour à la chaumière encore plus insupportable.

Il sortit de l'ascenseur, décocha un sourire pincé à la secrétaire, se précipita dans son box, enleva sa veste, la jeta sur sa chaise, ouvrit son nœud de cravate, s'essuya le visage avec son mouchoir humide, écrasa le bouton de mise sous tension de son terminal et, la rage au cœur, se mit à marteler furieusement son clavier. S'il avait été dans un jour meilleur, sa prudence naturelle l'aurait incité à se montrer plus diplomate quand Frank Herko surgit à côté de lui, mais, dans son état, c'était couru d'avance : hors de lui, il dut se retenir pour ne pas se jeter sur cet imbécile.

« Tiens! s'esclaffa Herko. Casanova est de retour?

– Fous-moi la paix! aboya Bunting.

– Le grand, l'incommensurable Bunting se pointe après avoir

picolé et fait la nouba toute la nuit avec sa dernière conquête, ne vient pas bosser pendant deux jours, ne répond pas au téléphone, se douche apparemment tout habillé...

– Fous le camp, Frank.

– ... est mauvais comme une teigne, s'est sans doute chopé une grippe, peut-être même une pneumonie... »

Bunting éternua.

« ... et le gros Bunting à sa mémère voudrait que la seule personne au monde capable de le comprendre se taise et l'abandonne à son triste sort, hum ? Bon Dieu, tu es trempé comme un rat. Je me demande où tu as la tête, parfois. Bouge pas, je reviens. »

Bunting marmonna quelque chose d'indistinct. Herko fut de retour une minute plus tard avec une provision de serviettes en papier qu'il était allé chercher au distributeur des toilettes.

« Essuie-toi un peu. »

Bunting grommela entre ses dents et s'essuya le visage avec une poignée de serviettes. Il s'en passa aussi dans les cheveux et déboutonna le haut de sa chemise pour se sécher la poitrine.

« Qu'est-ce que tu cherches à faire ? demanda Herko. Attraper une double pneumonie ? »

Herko n'était qu'un hystérique. Il croyait peut-être que Bunting lui appartenait, mais Bunting n'appartenait à personne.

« Merci pour les serviettes, dit-il. Maintenant, laisse-moi seul, s'il te plaît. »

Herko leva les bras au ciel.

« D'accord ! Que je te dise tout de même que le rendez-vous avec Marty est prévu pour ce soir. Je suppose que ça tient toujours, ou monsieur va encore se mettre à mordre ? »

Une seconde, Bunting fut aveuglé par une sorte d'éclair ; le sang cessa de couler dans ses veines.

« Le rendez-vous ? Ce soir ?

– Marty est impatiente de te rencontrer. Rencart à huit heures, au bar du One Fifth Avenue. Ensuite, eh bien comme vous serez en plein Greenwich Village, vous n'aurez que l'embarras du choix pour aller manger quelque part. Quoi ? Il y a un problème ? Tu es malade ? Tu devrais peut-être rentrer chez toi. »

Bunting se tourna vers son écran.

« Je vais très bien, merci. Maintenant, vas-tu me faire le plaisir de débarrasser le plancher, oui ou merde ?

– C'est ça, ne t'écorche pas à me remercier, surtout !

– Arrête de jouer les nounous, à l'avenir, tu veux ? » cracha Bunting sans quitter son écran des yeux.

Herko jugea préférable de ne pas insister.

Plus tard dans la matinée, Bunting passa la tête dans le box de son collègue. Herko releva les yeux, sourcils froncés.

« Je suis désolé, dit Bunting. J'étais de mauvais poil, tout à l'heure. Je me suis montré grossier et je te prie de m'excuser.

– Ça va, dit Herko, malgré tout un peu raide. N'en parlons plus. Alors, pour le rencart, ça marche toujours ?

– Eh bien... » commença Bunting.

Le visage de Herko se rembrunit.

« Non, non, c'est parfait ! assura Bunting. Sûr. C'est très bien. Merci.

– Le bar est super, tu verras. En plein Village. Il y a des millions de restaurants, là-bas. »

Bunting n'avait jamais mis les pieds à Greenwich Village, où il ne connaissait que les restaurants, pour la plupart imaginaires, où il avait emmené Veronica. Il pensa soudain à quelque chose.

« Tu aimes bien Raymond Chandler, non ? demanda-t-il, venant de se rappeler une ancienne conversation.

– Chandler est le plus grand. Le seul.

– Tu te souviens de *La dame du lac* ? Quand Marlowe se rend pour la première fois chez Chris Lavery, à Bay City ? »

Herko hocha la tête, toute sa bonne humeur retrouvée.

« Qu'est-ce qu'il trouve ? demanda Bunting.

– Ben... Chris Lavery.

– Vivant ?

– Pour l'interroger, c'est mieux.

– Ah ! Il ne trouve pas plutôt la salle de bains pleine de sang ?

– Oh ! mais dites donc, vous, on ne serait pas en train de se mélanger les pinceaux dans ses classiques, par hasard ?

– Ah, je ne sais plus... Ne fais pas attention », dit Bunting, songeant qu'à défaut des pinceaux, il avait peut-être bien mélangé quelques pages.

Il retourna s'asseoir à sa place mais il était dit que cet enfoiré d'Herko l'emmerderait jusqu'au bout.

« At-tention mesdames, at-tention ! se mit à claironner cet âne bâté. Ce soir, Bunting est de sortie ! At-tention à lui mesdames, car il a le croc lubrique et pointu, et il pourrait bien vous croquer toutes crues, l'infâme ! » conclut-il en poussant un long hurlement bestial.

Hilarité générale dans la salle de saisie. Plusieurs femmes gloussèrent sans aucune retenue. L'une entonna l'air de « Des promesses, toujours des promesses ! ». Effondré sur sa chaise, Herko partit d'un éclat de rire homérique.

Assis devant son écran, Bunting resta de marbre, essayant de se concentrer sur sa tâche. Au bord de l'asphyxie, en larmes, Herko se tenait les côtes. Écoutant les clameurs qui secouaient la salle, Bunting se rappela les ouvriers qui lui avaient crié quelque chose, juste avant que l'orage n'éclate. Ils creusaient un trou dans le trottoir. Ce qu'il y avait dans le trou ? Un cadavre. Il en était sûr, maintenant : les employés de la voirie avaient trouvé quelque chose. Quoi, au juste ? Un cadavre décomposé ? Un crâne et quelques os dans un costume en loques ? Ou bien un corps dans un état intermédiaire ? Il lui avait bien semblé voir une bouche béante, des cheveux emmêlés, des yeux fixes, des vers qui grouillaient. Il eut une brève pensée pour son corps assis quelque part devant l'écran d'un terminal d'ordinateur où défilaient des signes cabalistiques.

DATATRAX 30 CARTONS MONMOUTH NEW JERSEY CODE BLEU/CODE ROUGE.

La pierre roula hors de l'ouverture du tombeau, Jésus écarta les bras et, dans son linceul sale, s'envola vers le ciel d'un bleu immaculé.

Ceci est mon corps, songea Bunting. *Ceci est mon corps.*

Quelque chose de la taille d'une noix se mit gargouiller dans son estomac, gonfla jusqu'à celle d'une pomme, puis se réduisit à une pointe d'aiguille. Il porta les mains à son ventre, se précipita dans le couloir, courut aux toilettes et entra dans la première cabine venue, presque aussi grande que son box. La cravate rabattue contre la poitrine pour éviter les projections, il pencha la tête au-dessus de la cuvette et se vida.

En fin d'après-midi, levant les yeux de son écran, sans songer à rien de bien particulier, Bunting aperçut l'éclair d'une robe verte passer devant la porte ouverte de son box. Un vert sombre, terne, qui tranchait sur les tons clairs des murs mais dont le contraste n'était pas déplaisant. Un vert qui sembla persister en l'air un moment, le laissant plongé dans le même état extatique que lors de l'orage de la matinée, où tout lui avait paru transfiguré, sacré. Cette fois, cependant, il se rétracta et résista à l'envie de voir le placage du monde voler en éclats. Il ne savait pas pourquoi, mais il le fallait. L'instant perdit alors toute magie et tout reprit sa place habituelle. Jésus dans son tombeau, sa pierre roulée; les ouvriers de la voirie, penchés au-dessus d'un trou vide. Vivant, ou mort, il était sauvé. Si personne n'avait entendu tomber l'arbre dans la forêt, c'est qu'il était sûrement encore debout.

Ce soir-là, Bunting remit son réveil à sonner pour le lendemain matin et reprit *La dame du lac.* Il roulait en pleine montagne, loin de San Bernardino. Depuis Bubble Springs, l'air était frais et agréable. Au barrage de Puma, une flottille de canots et de canoës sillonnait le lac en tous sens; au loin, des vedettes pleines de filles échevelées dessinaient de grands cercles frangés d'écume. Les pentes étaient fleuries d'iris sauvages et de lupins pourpres. Little Fawn Lake, lac du petit faon, lut-il sur un panneau planté en pleine nature à la croisée d'une petite route. Il suivit la direction indiquée et, à vitesse réduite à cause des lacets, continua son ascension vers le sommet. Il passa une chute d'eau, puis s'enfonça sous des chênes qui poussaient jusqu'au bord de la route. Ce n'était pas un décor factice, mais le monde sous son vrai jour, un monde dans lequel il était vivant, en pleine possession de ses moyens et tout aussi réel que tout ce qui l'entourait : un pivert, qui le guettait derrière son tronc, circonspect, le lac ovale, niché au fond de la vallée comme une perle de rosée au creux d'une feuille, le chalet en madriers du pays, presque caché par les chênes. D'un coup d'œil, la totalité du paysage s'offrait à lui dans ses moindres détails : les plumes sur les oiseaux, les rochers sur les hauteurs, les feuilles sur les branches. Centre autour duquel s'agençait ce monde foisonnant, toutes ces informations se présentaient à lui spontanément.

Il sortit de la Chrysler, gravit les quelques marches du perron et frappa à la porte du chalet; occupé à fendre du bois sur l'arrière, Bill Chess mit un moment avant de venir répondre. Bunting lui tendit le flacon de rye qu'il gardait toujours dans sa poche et, assis sur un rocher plat, commença à lui poser des questions. Bill Chess n'avait pas de chance : sa femme l'avait quitté et sa mère était morte. Il vivait seul dans ces montagnes et n'avait aucune idée de l'endroit où pouvait être la mère de Derace Kingsley. Finalement, ils se levèrent et Chess lui fit visiter le chalet. Il y régnait une chaleur étouffante. Du bois partout, plusieurs chambres. Bill Chess le guida jusqu'à celle des « patrons » et s'assit sur le couvre-lit; Bunting ouvrit la porte de la salle de bains. Dès qu'il entra, assommé par la chaleur irrespirable, il perçut l'odeur caractéristique du sang. Il s'avança jusqu'à la douche, sachant déjà qu'il allait y trouver le corps de Crystal Kingsley, retint son souffle, tira le rideau et entendit Bill Chess s'exclamer dans son dos :

« Muriel ! Mon Dieu, c'est Muriel ! »

Mais il n'y avait pas de cadavre, seulement une mare de sang presque solidifié.

9

A dix-neuf heures trente, ce même vendredi soir, Bunting était assis à une des premières tables du One Fifth Avenue, un œil sur la porte et l'autre sur sa montre. Il y avait déjà un quart d'heure qu'il était là, sanglé dans un de ses plus beaux costumes, douché de frais et rasé de près, les chaussures et les dents brossées avec la même énergie. Il avait encore le goût du dentifrice dans la bouche. Quiconque se rendait au bar, et donc cette mystérieuse Marty, devait obligatoirement passer devant lui. Et il avait bien l'intention de la voir, elle, avant qu'elle ne l'aperçût, lui. Il aviserait ensuite. Profitant du passage de la serveuse, il s'offrit un deuxième Martini vodka. Il se sentait bien. Il avait le cœur qui battait un peu vite et les mains légèrement moites, mais cela allait. Qu'il fût un peu nerveux était normal car, après tout, c'était son premier rendez-vous – son premier vrai rendez-vous – depuis sa rupture avec Veronica. Et pour appeler les choses par leur nom, aspect sur lequel il préférait pourtant ne pas s'appesantir, c'était même son premier rendez-vous depuis au moins une vingtaine d'années. Toutes les cinq minutes, il se levait pour aller aux toilettes se passer la tête sous le robinet. Un coup de peigne dans les cheveux, un coup de serviette en papier sur les chaussures, et il retournait s'asseoir, un œil sur son verre, l'autre sur la porte.

Que n'avait-il pensé à se munir d'un Babydoux, discrètement glissé au fond de la poche. Même une simple tétine aurait fait l'affaire; au moindre accès d'anxiété, il lui aurait suffi de la sortir et de se la mettre dans la bouche. Déjà, rien que le fait d'avoir un biberon dans la poche...

Il tira sur ses manches de chemise, se passa la main dans les cheveux, consulta sa montre une nouvelle fois et, les coudes posés sur la table, se tourna vers les clients du bar, à l'autre bout de la salle. Des hommes, surtout, presque tous plus jeunes que lui; la conversation était animée et tout le monde riait. Rien d'intéressant; mieux valait concentrer son attention sur la porte. Une jeune femme, une brune avec des lunettes rondes, venait juste d'entrer, mais il n'était encore que huit heures moins vingt, beaucoup trop tôt, donc, pour que ce fût Marty. Il sortit son mouchoir et s'épongea le front, se demandant s'il devait retourner aux toilettes s'asperger le visage d'eau fraîche. Il faisait un peu chaud, ici. Il se sentait bien, mais il avait un peu chaud. Il songea à toutes les fois où il était sorti avec Veronica, essayant de se rappeler l'effet que cela faisait d'entrer au Quaglino's avec une des huiles de DataCom Électronique au bras.

« Bob ? Bob Bunting ? »

Il sursauta comme s'il avait été piqué par une guêpe et heurta le bord de sa table. Poussant une sorte de couinement mortifié, il voulut retenir son verre qui tanguait dangereusement, mais ne fit qu'aggraver les choses. La nappe absorba le vermouth, mais les olives allèrent rouler par terre. Une main se posa sur son bras. Bunting se retourna d'un bloc et découvrit, le regardant d'un air amusé, la jeune femme brune qui venait juste d'entrer.

« Après tout ça, dit-elle, j'espère que vous êtes bien Bob Bunting. »

Bunting hocha la tête.

« Je l'espère aussi, dit-il. Parce que, parfois, je n'en suis plus très sûr. Mais qui êtes-vous ? Nous nous connaissons ?

– Je suis Marty. Ce n'est pas moi que vous attendiez ?

– Oh ! »

C'était une petite brune au visage rond qui dégageait une telle énergie qu'il se sentit immédiatement fatigué. Ses yeux étaient très bleus; son rouge à lèvres très rouge. C'était peut-être une impression mais, en son for intérieur, elle avait l'air de rire de lui.

« Excusez-moi, dit-il. Où avais-je la tête ? Enchanté », ajouta-t-il en se levant, la main tendue.

Elle lui serra la main, sans parvenir à dissimuler tout à fait son étonnement.

« Vous étiez là depuis longtemps ? » demanda-t-elle.

Elle avait un fort accent new-yorkais.

« Un peu, dut-il avouer.

– Vous vouliez me voir avant, hein, c'est ça ?

– Euh... non. Non, pas vraiment. »

Il aurait été cent fois mieux chez lui ; son lit, les biberons sur le mur et *La dame du lac*, il n'en demandait pas plus.

« Comment avez-vous su qui j'étais ?

– Frank vous avait décrit. Le moyen, autrement ? Il m'a dit que vous seriez habillé comme un avocat et que vous étiez un peu timide. Vous reprenez un verre pour remplacer celui que je vous ai fait renverser ? Je prendrais bien quelque chose, moi aussi. »

Il alla porter le manteau de madame au vestiaire et, à son retour, trouva un Martini tout neuf qui l'attendait. Marty avait préféré un verre de vin blanc. Il n'arrivait pas à savoir si elle était d'une beauté peu commune ou simplement déconcertante.

« Vous vouliez voir de quoi j'avais l'air ? demanda-t-elle. Si je ne suis pas votre genre, pourquoi n'êtes-vous pas parti quand je suis entrée ?

– Je ne ferais jamais une chose pareille.

– Pourquoi ? Moi, si. Pourquoi est-ce que vous croyez que je suis arrivée en avance, moi aussi ? Je me sens toujours un peu idiote quand je dois rencontrer quelqu'un que je ne connais pas. Enfin, vous, je vous ai reconnu tout de suite. Et vous m'avez fait plutôt bon effet. Car je dois dire qu'avec tout ce que Frank m'a raconté sur vous, je me disais : " Ah ! la ! la ! je vais encore avoir droit au genre tombeur de ces dames. " Heureusement, quelqu'un d'aussi nerveux que vous ne saurait être un vil suborneur.

– Mais... je ne suis pas nerveux...

– Alors pourquoi avez-vous failli faire une syncope quand j'ai prononcé votre nom ?

– Vous m'avez surpris.

– De là à sauter au plafond, il y a une marge. Même si vous ne m'aviez jamais vue. Franchement, si ce n'est pas moi qui vous avais abordé, vous auriez pris vos jambes à votre cou, ou vous seriez tout de même resté ? »

Elle leva son verre et but une gorgée de vin. Ses yeux étaient si bleus que même le blanc paraissait bleuté. Sa robe noire lui allait à ravir et elle avait les sourcils très bien dessinés. Elle avait un charme exotique, mystérieux, malgré son ton brusque et ses manières directes. A sa grande surprise, Bunting devait convenir qu'elle était très séduisante. Toute nue, elle devait avoir la peau douce comme du satin, des seins faits pour la main.

« Je serais resté, évidemment.

– Pourquoi rougissez-vous ? Vous êtes rouge comme une pivoine. »

Il haussa les épaules, atrocement gêné, et prit son verre pour se donner une contenance, certain qu'elle avait deviné ses pensées.

« Vous n'êtes pas exactement tel que je l'imaginais, Bob, fit-elle observer.

– A vrai dire, vous êtes aussi assez différente de ce que je croyais », fut tout ce qu'il réussit à dire.

Incapable de la regarder, raide comme un piquet, il se demandait bien ce qui pouvait motiver l'hilarité bruyante de la foule massée au bar. Comment pouvait-on être aussi superficiel ? Comment pouvait-on dire autant d'âneries en aussi peu de temps ?

« Vous connaissez bien Frank et Lindy ? demanda-t-elle.

– Frank est un collègue de travail, précisa-t-il, les yeux toujours fixés sur l'insouciante assemblée du bar. On travaille dans le même bureau.

– Uniquement un collègue de travail ? Vous ne vous voyez pas en dehors ? »

Il secoua la tête.

« Vous savez que vous avez produit une très forte impression sur Frank ? demanda Marty. Il a l'air de croire... Bob, ça vous ennuierait de me regarder quand je vous parle ? Je n'aime pas causer à un mur.

– Excusez-moi, dit Bunting en se raclant la gorge.

– Il y a quelque chose qui ne va pas ? Ou bien alors c'est moi ? Je ne suis pas votre type ?

– Oh non ! Vous êtes très bien.

– Frank pense que vous êtes quelqu'un qui cache bien son jeu. Que vous seriez même un bourreau des cœurs. “ De grands crocs pointus, Marty, m'a-t-il dit. A mon avis, ce mec aime la chair fraîche. Méfie-toi de lui, Marty, il a de longs crocs pointus ! ” Vous savez comment il parle. En fait, il vous aime beaucoup. Et s'il est si dithyrambique à votre sujet, c'est que vous en valez la peine. Il aimerait bien se faire passer pour un salaud, mais en réalité, c'est un amour. »

Sirotant son verre à petites gorgées, Marty ne le quittait pas des yeux.

« Enfin, bref, je me suis faite toute belle et j'ai sauté dans le métro. Rien qu'à l'idée de manger dans un bon restaurant et d'aller ensuite quelque part, quitte à devoir repousser les avances enflammées d'un chevalier servant par trop entreprenant, je me faisais une fête de passer une soirée à Manhattan. Mais j'ai l'impression que ce n'est pas ce qui est prévu au programme. Vous ne fréquentez pas les clubs et les boîtes de nuit. Vous ne devez même pas sortir très souvent, n'est-ce pas ? »

Bunting se leva, sortit un billet de vingt dollars de sa poche – il rougissait tellement qu'il avait l'impression que ses oreilles avaient doublé de volume – et le posa sur la table.

« Excusez-moi, dit-il. Désolé de vous avoir fait perdre votre soirée.

– Du calme, voyons! dit Marty en lui prenant le poignet. Il ne faut pas réagir comme ça. Je voulais simplement dire que vous ne correspondez pas à l'image que je m'étais faite de vous. Allons, rasseyez-vous. Ne rentrez pas comme ça... »

Elle lui lâcha le poignet et Bunting consentit à se rasseoir. Le contact de ses doigts persista longtemps sur sa peau, sensation qui n'était pas sans lui procurer un certain émoi. Elle avait un beau visage, pâle et intelligent.

« ... dans votre coquille. Vous n'avez aucune raison d'avoir peur. Nous allons rester assis, tout simplement, et bavarder un moment. Ensuite, on pourrait aller manger quelque part. Ou même ici. D'accord ?

– Oui, répondit Bunting, amadoué. Restons assis et bavardons.

– Bien. Alors, dites quelque chose. »

Mais, dut-elle constater : à perche tendue, bouche cousue.

« Vous transpirez toujours autant ou c'est moi qui vous fais cet effet ?

– Euh... dit-il en s'essuyant le front. J'ai eu une semaine très difficile. Je réagis bizarrement, en ce moment. Je viens juste de rompre et...

– Oui, Frank me l'a dit. Moi aussi. C'est pourquoi cette idée de rendez-vous m'a plu quand il en a parlé. Mais je présume que vous avez envie de parler d'autre chose.

– Pas spécialement, dit Bunting.

– En général, les hommes aiment bien parler sports. En ce qui me concerne, je n'ai rien contre. Si, si, j'adore ça. Je suis une admiratrice acharnée des Yankees depuis des années. Le basket-ball est mon sport favori. Quel est votre joueur préféré ? Larry Bird, je parie. Oui, vous êtes du genre à aimer Larry Bird. Je ne sais pas pourquoi, mais ceux qui aiment Larry Bird ne peuvent pas souffrir Michael Jordan.

– Michael qui ?

– Bon, d'accord. Essayons le football. Phil Simms. Les Jets. Les Giants – incontournables. Lawrence Taylor.

– Je hais le football.

– Ah ! Alors qu'est-ce que vous diriez de la musique ? Quel genre aimez-vous ? Vous avez déjà entendu parler de *house music* ? »

Bunting imagina une maison telle qu'en dessinent les enfants, percée d'une fenêtre de chaque côté de la porte et secouant tous ses parpaings au rythme des notes qui s'échappaient par le tuyau d'une cheminée pointue.

« A la réflexion, je parie que vous êtes plutôt musique classique. Je vous vois très bien écouter de la grande musique, les pieds dans vos chaussons. Un bon Martini, un peu de Beethoven, et il n'y a plus qu'à se laisser emporter. J'aime bien un peu de musique classique, moi aussi, de temps en temps.

– Les gens s'intéressent trop au sport et à la musique, dit Bunting. Ils n'ont à la bouche que ce qu'ils ont vu à la télé, que ce soit la coupe, le championnat ou le dernier tube en vogue. On dirait qu'il n'y a rien d'autre qui compte.

– Si, tout de même. L'argent.

– Vous avez raison, les gens accordent également beaucoup trop d'importance à l'argent.

– Alors, à quoi doit-on en accorder ? »

Bunting considéra sa voisine attentivement, pour l'instant complètement libéré de sa gêne et de sa timidité. Il lui semblait avoir la réponse sur le bout de la langue.

« Eh bien... commença-t-il en levant les mains comme s'il voyait la réponse lui passer sous le nez, à des choses plus importantes...

– ... que le sport, la télé ou la musique. Sans parler de l'argent.

– Oui. Tout ça n'en vaut pas le coup. Ça n'a même strictement aucune importance, quand on y réfléchit bien.

– Alors, qu'est-ce qui en a ? demanda Marty, les fentes rétrécies de ses yeux dardées sur lui derrière ses grosses lunettes. Je meurs d'envie de le savoir.

– Eh bien... la seule richesse est en nous.

– En nous ? Qu'est-ce que vous voulez dire ?

– Que d'une certaine manière, répondit Bunting en levant une nouvelle fois les bras, Dieu est en chacun de nous. »

La phrase lui était venue aux lèvres sans qu'il eût conscience de l'avoir formulée et elle le surprit autant qu'elle étonna Marty.

« Il y a une étincelle divine en chacun de nous. Ainsi que dans tout ce qui nous entoure. »

Il avait fini par trouver les mots qu'il cherchait.

« Dieu est ce qui nous permet de voir au-delà des apparences.

– Tiens, tiens, un esprit religieux.

– Non. Ça peut vous paraître curieux, mais je ne suis pas du tout religieux. Ça fait vingt-cinq ans que je n'ai pas mis les pieds dans une église. »

Il s'interrompit pour se frotter les yeux et, pendant un moment, son regard eut l'expression un peu égarée d'un myope qui vient d'ôter ses lunettes.

« Vous marchez dans la rue, poursuivit-il, avide d'illustrer son propos. Vous vous rendez à votre travail, vos petits soucis en tête, que ce soit votre loyer qui vient encore d'augmenter ou votre augmentation qui ne vient toujours pas. Vous êtes en plein dans le quotidien. Puis il se passe quelque chose, une voiture qui ne veut pas démarrer ou une femme à la voix magnifique qui se met à chanter, et vous voyez soudain le monde tel qu'il est. Vous vous rendez alors compte que tout, absolument tout, est vivant. Le monde n'est qu'un seul grand organisme palpitant de vie. Tout est vivant, chaque caillou, chaque brin d'herbe, chaque grain de poussière, chaque goutte de pluie, et même les phares ou les essuie-glaces de votre voiture. Brusquement, c'est comme si vous aviez des ailes. Comme si vous étiez passé dans un autre monde. Ailleurs. Comme si vous aviez complètement changé d'existence. Extérieurement, vous êtes toujours le même, vous n'avez pas changé de plan d'existence ou atteint d'autres états de conscience, non, vous êtes vivant, tout simplement. Tout se révèle à vous, chaque détail s'éclaire d'une lumière nouvelle... »

Bunting se tut, au bord des larmes.

« Évidemment, à vous entendre, une victoire en finale sur Los Angeles paraît bien ridicule.

– Mais cette rencontre fait partie de tout ce que j'essaie de vous expliquer, rétorqua Bunting, frappé que la justesse d'une telle pensée ne lui fût pas encore apparue. Nous deux, assis là l'un en face de l'autre, en faisons également partie. Tout ce que nous disons, les paroles que nous échangeons, tout ça en fait aussi partie. Si les prêtres étaient vraiment ce qu'ils sont censés être, ils ne resteraient pas cloîtrés dans leurs églises, mais viendraient au-devant des gens. " Regardez, diraient-ils. Regardez cette beauté, cette lumière ineffable qui baigne toutes choses, voilà où réside le sacré. " Mais vous savez ce qu'ils disent ? demanda Bunting en rapprochant sa chaise et en avalant une longue gorgée de Martini. Certains ont peut-être entrevu la vérité, mais, au lieu de ça, ils disent presque tous exactement l'opposé. Les religions ont toutes le même langage. Le monde est chose vile et haïssable ; il faut s'en détourner. Chaque jour, des dizaines de bons apôtres ne cessent de nous seriner aux oreilles qu'il faut verser son sang, qu'il faut se sacrifier. Nous nous croyons évolués, mais nous ne sommes que des sauvages en train de danser autour d'un feu. Sacrifie cet enfant, égorge cet agneau. Le corps n'est que péché et le monde est mauvais. Méprise la vie ici-bas et tu gagneras le Ciel. Les gens finissent par croire dur comme fer à de telles inepties; ils en deviennent malades et cessent de penser par eux-mêmes. Puis ils meurent et quittent le monde sans avoir vécu.

– Eh bien, maintenant, dit Marty, sidérée par un tel discours, je comprends pourquoi vous avez fait une telle impression sur Frank. Il peut parler comme ça pendant des heures. Vous ne devez pas vous embêter, au boulot.

– On ne parle jamais de ça, au travail. C'est d'ailleurs la première fois que j'en parle à quelqu'un. »

Il était assis à une table en compagnie d'une jolie femme. Il était dans le monde et s'amusait, comme tout homme qui devise gaiement avec la femme avec laquelle il a rendez-vous. Il n'était pas différent des autres, là-bas près du bar. Il se demanda s'il devait parler des biberons.

« Vous ne parliez pas comme ça, avec votre amie ? »

Bunting secoua la tête.

« Elle était obnubilée par sa carrière. Elle m'aurait pris pour un fou.

– C'est ce que je pense aussi, dit Marty, mais ce n'est pas pour me déplaire. Frank est fou, lui aussi, à sa manière, et, entre autres choses plus anodines, mon ex était fou de doo-wop. Johnny Maestro, vous connaissez ? Il était dingue de Johnny Maestro et pensait qu'il n'y avait pas meilleur que lui.

– Je suppose que oui, dit Bunting, mais pas plus que n'importe quoi d'autre.

– Où avez-vous appris tout ça ? Dans les livres ? Vous devez lire beaucoup. »

Muet de surprise, Bunting se jeta sur son verre en secouant sa main libre, voulant par là faire comprendre à sa compagne qu'elle n'avait pas tout à fait saisi le fond de sa pensée, mais qu'il avait beaucoup de choses à dire aussi sur ce sujet.

« Les livres ? déclara-t-il. Vous n'allez jamais croire ce qui m'arr... »

D'un sourire, Marty l'engagea à poursuivre.

« ... Songez à ce qu'est réellement la lecture d'un livre. Un roman. Imaginez-vous en train de lire un roman. Que se passe-t-il, quand vous posez les yeux sur la première page ? Vous pénétrez dans un autre monde, d'accord ? Un monde créé par quelqu'un qui en a choisi tous les détails. Et alors vous n'êtes plus chez vous, allongé dans votre lit, mais sur une route à flanc de montagne, à dos de cheval. Vous vous trouvez quelque part, ailleurs. Vous avancez dans un paysage qui est en partie ce que l'auteur a bien voulu mettre sur sa page et en partie ce que vous en faites avec votre propre imagination. Rien n'est là par hasard, il y a une raison derrière toutes choses, tout a été choisi. Les bruits, les sons, les odeurs, les couleurs, les événements, les pensées des personnages et les vôtres, tout a été étudié, prévu pour vous amener à une conclusion bien précise. Vous voyez ? Tout s'éclaire. Avec la peinture, c'est pareil, vous ne croyez pas ? Dans un tableau aussi chaque détail est inscrit dans un plan d'ensemble. En définitive, si l'auteur connaît son métier, peindre ou décrire une branche d'arbre, une maison, n'importe quoi, c'est en fait dire : “ Moi, à mon avis, voilà de quoi il retourne. A présent, à vous de voir ”, conclut Bunting en levant les bras en l'air, tel le maestro sollicitant son orchestre.

– Vous n'avez jamais pensé à devenir professeur ? demanda Marty. Dieu, quelle fougue, quel enthousiasme. Je suis sûre que vous étiez promis à un brillant avenir dans l'enseignement.

– Je voudrais juste vous dire une chose, dit Bunting en portant les mains à son cœur. Ce soir est la plus belle soirée de ma vie. Jamais je ne me suis senti aussi bien. En tout cas, pas depuis mon enfance, lorsque j'avais trois ou quatre ans. Je me sens merveilleusement détendu.

– Oui, vous n'êtes plus aussi nerveux que tout à l'heure, dit Marty. Mais je maintiens que vous êtes un esprit religieux.

– Je n'ai encore jamais entendu parler d'une religion qui professerait des idées telles que celles que je viens de vous exposer. Si vous en connaissez une, dites-moi laquelle ; je me convertis tout de suite. Mais, je vois mal une religion dire : “ Fuyez les églises, restez dehors à l'air libre. Réveillez-vous, ouvrez les yeux. Les églises, la croix, tout cela n'a d'utilité que pour vous rappeler ce qui est vraiment sacré. ”

– Vous êtes vraiment un drôle d'oiseau, dit Marty en riant. On peut dire que vous et Frank, vous faites la paire, tous les deux. Vous devez semer une de ces paniques, au bureau.

– Parfois. »

Un instant, Bunting s'imagina, les coudes passés par-dessus la cloison mitoyenne, plongé dans une grande conversation avec cet ours mal léché de Frank Herko. Il lui parlait comme il parlait à Marty en ce moment ; Frank n'était pas à court d'arguments non plus ; souvent la discussion se prolongeait après le travail, chez l'un ou chez l'autre, ou dans un bar, au restaurant. La vie n'était pas compliquée quand on avait des amis. Le soir, il appelait souvent Frank. Il n'était pas rare que celui-ci lui dise : “ Passe donc prendre un verre. Amène Marty, on ira dîner quelque part. ”

« Vous ressemblez beaucoup à Frank, vous savez. Vous adorez la provocation, vous aussi, hein ? Je ne m'attendais pas du tout à ça en arrivant. Ce n'est pas que vous ne me plaisiez pas, ou que je ne vous trouvais pas intéressant, mais, pour ne rien vous cacher, je m'attendais à trouver la soirée un peu longue. Vous ne m'en voulez pas, au moins, de vous avoir parlé franchement ? Vous connaissant maintenant comme je vous connais, je sais que vous ne le prendrez pas mal. Je n'avais encore jamais entendu quelqu'un parler comme vous. Même pas Frank. Ce que vous dites n'a peut-être ni queue ni tête, mais c'est fascinant. »

Personne n'avait encore jamais dit à Bunting qu'il était fascinant, en particulier une jeune femme aux magnifiques yeux bleus et aux cheveux d'un noir de jais. Une jeune femme, qui plus est – et ce fut là un des moments les plus exaltants de sa vie –, qu'il était presque sûr de pouvoir ramener chez lui.

Enfin chez lui... Il avait oublié ses récents travaux d'embellissement.

« Ne recommencez pas à rougir, dit Marty. C'était un compliment. Vous êtes quelqu'un de très intéressant, je vous assure, même si vous ne semblez pas vous en rendre compte. »

Elle tendit la main par-dessus la table et la posa doucement sur la sienne.

« Pourquoi ne pas finir nos verres et passer à table ? Nous sommes vendredi soir; pas besoin de se lever tôt demain matin pour aller travailler. Nous avons toute la nuit devant nous. »

Les doigts fuselés et frais de Marty semblaient aussi lourds et froids qu'une enclume sur ceux de Bunting. Aussi gêné qu'un collégien, il retira vivement sa main. Rien ne vint altérer le sourire de Marty, mais une ombre passa dans ses yeux.

« Mince, j'allais oublier, dit Bunting. Je ne sais pas où j'ai la tête, en ce moment. Où donc est le téléphone, par ici ? dit-il en balayant la salle du regard.

– Vous devez appeler quelqu'un ?

– C'est urgent, oui. Désolé. Je ne sais pas ce que je me ferais, quand je me vois agir comme ça... »

Bunting s'essuya le visage, repoussa sa chaise, se leva et, le pas mal assuré, gagna maladroitement le bar.

« Comme quoi ? » demanda Marty.

Mais il avait déjà disparu parmi les clients.

La cabine téléphonique était située juste à côté des toilettes des hommes. Bunting sortit toute sa monnaie, en fit une pile, composa l'indicatif de Battle Creek, puis le numéro de ses parents, et, le dos tourné au bar et la main sur l'oreille pour essayer de chasser le brouhaha des conversations, glissa presque toutes ses pièces dans la fente. Apparemment, personne n'était pressé de répondre.

C'est finalement sa mère qui prit la communication.

« Maman ? Comment vas-tu ? Comment ça va ?

– Oui, qui est-ce ?

– C'est moi. Bobby !

– Bobby n'est pas là.

– Mais c'est moi, voyons ! Comment te sens-tu ?

– Bien. Pourquoi, je devrais me sentir mal ?

– As-tu vu le docteur, aujourd'hui ?

– Pourquoi, je devais ? demanda sa mère d'un ton sec, cassant. Pour quoi faire, grands dieux ? Étant donné l'avarice forcenée de ton vieux grigou de père, je me demande bien comment il pourrait me venir de pareilles idées !

– Mais... tu n'avais pas rendez-vous ?

– Moi ?

– Je croyais... » dit Bunting.

Il y avait quelque chose qui lui échappait.

« Et puis même que j'aurais eu un rendez-vous ? On n'est pas en Russie, que je sache ! Ton père me prive de tout, je n'ai pas le droit de toucher à l'argent. J'ai fait semblant d'y aller, mais je suis juste restée assise dans la voiture, c'est tout. Il fait tout pour m'humilier ; ça fait trente-sept ans qu'il me traite comme un chien.

– Il n'est pas venu avec toi ?

– Bien sûr que non, puisque je te dis qu'il n'y avait pas de rendez-vous. Bon, au bout d'un moment, je suis rentrée en essayant de garder Kellog's et le sanatorium en vue, mais, va te faire voir, je me suis complètement perdue. J'ai continué à rouler au hasard et puis pouf, tout d'un coup, je me suis retrouvée au bout de la rue.

– Tu t'es perdue en rentrant à la maison ? »

Il faisait une chaleur véritablement infernale.

« Ah ! arrête de parler de ça, tu veux ? Tu ne vas pas t'y mettre, toi aussi, il y a assez de ton père. Parle-moi plutôt de cette jeune fille que tu fréquentes. Veronica. Il faut que tu l'amènes à la maison ; nous voulons absolument la connaître.

– Veronica ? Mais c'est fini, entre nous, dit Bunting. Tu n'as donc pas lu ma lettre ?

– Tu es bien comme ton vieux tyran de père, va ! Une brute, voilà ce que c'est. Il a toujours été brutal, toute sa vie. Parfaitement, une brute ! une brute ! une brute ! Il passe son temps à dire le contraire de ce que je dis, rien que pour m'embrouiller les idées, et pique une crise chaque fois que je veux faire un peu de lessive. Ça fait trente ans que je lui sers de souffre-douleur... »

Pendant un moment, Bunting n'entendit plus que le bruit d'une respiration rauque sur la ligne.

« Maman ?

– Écoutez, monsieur, je ne sais pas qui vous êtes, mais cessez de m'importuner comme ça ! »

Déclaration qui fut suivie par des cris, poussés par son père en arrière-fond, et par une exclamation, proférée par sa mère :

« Ah ! merde, à la fin ! Fous-moi la paix ! »

Puis Bunting entendit un cri de surprise indignée.

« Allo ? s'écria-t-il. Qu'est-ce qui se passe ? »

Il n'y avait plus rien sur la ligne ; les seuls bruits qui lui parvenaient étaient les clameurs et les rires du bar. Son père avait dû mettre la main sur le récepteur, ce qui voulait vraisemblablement dire que la discussion était houleuse.

« On me cause ! aboya Bunting pour l'édification des sans-gêne rassemblés au bar. J'aimerais bien entendre ce qu'on me dit ! »

Le silence se fit comme par magie. S'il l'avait pu, Bunting se serait caché dans un trou.

« Oui ? demanda son père. Qui est à l'appareil ?

– Bob. Bobby.

– Je te jure que tu ne manques pas d'air ; c'est bien de toi, ça, d'appeler quand ça te chante. Tu te fous complètement des problèmes des autres, hein ? Écoute, je sais que tu es un garçon sensible et tout ça, mais je t'assure que ce n'est pas le moment de venir nous emmerder avec tes histoires de cul. Ça met ta mère dans tous ses états, et Dieu sait si elle est déjà assez énervée comme ça, crois-moi », dit son père avant de raccrocher.

Bunting reposa le combiné, ne sachant trop ce qui se passait à Battle Creek. Aussi incroyable que cela pût paraître, sa mère avait oublié qui il était pendant une bonne partie de la conversation. Comme un automate, il se fraya un chemin parmi les clients du bar et regagna le restaurant, guetté par le regard intrigué d'une jeune femme au visage rond encadré de cheveux bruns assise à l'autre bout de la salle près de l'entrée. Il lui fallut un moment pour se rappeler son nom. Il voulut sourire, mais ses lèvres refusèrent de bouger.

« Que se passe-t-il ? demanda Marty.

– Eh bien... Je ne peux pas... En fait, je suis obligé de partir. »

Le visage de Marty se ferma comme un poing et son sourire se changea en un rictus de dépit.

« Tout allait bien, vous passez un coup de fil, et ça y est, terminé ? »

Bunting haussa les épaules et baissa les yeux vers les pointes de ses chaussures.

« C'est un problème personnel. Je ne peux vraiment pas vous expliquer, mais... hum...

– *Mais... hum ?* Qu'est-ce que vous avez ? A vous entendre, c'était la plus belle soirée de votre vie. Oooh... mais je crois que j'ai deviné. Vous... vous prenez la poudre d'escampette, c'est ça ? Vous ne pouvez même plus passer une soirée en tête-à-tête avec quelqu'un, hein, il vous faut votre piqûre. Tout ce que vous avez dit, tout ce que vous... enfin tous ces beaux discours, c'était uniquement dû à cette saloperie que vous prenez. Vous me faites pitié, tenez.

– Je ne vois pas de quoi vous voulez parler, dit Bunting, ne sachant pas comment se sortir du pétrin.

– Je les connais, vous savez, les pauvres types de votre acabit, cracha Marty, les yeux flamboyants. J'ai été à bonne école, si je puis dire, ajouta-t-elle en tendant la main vers son ticket de vestiaire. Des zombies dans votre genre, incapables d'entretenir la moindre relation avec les autres, je connais, du moins j'ai eu le malheur d'en rencontrer un, mais je croyais avoir eu droit à tout après avoir dû supporter un homme qui passait la moitié de la nuit dans la salle de bains et l'autre à téléphoner à toute la ville. S'il y a une chose que je n'ai pas envie de revivre, c'est bien ça. Je m'en vais ! » jeta-t-elle en enfilant son manteau.

Tout le monde les regardait.

« Vous vous faites de fausses idées, je vous assure, dit Bunting.

– Ça va ! le coupa Marty en finissant de boutonner son manteau, le visage pâle comme le marbre, la bouche rouge comme le sang. La prochaine fois, tâchez de trouver mieux. »

Elle tourna les talons, passa devant le chef de rang, poussa la porte et disparut dans la nuit. Une bouffée d'air froid pénétra dans la salle.

Quand Bunting régla leurs consommations, la serveuse lui rendit sa monnaie en évitant de le regarder dans les yeux. Un silence artificiel planait sur le bar. Bunting revêtit son manteau et s'en alla, l'âme en peine et ne sachant où aller. Il n'avait plus faim. Il remonta le col de son manteau et, campé au bord du trottoir, regarda les voitures passer rapidement sur l'avenue. A quelque distance de là, sur sa gauche, l'artère se terminait devant une arche massive surmontant l'entrée d'un parc. Il n'avait aucune idée de l'endroit où il était. Cela n'avait pas d'importance, tous les endroits se valaient ; regardant les voitures qui ne cessaient de surgir de la nuit, il réalisa tout à coup qu'il était à Battle Creek, dans le Michigan. En plein centre-ville, loin chez lui.

10

Jésus est monté aux Cieux les mains et les pieds percés par les clous. Fouaillé dans sa chair et mis en croix, il a abreuvé la terre du calvaire de son sang. Lorsqu'il a roulé la pierre hors de son tombeau, il a laissé l'empreinte de ses mains gravées sur le rocher.

« Alors comme ça, dit Jésus, on a des doutes ? Eh bien, zyeute-moi donc un peu ça, mon pote, ajouta-t-il en ouvrant son linceul pour lui montrer l'horrible plaie qui lui déchirait le flanc. Vas-y, mec, fourre ta main dedans. Allez, n'aie pas peur, mets-y carrément les pognes. T'en crois pas tes quinquets, hein ? Ça y est, t'es dedans ? Je t'avais bien dit que c'était pas du chiqué ! »

Les pieds pleins de sang, Jésus laissait des traces partout sur le trottoir, invisibles aux yeux des imbéciles qui n'avaient jamais connu que des blessures d'orgueil et jamais blessé personne autrement qu'avec des insultes. Une lueur de folie dans les yeux, il appliqua la paume contre la façade d'une petite maison ; du sang dégoulina sur la peinture écaillée. Saint, saint, saint, trois fois saint. Sainte était l'empreinte de sa main sur la peinture craquelée.

« Arrache-toi de là, pauvre mec ! dit Jésus. C'est pas la peine d'essayer, t'y arriverais pas. C'est trop fort pour toi, des trucs comme ça. Remarque, t'es loin d'être le seul, alors fais pas cette tronche. Rentre chez toi et tente plutôt le coup avec un bouquin.

Je sais, c'est un peu cucul la praline, mais que veux-tu, quand on est con...

Laissez venir à moi les petits enfants, laissez venir à moi les miséreux, ben voyons! T'imagines un peu le bordel que ça peut être, mec? »

Marmonnant toujours dans sa barbe, son linceul fouetté par l'aigre bise qui soufflait ce soir-là, Jésus tourna au coin de la rue, laissant une traînée sanglante sur le trottoir. Partout des petits pavillons, tous semblables, d'une cité ouvrière, de vieilles et laides maisons à la façade de briques ou de papier goudronné qui gondolait aux encoignures des fenêtres, presque toutes flanquées d'une véranda où des salons de jardin faméliques achevaient lentement de rouiller sur pied, avec parfois un petit jardin agrémenté d'une piscine à oiseaux ou d'une châsse mariale. C'est devant une de ces tristes maisons d'un étage que ses parents avaient un jour posé pour la seule photo où ils figuraient ensemble, comme s'ils avaient voulu fixer à jamais sur la pellicule le double visage de la haine et de la discorde. Sous le bord de son chapeau, son père faisait une tête d'enterrement; sa mère semblait recroquevillée sur elle-même. Saint, saint, saint, trois fois saint. Heureux les perdants au jeu, heureux les malchanceux en amour. Il était dans la rue qui l'avait vu naître, dernier carré où subsistait encore un peu de vie en ce bas monde. L'empreinte ensanglantée de la paume de Jésus brillait sur la peinture gercée de la façade, encore plus laide sous la morsure de l'hiver. C'était entre ces murs qu'il avait passé son enfance, une enfance médiocre, sordide, qui semblait devoir maintenant le rattraper.

Figé devant la maison délabrée où il était venu au monde, Bunting entendit filtrer à travers les cloisons minces comme des feuilles de papier à cigarette les mêmes éclats de voix, les mêmes cris de douleur ou grognements de plaisir qu'autrefois. Il avait bouclé la boucle. Son enfance avait fini par le rejoindre et avait posé sur lui sa main froide et glacée. Pour rien au monde il n'aurait voulu revivre cette période, pas même une heure, mais c'était une tranche de sa vie qu'il lui était cependant impossible de gommer.

Il se détourna de la maison et constata qu'il avait quitté Battle Creek et laissé Washington Square loin derrière lui. De l'autre côté de l'avenue, seulement séparé de lui par un cordon serré de véhicules bruyants et malodorants, s'élevait son immeuble. Son appartement. Il était de retour chez lui.

11

Bunting passa un week-end sinistre. C'est à peine s'il posa le pied par terre, ne songeant à manger que lorsque la nuit tombait. Il était si fatigué qu'il avait du mal à se traîner jusqu'à la salle de bains et à garder les yeux ouverts devant la télévision, tellement les programmes semblaient n'avoir ni queue ni tête. La même émission semblait passer sur toutes les chaînes, découpée en séquences décousues dont seul le côté disparate rendait la vision supportable.

Le dimanche soir, en se grattant la joue, il se rendit compte qu'il ne s'était ni lavé ni rasé depuis la soirée du vendredi. Il se débarrassa des vêtements qu'il portait depuis le samedi matin, prit une douche, se rasa, enfila un pantalon gris et une veste de sport, mit son manteau et, sous l'air vif et piquant de l'hiver, alla jusqu'au coin de la rue dîner à son snack habituel. Le patron assis derrière sa caisse et le garçon planté derrière son bar le traitèrent normalement. Il choisit quelque chose au hasard sur la carte pléthorique, mangea sa pitance sans même en remarquer le goût et l'oublia aussitôt avalée. Lorsqu'il ressortit dehors dans le froid, il se dit qu'il pouvait peut-être en profiter pour acheter quelques biberons supplémentaires. Il fallait qu'il termine le mur qu'il avait commencé et il n'aurait pas été mauvais non plus qu'il s'attaque au deuxième. Ce n'était pas vraiment une obligation, non, mais plutôt l'envie de finir un projet depuis longtemps en chantier. Bunting avait toujours aimé aller jusqu'au bout de ses idées. Sans compter qu'il n'y avait pas que les murs; il avait des dizaines d'idées en tête.

Il fit halte à sa banque et retira trois cents dollars, n'en laissant que cinq cents et des poussières sur son compte. Au drugstore, il frappa un grand coup : douze douzaines de biberons et douze douzaines de tétines, le tout livré à domicile, s'il vous plaît. Sa philosophie à l'égard des biberons, l'optique selon laquelle il envisageait désormais son activité de décoration, avaient radicalement changé. Ému, il se rappelait la fièvre de ses premiers achats, sa gêne et sa timidité, l'envie torturante qui le dévorait. Il supposait que l'état d'abattement qui était maintenant le sien était une version insipide de ce que la plupart des gens devaient normalement ressentir. Ce devait être ce qu'on appelait la santé mentale, ce qui vous envahit quand vous avez perdu toute énergie pour faire quoi que ce soit d'autre.

S'il fallait penser au contenant, il ne fallait pas non plus négliger le contenu; Bunting s'arrêta à sa cave habituelle et fit l'emplette de deux litres de vodka et d'une bouteille de cognac.

Sur le trottoir, saisi par le froid, il prit soudain conscience que Veronica n'avait jamais existé. Bien sûr, à un certain niveau, il avait toujours su que son helvétique directrice des produits et méthodes n'était que pure invention, mais il lui semblait qu'il n'avait jamais vraiment voulu l'admettre. Il y avait si longtemps qu'il vivait avec cette illusion qu'il avait fini par oublier que l'existence de Veronica n'avait à l'origine d'autre but que le désir de s'éviter la corvée du pèlerinage rituel à Battle Creek.

Au lieu de cela, c'était Battle Creek qui était venue à lui, deux nuits plus tôt. *Laissez venir à moi les petits enfants, laissez venir les miséreux.* En quelques phrases bien senties, le Jésus mal luné lui avait fait toucher du doigt la réalité. Ce monde terne et anémié était tout ce qui restait du Royaume de Son Père quand il avait précipitamment regagné Son tombeau et roulé la pierre pour en sceller l'entrée.

Bunting passa devant les déjections picturales de Bango Skank et de Jeepy et se glissa dans son appartement. Il se remplit un Babydoux de vodka, alluma la télévision – il en sortit un jargon incompréhensible, une langue assassinée à force de négligence et de je-m'en-foutisme, un discours dont les gens se gavaient tous les jours à travers tout le pays sans rien y trouver à redire – et regarda un moment ce qui se passait sur l'écran, essayant d'y trouver au moins un embryon de sens. Scènes de poursuite dans un escalier. Deux hommes qui se battent. Un blond, qui expédie son poing sur le visage d'un brun ; celui-ci, pourtant plus grand et plus fort, tombe et roule jusqu'en bas des marches. Éclair d'une voiture qui s'éloigne rapidement sur une autoroute.

Bunting soupira, éteignit l'appareil, se fraya un chemin jusqu'à son lit entre les piles de magazines et de journaux et s'empara de *La dame du lac*. Il se demanda si le coup de sonnette du livreur serait suffisant pour le ramener du Los Angeles d'il y avait un demi-siècle, mais, sentiment qui n'était pas sans le remplir d'un morne désespoir, doutait malheureusement d'avoir besoin d'être arraché à sa lecture. Il était normal, à présent ; ou, si le terme ne convenait pas tout à fait, entretenait avec le monde le même genre de rapports que ceux qu'il avait connus avant que tout se mette à basculer.

Retenant sa respiration, il ouvrit le livre au hasard et posa les yeux sur les lignes imprimées ; les mots restèrent bien à plat sur la page. Il soupira et s'assit sur le bord de son lit pour lire un peu en attendant le livreur.

C'était un autre livre – les détails étaient les mêmes, mais l'essentiel différait. Chris Lavery était apparemment toujours vivant. Le corps de Muriel Chess avait été retrouvé dans Little Fawn Lake, pas dans le bac à douche du chalet de Puma Lake. Crystal Kingsley était la femme de Derace Kingsley, pas sa mère. L'atmosphère de la ville, la couleur des paysages, l'épaisseur des personnages, les dialogues, tout se mettait péniblement en place, une phrase après l'autre. Un tel mode de lecture signifiait qu'il avait perdu la capacité, ô combien brièvement et mystérieusement acquise, de plonger au cœur de l'intrigue. Quand la sonnette retentit, il reposa le livre avec soulagement et passa le reste de la nuit à coller des biberons.

Le lendemain matin, lundi, les yeux sortis de la tête, le front encore rouge de froid, Frank Herko fit irruption dans son box sans même passer par le sien. L'électricité statique lui avait mitonné une coupe de cheveux qui aurait fait pâlir d'envie la moitié des stylistes de la ville. La recette était simple : vous vous coiffez avec un pétard et, une fois les crins convenablement ébouriffés, vous terminez avec un petit coup de laque.

« Qu'est-ce que c'est que ce bordel ? » aboya-t-il aussitôt entré.

Dans la salle de saisie, tout le monde avait déjà levé le nez de son clavier.

« De quoi veux-tu parler ? »

Les lèvres retroussées, les yeux exorbités, Herko enleva sa parka mais, au lieu de la pendre au crochet, geste qui surprit Bunting, la jeta rageusement par terre.

« Je vais essayer de t'expliquer, dit-il en chuchotant presque, s'efforçant de rester calme. Mon amie Lindy a une amie, vois-tu. Une amie qui s'appelle Marty. Une amie qu'elle aime bien, qu'elle aime beaucoup. On peut même dire que Marty et Lindy sont des amies très proches. Ce qui signifie que tout ce qui touche Marty, touche aussi Lindy. De sorte que tout ce qui fait du mal à Marty – à laquelle je tiens également beaucoup, même si je la connais naturellement moins bien que Lindy –, fait du mal à Lindy, et, par voie de conséquence, me fait aussi du mal à moi. Alors, quand Marty tombe sur un fumier et vient pleurer sur les épaules de son amie Lindy Berman et de l'ami de son amie Lindy Berman, Frank Herko ici présent, eh bien ça lui fout les boules, à Frank Herko ! Ça lui donne envie de cogner ! Ça commence à se mettre en place, dans ta petite tête ? Tu commences à piger pourquoi je voudrais savoir ce qui t'a pris vendredi soir ? »

Les poings sur les hanches, furieux, Herko secoua la tête et tendit un bras vers le ciel, comme pour le prendre à témoin du triste sire qu'était Bunting.

« Ça n'a pas marché, c'est tout, dit Bunting.

– Ah ! vraiment ? Ça t'ennuierait d'être un peu moins avare de détails ? »

Bunting aurait bien été incapable de dire pourquoi la rencontre avait capoté.

« Ma mère n'a pas été à son rendez-vous chez le médecin, fit-il observer.

– Ta mère... lâcha Herko, les yeux ronds. Je ne vois pas le rapport. Écoute, tu avais rendez-vous avec une jolie fille, la soirée s'annonçait bien, et quand je te demande pourquoi tu as tout bousillé, tout ce que tu trouves à me dire, c'est que ta mère n'a pas été voir son toubib ?!

– Je suis désolé, dit Bunting. Je ne suis pas vraiment en forme, en ce moment. Et puis arrête de crier comme ça, je ne sais plus où j'en suis. J'aimerais aussi que tu me laisses seul.

– Là, mec, tu as mis dans le mille ! C'est exactement ce que je vais faire. Tout seul, que tu vas rester. Mais avant, laisse-moi te mettre une bonne fois les points sur les *i*, connard ! »

Découvrant soudain sa parka qui traînait par terre et semblant croire un instant qu'elle s'était décrochée toute seule, Herko la ramassa, la plia en deux avec ostentation et la coinça au creux de son coude. C'était grotesque, songeait Bunting ; on aurait dit une mauvaise imitation de son père. Ce soudain assaut de bonnes manières était l'une des armes favorites de son géniteur, expert en matière de sarcasme. Herko lui avait sans doute fait penser à son père dès le début; il ne s'en était encore simplement jamais rendu compte.

« Primo, dit Frank, je croyais que tu étais capable de te conduire en homme, mais, apparemment, je me suis trompé. Un homme respecte ses amis; il n'agit pas comme un imbécile et ne fait pas non plus passer ses amis pour des imbéciles. Secundo, un homme ne s'enfuit pas devant une femme; il ne la laisse pas tomber en plein restaurant. Un homme agit en *homme*, bon Dieu de merde; il se comporte comme on attend qu'un homme se comporte! Tertio, Marty a cru que tu te droguais: qu'est-ce que tu as à dire là-dessus?

– Ce n'est pas moi qui suis parti, dit Bunting, c'est elle!

– Elle t'a pris pour un camé! beugla Herko. Elle a cru que je l'avais jetée dans les pattes d'un malade, d'un cocaïnomane! Juste après avoir rompu avec un mec qui s'est envoyé sa bagnole, sa baraque et son restau dans les trous de nez! C'est... c'est dégueulasse! Répugnant! »

Bunting se leva et attrapa son manteau. Son cœur allait exploser s'il restait ici une minute de plus. Herko lui faisait l'effet d'être un géant de plus de trois mètres de haut; chaque fois que sa poitrine se soulevait, il aspirait tout l'air du box; ses hurlements lui cassaient les oreilles. Bunting boutonna son manteau; il en avait sa claque et voulait rentrer chez lui.

« Mais où est-ce que tu vas, bordel? cria Herko. Tu ne peux pas t'en aller comme ça! »

Incapable de répondre, presque incapable de distinguer quoi que ce fût dans le brouillard rouge qui dansait devant ses yeux, Bunting quitta précipitamment la salle de saisie et se rua vers l'ascenseur.

Une fois dehors, il se sentit un peu mieux, opinion que n'eut cependant pas l'air de partager la femme placée à côté de lui dans l'autobus.

Il avait encore les hurlements et les reproches de Frank Herko dans les oreilles. Le monde appartenait à des gens tels que Frank et son père; les autres devaient se contenter des miettes.

Bunting descendit du bus et se rendit compte qu'il parlait tout seul en surprenant son reflet dans la vitrine d'un magasin. Il rougit, affreusement gêné, mais il n'y avait personne à proximité.

Il lui était maintenant impossible de retourner travailler. Il ne pourrait plus jamais regarder Herko en face, Herko ou tous ceux qui avaient entendu les terribles accusations que cet ignoble salaud avait proférées contre lui. C'était fini. Terminé. Comme l'épisode Veronica.

Il était très différent de l'homme qu'il croyait être, même s'il n'aurait su dire s'il était pire ou meilleur. A une certaine époque, il se serait immédiatement mis à la recherche d'un nouvel emploi, mais aujourd'hui, tout ce qu'il voulait, c'était rentrer chez lui et lire un bouquin en sirotant quelque chose.

Quand il glissa sa clef dans la serrure, il était à peu près remis de ses émotions. Les récriminations de Frank Herko n'étaient plus qu'un lointain bruit de fond. Il décida de s'accorder une petite semaine de congés pour prendre le temps de réfléchir à tout ce qui s'était passé durant les jours précédents. Ensuite, seulement, il chercherait du travail. Une semaine, du lundi au lundi, c'était parfait. Il suspendit son manteau et se remplit un Babydoux de vodka ; poussant un soupir de satisfaction, il se laissa tomber sur le lit défait et posa la tête sur l'oreiller.

Pendant un moment, il se contenta de sucer béatement son biberon et de laisser le matelas épouser la forme de son corps. Dans une semaine, il se lèverait, se raserait, mettrait des vêtements propres et se mettrait en quête d'une nouvelle place. Il ne se faisait pas de souci : il se retrouverait bien assez tôt devant un terminal à taper éternellement les mêmes conneries. Bientôt, il ferait connaissance d'une autre Veronica, d'une autre Carol, une Anglaise, une Texane ou une Cubaine, enfin une belle et fringante jeune personne fraîche émoulue d'une quelconque grande école de commerce à qui la Citibank aurait fait des ponts d'or. La vie reprendrait son cours comme avant ; ce serait la mort, mais ce serait parfait. Ce serait même parfois agréable.

Ses lèvres mordirent la tétine et, surpris, Bunting constata que le Babydoux était vide. Se considérant en congé sabbatique, il roula hors du lit et, prenant garde de ne rien renverser, répara bien vite ce regrettable état de fait. Il n'y avait pas mieux que la vodka pour vous aider à passer les périodes difficiles. Et rien n'était plus doux qu'un Babydoux.

Il referma la porte du réfrigérateur, remit la tétine en place et, biberon entre les dents, contempla un instant l'appartement où il allait vivre une semaine avant de regagner le monde civilisé. Se rappelant le Jésus à cran qui lui était apparu en plein Battle Creek (Laissez venir à moi les petits enfants), il alla jusqu'à son lit et souleva le téléphone. « Il le faut, murmura-t-il, le Babydoux toujours coincé entre les dents. C'est normal, non ? C'est le devoir d'un fils. » Il composa l'indicatif de Battle Creek puis les trois premiers chiffres du numéro de ses parents. « Oh ! rien ! J'ai eu envie d'appeler, comme ça, c'est tout. Ouais... comment ça va ? Je ne dérange pas, j'espère ? »

Il composa les quatre derniers chiffres et écouta la sonnerie retentir dans la petite maison perdue au fin fond du Michigan. C'est son père qui décrocha, non avec un « Allô ? » mais avec un :

« Ouais ?!

– Salut, papa ! C'est Bobby. J'ai eu envie d'appeler, comme ça. Comment ça va ?

– Bien. Pourquoi ça n'irait pas, je te prie ?

– J'espère que je ne dérange pas.

– Pourquoi tu dérangerais ? Tu sais bien que ta mère et moi sommes toujours contents de t'avoir au bout du fil.

– Vraiment ?

– Évidemment. Et puis tu appelles tellement rarement qu'on serait mal venus de faire la fine bouche. »

Il y eut un court instant de silence.

« Tu avais quelque chose de spécial à dire ? »

On aurait dit que le coup de fil de l'autre soir n'avait jamais eu lieu. C'était pourtant ainsi que les choses se passaient, se souvint-il : ce qui tombait dans l'oubli n'existait plus, n'avait jamais existé.

« Euh... je m'inquiétais un peu pour maman. Ce qu'elle a dit l'autre soir m'a paru plutôt confus.

– Confus est le mot, dit son père d'un ton sec, manifestement peu désireux de s'étendre sur le sujet. Elle perd un peu la boule. C'est comme ça ; il n'y a rien à y faire. Comment ça marche, le boulot ? Bien ?

– Ça pourrait aller mieux, dit Bunting en regrettant aussitôt sa franchise.

– Ah ? »

Dur et mordant, ce « Ah ? » ne présageait rien de bon.

« Qu'est-ce qui s'est passé ? On t'a foutu dehors ? Tu as été licencié, c'est ça ? Tu as fait des conneries et tu t'es fait virer ? »

Un moment, Bunting n'entendit plus que le souffle précipité de son père. Celui-ci avait raison : il avait fait des conneries, et on l'avait licencié.

« Non, dit-il. Je n'ai pas été licencié.

– Mais tu n'es pas au boulot non plus ! Il est neuf heures du matin, ici, donc dix à New York, et tu n'as pas encore mis le nez dehors. Oh ! remarque, ça ne me surprend pas : je savais qu'un jour où l'autre, ça te pendait au nez.

– Mais non ! J'ai terminé tôt, c'est tout.

– Ben voyons ! Tu termines à neuf heures et demi le lundi matin, maintenant ? Comment appelle-t-on ça, déjà ? L'horaire variable ? Moi, j'appelle ça se faire virer comme un malpropre. N'essaie pas de me raconter des bobards, tu veux, je te connais comme si je t'avais fait. Et pour cause. »

Bunting crut que son père en avait terminé, mais ce n'était qu'un répit de courte durée.

« Je te préviens, ce n'est pas la peine de venir chialer pour essayer de soutirer un peu d'argent aux vieux cons que nous sommes, c'est bien compris ? Si tu as du mal à joindre les deux bouts, ne viens pas te plaindre. Rappelle-toi tous ces grands restaurants, tous ces voyages en Europe. Si jamais tout ça a vraiment existé. Parce que j'ai ma petite idée là-dessus.

– J'ai simplement pris ma journée ! protesta Bunting. Peut-être que je vais prendre aussi celle de demain. Il y a deux ou trois petites choses dont il faut absolument que je m'occupe.

– C'est ça, au moins tu t'occuperas de quelque chose.

– Écoute, dit Bunting, piqué au vif. Je n'ai pas été licencié, tu m'entends ? Personne ne m'a mis dehors. J'ai pris ma journée parce que j'avais besoin de respirer un peu. Je me demande pourquoi tu ne veux jamais me croire.

– Tu veux que je te cite des exemples, peut-être ? Je te connais, va, restons-en là ! conclut son père avec un soupir à fendre l'âme, faisant manifestement de gros efforts pour rester calme. Ne te méprends pas sur le sens de mes paroles, ajouta-t-il d'un ton conciliant, tu as tes bons côtés, comme tout le monde, mais peut-être que tu n'es pas fait pour la compétition. C'est comme ces sorties, tous les soirs, alors que quand tu étais gosse, il n'y avait jamais moyen de te faire mettre le nez dehors. Un homme a certaines responsabilités, mais ça n'a jamais été ton fort. Ou alors tu aurais bien changé. »

Un coup de marteau sur le crâne ne lui aurait pas fait plus d'effet ; Bunting avait l'impression d'entendre Frank Herko lui jeter à la tête son catalogue raisonné de la virilité.

« Laisse-moi te demander quelque chose, dit-il en avalant une gorgée de vodka. Tu n'as jamais pensé que la réalité n'a rien à voir avec tout ce qu'on t'a enseigné ?

– Seigneur !

– Attends, c'est très sérieux. Tu n'as jamais pensé que tout était vivant, conscient, en quelque sorte, même la matière ?

– Ne va pas plus loin, Bobby. Je ne veux plus entendre parler de ça. Ferme ta gueule, ça vaudra mieux.

– Qu'est-ce que tu veux dire ? tiqua Bunting. Pourquoi est-ce que je ne devrais pas parler de ça ?

– Parce que ce sont des conneries, bougre d'âne ! Bobby, je voudrais que tu comprennes que tu es comme tout le monde. Tu n'as absolument rien de spécial, tu comprends ? Tu causes déjà bien assez de soucis à ta mère comme ça sans en rajouter. Aussi, je t'en prie, ferme-la. Pour ton propre bien, Bobby, boucle-la! »

Jamais Bunting ne s'était senti aussi humilié. La voix de son père l'avait ramené au temps de son enfance, à l'époque où il n'était pas plus haut que trois pommes.

« Très bien. Je n'en parlerai plus.

– Oublie ça et pense à autre chose. Crois-moi, cette fois, c'est moi qui parle sérieusement. »

Bunting reposa le combiné et retourna se coucher.

Quand, longtemps plus tard, il voulut se lever, il était tellement ivre qu'il eut du mal à aller jusqu'aux toilettes. Une phrase de son père lui revint en mémoire et il aspergea tout le mur devant lui. *Je ne veux plus entendre parler de ça.* Comment cela, je ne veux plus ? Quelque chose lui échappait mais il était ivre ; pour l'heure, il avait son compte et autre chose à penser. Il n'était pas question non plus de sortir. Mieux valait se coucher ; la nuit portait conseil.

Il se réveilla dans l'obscurité avec la migraine, déprimé et mal dans sa peau. Il n'était rien, n'avait jamais rien été et ne serait jamais rien. Nul ne peut se soustraire à son sort. Tous ces moments extatiques qu'il avait vécus, ces moments magiques qu'il avait essayé de décrire à Marty, tout cela n'était qu'illusion. Dans une semaine, il retournerait à DataCom Électronique et tout rentrerait dans l'ordre. Il serait peut-être muté dans un autre service ; il n'était pas assez important pour qu'on prenne la peine de le licencier. La seule différence serait qu'il n'aurait plus Frank Herko sans arrêt sur le dos.

Tous ses ennuis venaient du fait qu'il se croyait quelqu'un de particulier.

Il se promit de cesser de s'abuser de faux-semblants et de s'abreuver de faux-fuyants ; finies, les liaisons aussi torrides qu'imaginaires. Il se mit à la fenêtre et, les yeux fixés sur la rue, regarda défiler les piétons ; coiffé d'un chapeau, vêtu d'un manteau, chacun menait une vie normale, une existence plate et raisonnable. Il n'avait pas l'air de faire chaud. Il regagna son lit, glacé jusqu'aux os.

12

Le lendemain matin, il vida dans l'évier son restant de cognac et de vodka, puis lava les assiettes et les couverts qui s'étaient accumulés depuis la dernière fois qu'il avait fait la vaisselle. Des sacs de détritus traînaient un peu partout ; il fourra les plus voyants dans de grands sacs en plastique qu'il alla déposer en bas sur le trottoir. Ayant ainsi commencé à faire de la place, il consacra une bonne partie de la matinée au ménage et à tout nettoyer. Il changea ses draps et rassembla journaux et magazines en tas réguliers. Il briqua le carrelage de la salle de bains, passa une demi-heure sous la douche, puis, séché, les dents bien brossées et les cheveux bien peignés, fila directement se remettre au lit. Un de ces jours, se promit-il, il faudrait qu'il fasse quelques mouvements.

Le lendemain, n'ayant plus rien à se mettre sous la dent, il résista à l'envie d'acheter un litre de vodka et, dans un supermarché de Broadway, fit main basse sur un sachet de carottes, une botte de céleri en branches, un berlingot de jus de fruits, un carton de lait écrémé, une miche de pain complet et une plaquette de margarine sans cholestérol. Un régime aussi frugal devait empêcher tout retour intempestif du Jésus atrabilaire.

Il passa la plus grande partie du jeudi couché dans son lit. Il se contenta d'un peu de jus de fruits et grignota deux carottes, trois branches de céleri et une tranche de pain sec qui lui parut particulièrement bon. Dans la soirée, il voulut regarder la télévision mais nc put s'y intéresser, les oreilles écorchées par un flot d'inepties. Il s'endormit comme une masse sur le coup de vingt et une heures trente et fut réveillé par des coups de feu vers trois heures du matin. Il éteignit l'appareil et alla se mettre au lit.

Le lendemain, vendredi, il prit une douche, enfila un costume gris classique, rongea une carotte, but un peu de jus de papaye, enfila son manteau et mit le nez dehors pour la première fois depuis le début de la semaine – il ne comptait pas son raid de l'avant-veille au supermarché. La journée était belle, froide mais belle, et l'air, quoique pas aussi pur que celui des plaines du Montana en 1878 ou du Los Angeles de 1944, semblait étonnament clair et revigorant. Cette odeur piquante qui flottait sur Broadway n'était-elle pas celle de l'Atlantique ? Il aperçut devant lui les contours d'un corps tracés à la craie sur le trottoir, bifurqua prudemment vers le caniveau et, longeant les véhicules garés le long du trottoir, sans se soucier de la circulation, laissa derrière lui la silhouette blanche dessinée sur le sol.

Il marcha pendant des kilomètres, admirant au passage les montres exposées chez Tourneau, les chaussures en devanture chez Church Brothers, les calculatrices de poche et les chaînes laser des magasins du bas de la 5e Avenue. Il revint sur Broadway et poussa jusqu'à Battery Park, où il resta assis un long moment, les yeux braqués vers la statue de la Liberté. Tout était calme, tranquille ; il n'était pas différent des milliers de gens qui s'agitaient autour de lui ; la brise qui soufflait du large caressait indifféremment chaque visage. Le quotidien lui apparaissait sous un jour nouveau, presque inexploré, débarrassé de tout ce qu'il avait d'illusoire ; pour l'instant, il préférait se fier uniquement aux apparences.

C'est sans bruit que l'arbre tombe dans la forêt, sans vacarme.

Lentement, Bunting rebroussa chemin vers le centre de Manhattan. Un jour, il avait parcouru les plaines du Far West à dos de cheval, son fidèle Shorty ; un jour, inquiet dans son coûteux costume de flanelle, un industriel de la parfumerie lui avait tendu une photographie de sa mère disparue. Autant d'aventures qui pouvaient être mises dans un cercueil plombé et jetées à la mer pour être confiées à la garde des grands fonds, des abysses psychiques. De telles expériences étaient des épisodes isolés et aberrants, des exceptions non significatives à une règle plus générale. Il vieillirait entre ses quatre murs et boirait jusqu'à la lie des biberons de thé glacé ou de jus de papaye. Il survivrait à ses parents. A l'un d'abord, puis à l'autre. Comme cela se passait normalement.

Il prit un bus pour rentrer, mais, désireux de marcher encore un peu, descendit plusieurs arrêts avant son immeuble. Non loin de chez lui, il aperçut un homme à un carrefour, le visage rougi par le froid et vêtu d'un vieux veston à carreaux, assis sur une chaise pliante derrière un étalage de vieux livres de poche écornés. Il aurait bien lu un Luke Short ou un Max Brand, mais l'étal du camelot ne proposait que des romans aux titres tels que *Soumises et enchaînées* ou *Étreinte sans merci*. Ces titres aux couvertures suggestives lui rappelaient beaucoup trop Marty, et il était prêt à s'éloigner lorsqu'une couverture différente des autres attira son attention. *Anna Karénine*. Il en avait déjà entendu parler. Il ne l'avait naturellement pas lu, l'ouvrage n'ayant rien à voir avec la littérature dont il faisait son ordinaire, mais était sûr que c'était un de ces titres que tout le monde connaît au moins de réputation. Il prit le livre et l'ouvrit au hasard. *L'aube n'allait pas tarder. Il régnait sur la terre un profond silence, seulement troublé par les coassements des grenouilles qui ne cessaient jamais dans le marais et les reniflements des chevaux dans la brume qui montait des prairies à l'approche du matin.*

Un frémissement parcourut tout son corps; il tourna la page et lut encore quelques phrases. *Un vent léger se leva et chassa les nuages qui encombraient le ciel. La grisaille qui précède habituellement l'aube se dissipa. Encore une fois la lumière avait triomphé des ténèbres.*

Bunting ressentait une curieuse envie de pleurer : il aurait passé des heures à feuilleter ce livre miraculeux.

« Vous tenez entre les mains le plus grand roman réaliste de tous les temps. »

Sortant de son émerveillement, Bunting releva les yeux et plongea le regard dans celui, d'une intelligence peu commune, du gros homme au teint rubicond assis sur sa chaise pliante.

« Vraiment ?

– Ceux qui disent le contraire sont des cons, assura le vendeur en s'essuyant le nez sur sa manche. Un dollar. »

Bunting en sortit un de sa poche.

« Qu'est-ce qui en fait un si grand bouquin ? demanda-t-il.

– L'intelligence. L'intelligence à l'état pur. Un éblouissant souci du détail combiné à une confondante pénétration d'analyse.

– Mmouais, dit Bunting, ça me convient tout à fait. »

Et, serrant le livre contre sa poitrine, il rentra rapidement chez lui.

Il plaça le livre sur sa chaise et s'assit sur le bord de son lit, contemplant songeusement la couverture du roman. En quelques phrases, *Anna Karénine* avait su faire surgir sous ses yeux un monde clair et lumineux. Il n'avait jamais perdu conscience d'être lui-même, mais cette expérience était ce qui se rapprochait le plus de ce qu'il avait connu avec *Le chasseur de bisons*. En tournant la page, il avait presque cru voir l'aube se lever; une nouvelle fois, les deux courts passages qu'il avait lus avaient fait sauter les charnières du quotidien; une nouvelle fois, il lui avait semblé que les fondements vacillants de la réalité allaient se lézarder. Un tel pouvoir était presque effrayant. Maintenant qu'il avait acheté le livre, il n'était pas vraiment sûr d'avoir envie de le lire.

Il se leva, mangea deux carottes et deux tranches de pain, mit son manteau, retira un peu d'argent au distributeur en passant, traversa la rue et poussa la porte du drugstore.

Il ne dormit pas de la nuit, savourant la légère douleur qui lui engourdissait les jambes, souvenir de sa randonnée de l'après-midi, et le lait chaud dont il avait rempli son vieux biberon Prentiss. Sous lui, couche singulière, inconfortable mais unique, il pouvait sentir rouler la couverture qu'il avait confectionnée à l'aide de quatre-vingts P'tit Glouton et d'un tube de colle époxy, alèse tubulaire qui lui meurtrissait délicieusement le dos et prenait peu à peu la température de son corps. Cela faisait longtemps qu'il avait cette idée en tête, qu'il voulait devenir l'égal d'un fakir sur sa planche, mais, maintenant qu'il avait réalisé son projet, celui-ci lui apparaissait surtout comme une sorte de clin d'œil ironique à l'époque où les biberons avaient commencé à prendre une si grande place dans sa vie. Détail qui n'était pas à négliger : rien ne l'empêchait d'enlever les tétines et de remplir chaque petit P'tit Glouton de lait chaud. La pensée d'être couché sur quatre-vingts mignonnes petites bouillottes pleines de lait bouillant avait quelque chose d'affolant.

Il tendit la main vers sa chaise et admira un instant la couverture légèrement écornée d'*Anna Karénine*. Un train, arrêté dans une gare de campagne pour charger du charbon ou des provisions; le nez de la locomotive disparaissait presque sous la tempête qui faisait rage au premier plan. A l'instar des quelques phrases qu'il avait lues au hasard, toute la scène semblait baigner dans un climat irréel et lumineux, vaguement oppressant. Il y avait peut-être quelque risque à ouvrir un tel ouvrage, mais, du moment qu'il avait pu parcourir sans danger des passages où des chevaux renâclaient dans la brume et où le vent chassait les nuages gris du petit matin, il n'y avait pas lieu de s'inquiéter. Ses yeux se fermèrent; la locomotive envoya en l'air un panache de fumée blanche et le train s'ébranla sous la tempête de neige qui faisait rage.

13

Le lundi matin, le téléphone sonna avec une insistance et une morgue ne laissant pas le moindre doute quant à l'identité de celui qui pouvait être à l'autre bout de la ligne. Bunting, qui en était à son quatrième jour de sevrage, imagina la tête que devait faire Frank Herko à mesure que s'éternisaient les sonneries. Il continua imperturbablement à mastiquer une tranche de pain sec et regarda sa montre. Dix heures. Herko avait dû finir par comprendre qu'il ne retournerait pas travailler et voulait sans doute tenter de le raisonner. Seulement Bunting n'avait aucune envie de répondre au téléphone. Ce cher Frank Herko, son travail de claviste à DataCom Électronique, tout cela commençait déjà à faire partie du passé. Il but ce qui restait de jus de papaye et nota mentalement de songer à se reconstituer des réserves. Au bout de treize sonneries, le téléphone consentit enfin à se taire.

A l'idée des chevaux qui renâclaient dans la brume du petit matin froid alors que toute la terre, sauf les grenouilles, était encore endormie, Bunting fut traversé par un frisson.

Il jeta un regard circulaire à son appartement. Ce n'était pas très brillant. Les lieux auraient déjà meilleure allure s'il se débarrassait des magazines et des journaux entassés partout : la pièce n'avait certes plus rien d'ordinaire, mais il fallait reconnaître que les embellissements réalisés auraient été bien mieux mis en valeur si l'appartement avait été plus propre. Deux murs étaient entièrement tapissés de biberons, aussi délicatement posés que des ventouses, et une couverture de biberons, à la trame aussi serrée qu'une cotte de mailles, lui servait à la fois d'alèse pour la nuit et de couvre-lit pendant la journée. En bannissant tout le reste, il pouvait donner au taudis où il vivait un petit air de salle de musée. Il pouvait aisément se passer de la télévision. Une table, une chaise, un lit, une lampe pour s'éclairer : il n'avait besoin de rien d'autre.

Il lava son verre et son assiette et les mit à sécher à côté de l'évier. Puis il débrancha la prise de la télévision, souleva le poste, le transporta dans le couloir et l'abandonna sans regret à côté de l'ascenseur.

Il passa le reste de la matinée à fourrer journaux et magazines dans de grands sacs poubelle et à faire la navette jusqu'au trottoir. Il remarqua la disparition de la télévision lors de son cinquième voyage. Bango Skank ou Jeepy avaient trouvé un nouveau jouet. Peu à peu, l'appartement commença à ressembler à autre chose qu'à un clapier. Volumes, surfaces, tout se détachait à présent nettement. Lorsqu'on poussait la porte, les yeux se posaient sur un spectacle d'une austérité monacale : les deux murs pleins, entièrement crépis de biberons, le troisième, face à l'entrée, avec ses deux fenêtres symétriques, la table, le lit et la chaise qui lui servait de table de nuit. Il avait redécouvert une deuxième chaise, enfouie jusque-là sous des monceaux de journaux, et n'avait pas eu le cœur d'en priver ses voisins.

Le dernier sac poubelle descendu sur le trottoir, Bunting ferma sa porte à double tour, tira la barre de sécurité et contempla son domaine avec la satisfaction du devoir accompli. Un plancher de bois nu, ocellé de taches plus claires à l'emplacement des piles de journaux, courait de la porte aux deux fenêtres. Sans les journaux, l'appartement semblait maintenant de dimensions impressionnantes. Pour la première fois, Bunting remarqua les traînées grisâtres qui salissaient les vitres. La lumière du jour jetait de longs rectangles lumineux sur le parquet. Il y avait des biberons partout : à sa droite, de la porte d'entrée à celle de la salle de bains et à l'alcôve du coin-cuisine, et à sa gauche, jusqu'à son lit. Celui-ci, la tête joliment décoré d'un arc-en-ciel de biberons et recouvert d'une courtepointe de verre soufflé, à cheval sur l'oreiller et la couverture blanche, était une véritable merveille.

Après avoir déjeuné d'une légère collation – pain, carottes et céleri –, il remplit une bassine d'eau chaude, y versa une bonne giclée de nettoyant ménager et se mit à astiquer le plancher. Cette besogne accomplie, il jeta l'eau sale dans l'évier, remplit une nouvelle fois la bassine et nettoya la table, le plan de travail de la cuisine et le séchoir à côté de l'évier. Puis ce fut le tour de la salle de bains; tout y passa : lavabo, cuvette des toilettes, bac de la douche et carreaux. Il décrocha le rideau de la douche, tout piqué de taches de moisissure, le plia en quatre et le descendit sur le trottoir.

Les jambes encore un peu raides d'avoir arpenté tout le bas de Manhattan, il se coucha avec la faim au ventre, la sensation de fringale restant toutefois supportable. Étendu sur son alèse de biberons, il ramena le drap et la couverture de laine sur lui et, d'une main tremblante, ouvrit *Anna Karénine* au hasard. Pendant une seconde, il crut que les lignes allaient lui sauter aux yeux, exigeantes, et son cœur bondit, transi de peur, mais en même temps malade d'impatience, mais quand son regard se posa sur la page, rien ne se passa. Il resta lui-même, bien au chaud dans son lit, et commença à lire. *Tout à coup, elle se souvint de l'homme qui s'était fait écraser par le train, le jour où elle avait rencontré Vronsky pour la première fois, et elle comprit ce qu'elle avait à faire. Le train approchait. D'un pas rapide et léger, elle descendit l'escalier de la citerne et s'avança jusqu'aux rails.*

Bunting frissonna, puis tomba dans un profond sommeil.

La rue était bordée de murs de béton coupés çà et là de terrains vagues; New York ou Battle Creek, il pouvait s'agir de l'une comme de l'autre. Tessons de bouteilles et vieux journaux jonchaient la chaussée. Parfois, au fond d'un terrain vague, des bâtiments sinistres s'élevaient dans le jour blême. Il ne sentait plus ses pieds et tenait à peine sur ses jambes; il avait du mal à suivre celui qui marchait devant lui. Seulement vêtu d'une longue tunique blanche où s'engouffrait le vent glacé de l'hiver, l'homme était légèrement plus grand que Bunting; ses cheveux bruns volaient par-dessus ses épaules. Nullement gêné par le froid, l'homme marchait d'un bon pas; la distance qui les séparait augmentait sans cesse. Bunting ne savait pas pourquoi il devait suivre cet individu bizarre, mais cela lui apparaissait vital. S'il perdait l'inconnu de vue, il se retrouverait tout seul, perdu dans ce paysage de cauchemar. Et mourrait. Ses pieds semblaient coller au trottoir et une bise cinglante le repoussait sans cesse en arrière. Il eut brusquement la certitude de suivre un ange, pas un homme, et poussa un véritable hurlement. Instantanément, sans toutefois se retourner, celui qui le précédait s'arrêta de marcher, les jambes battues par sa longue tunique. Si Bunting ne prononçait pas un certain mot, l'ange allait s'éloigner et l'abandonner dans cet univers désolé. Bunting ne savait pas de quel mot il s'agissait, mais, ouvrant la bouche, hurla le premier qui lui passait par la tête. Il l'oublia aussitôt mais ne s'était pas trompé. L'ange se retourna lentement. Bunting retint sa respiration. La tunique de l'ange, ses mains, levées en l'air, étaient rouges de sang; son visage paraissait las, hébété; ses yeux étaient ceux d'un aveugle.

14

Le mardi matin, Bunting se réveilla en pleurant à chaudes larmes sur le triste sort de l'ange blessé, l'ange de l'ultime recours, et reçut un choc en constatant qu'il était couché dans un lit qui n'était pas le sien. Un moment, sans aucune notion ni de temps ni de lieu, il crut qu'il était prisonnier, enfermé dans un grenier. Il était dans une pièce totalement vide, à l'exception d'une table et d'une chaise, et dont les fenêtres semblaient avoir été condamnées. Peut-être était-il mort ? Dans ce cas, l'au-delà sentait fortement le savon et le détergent; les barreaux des fenêtres n'étaient que des bandes d'ombre et de lumière. Il leva les yeux vers les biberons du ciel de lit qui étoilait le mur au-dessus de sa tête et comprit où il était. L'ange blessé s'évanouit dans le gouffre des rêves mort-nés au fond duquel gisait déjà une grande partie de sa vie. Il s'étira sur son tapis de biberons, sa planche à clous, puis se leva et s'habilla. Les bras, les épaules, le dos, les jambes, il avait mal partout.

Dehors, dans la rue, Bunting dut s'avouer qu'il n'était pas mécontent de se retrouver au chômage. Cela faisait des jours qu'il avait toujours l'impression d'avoir faim, et c'était une sensation qui n'avait finalement rien d'agréable, comme la tristesse, qu'on pouvait apprécier à condition cependant de la maintenir à un niveau acceptable. Peut-être était-ce d'ailleurs la même chose pour toutes les grandes émotions humaines : amour, peur, souffrance. La peur et la souffrance devaient être ce qu'il y avait de plus dur à surmonter, se dit-il en revoyant, mal à l'aise, le Jésus furibond marquer de sa paume ensanglantée la façade de la maison où il était né. Saint, saint, saint, trois fois saint.

Bunting se fit alors la réflexion, pensée plutôt inquiétante, que la peur et la souffrance étaient aussi choses sacrées, et que le Battle Creek où Jésus était venu lui annoncer cette nouvelle était peut-être situé quelque part du côté de Greenwich Village.

Un nuage de vapeur blanche ayant vaguement la forme et la taille d'une femme s'éleva d'une bouche d'égout, au milieu de Broadway, et se déchira dans la transparence du matin.

Bunting sentit vaciller la réalité qui l'entourait et, inquiet, poussa la porte d'un magasin de fruits et légumes. Il acheta des pommes, du pain, des carottes, des mandarines et du lait. Au moment de payer, il songea soudain au train sur la couverture du roman de Tolstoï qui s'éloignait sous la neige en lançant des panaches de fumée blanche. Il avait la curieuse impression d'être observé, impression totalement fausse, il le savait, mais qui n'en persista pas moins une fois dehors.

Il n'y avait pas de fantômes féminins au milieu de la chaussée, pas de corps dessiné à la craie sur le trottoir.

Il y avait foule sur Broadway, aujourd'hui; le soleil faisait miroiter les toits des voitures, les vitrines des bijoutiers, les devantures des magasins de matériel vidéo. Malgré cette débauche de lumière et d'activité, il avait toujours la bizarre impression d'être observé; suspendue à ses pas, toute l'avenue semblait retenir son souffle. Quelque part, quelqu'un rameutait les populations d'une voix de stentor; longue coulée d'or pur, un taxi surgit de l'ombre et disparut dans une flaque de lumière; intriguée, une Chinoise aux cheveux laqués se retourna sur son passage.

Des halos de vapeur blanche s'échappaient de ses lèvres, comme si quelqu'un parlait à travers sa bouche, discours énigmatique, oublié aussitôt prononcé, mais qui ne devait pas manquer de l'influencer profondément. Sous ses pieds, le trottoir semblait tendu comme la peau d'un tambour, tellement sensible qu'il devait prendre les plus grandes précautions pour marcher. Même l'entrée de l'immeuble avait quelque chose de bizarre.

De retour chez lui, il posa le sac sur le lit, déballa méthodiquement chacun de ses achats et vida le carton de lait dans trois biberons. Il ôta ses chaussures, le costume qu'il avait mis pour sortir, sa chemise et sa cravate, rangea soigneusement le tout dans la penderie et, vêtu de ses chaussettes et de ses sous-vêtements, retourna se coucher. Allongé sur sa planche de fakir, il ramena le drap et la couverture à lui sans renverser le moindre fruit ni le moindre légume, plia son oreiller en deux et, malgré les grands rectangles dessinés sur le parquet nu par la lumière froide du dehors, alluma la liseuse. La tête bien centrée dans le faisceau lumineux, il disposa fruits, pain, carottes et biberons tout près de lui pour ne pas avoir à tendre la main, porta un biberon à sa bouche et mordit dans la tétine. Il y avait dans l'air quelque chose de la froideur revigorante de l'hiver qui faisait rage sur la couverture du livre posé à côté de lui.

Il aspira une gorgée de lait, prit le roman de Tolstoï et l'ouvrit à la première page. Immédiatement, la magie du verbe opéra.

15

L'échine réglementairement voûtée, le concierge introduisit son passe dans la serrure, donna un tour de clef, et, les yeux baissés, attendit le bon vouloir de M. Bunting. Aussi gros que ce dernier, les deux chandails qu'il portait pour se protéger du froid lui donnaient l'air d'une femme enceinte. Les mains enfoncées dans les poches de son pardessus, M. Bunting ne disait rien. Le souffle des deux hommes se condensait dans l'air froid du palier.

« Allez-y, dit finalement M. Bunting. Ouvrez.

– D'accord, mais il y a des choses que vous ne savez peut-être pas.

– Ça, il y a beaucoup de choses que je ne sais pas, en particulier comment tout ça a commencé. Mais sur ce point, je suppose que vous n'allez sans doute pas pouvoir éclairer beaucoup ma lanterne...

– Oh, il y a beaucoup de choses bizarres », répondit le concierge en ouvrant la porte et en faisant signe à M. Bunting de bien vouloir se donner la peine d'entrer.

Celui-ci s'exécuta et s'avança d'un mètre ou deux dans l'appartement. Le concierge le suivit et referma la porte derrière lui.

« Je hais cette putain de ville, dit M. Bunting, les yeux fixés, juste au-dessus du lit, sur le mur criblé de culs de biberons éclatés.

Cette putain de ville et tout ce qui s'y passe. Vous allez dire que j'exagère, mais vous auriez tout de même pu laisser le chauffage ; c'est un vrai frigo ici. »

Le lit avait été coupé en deux dans le sens de la longueur ; les draps étaient raides de sang séché. Quelqu'un, probablement la femme du concierge, avait essayé de nettoyer le sang qui avait coulé sur le plancher. Des bouts de bois et des ressorts tordus avaient été projetés aux quatre coins de la pièce.

« Tout le monde râle, dit le concierge, mais c'est une bonne chose qu'il n'y ait pas eu de chauffage, moi je vous le dis. Depuis qu'on a la nouvelle chaudière, c'est rétabli, mais c'est une chance que la vieille nous ait lâchés, parce que je ne l'ai trouvé qu'au bout de dix jours, pensez ! Et encore, ç'aurait pu être pire ! »

M. Bunting s'arracha à sa contemplation et, sourcils froncés, se tourna vers le concierge, curieux de savoir ce qui aurait pu être pire.

« Ç'aurait pu être toute une histoire, pour entrer là-dedans. Vous voyez cette barre de sécurité ? dit le concierge en désignant la longue barre d'acier appuyée contre le mur à côté de la porte. C'était comme ça : la porte était ouverte. Comme s'il avait voulu m'épargner de la peine. Il mettait la barre et il fallait enfoncer la porte.

– Oui, dit M. Bunting. Probable qu'il a aussi facilité la tâche de celui qui a fait le coup. Une fleur, en quelque sorte.

– Vous l'avez vu ?

– Bien sûr, dit M. Bunting en reportant les yeux sur la mosaïque de biberons pulvérisés au-dessus du lit. Enfin son visage. Vous voulez des détails ? Eh bien, les détails, avec la police, ceinture. Tout ce que j'ai pu voir, c'est son visage.

– Quand je suis entré et que je l'ai vu, je me suis dit que ce n'était pas possible que ce soit un homme qui ait fait ça.

– En tout cas, c'est fait. »

Ayant aperçu quelque chose, M. Bunting s'approcha du lit.

« Qu'est-ce que c'est que ça ? demanda-t-il, intrigué, en montrant au concierge deux petites boules rouges toute ratatinées qui avaient roulé au creux d'un pli.

– Une pomme, je crois, dit le concierge. Il avait acheté des pommes, des mandarines, un peu de pain. Et si vous regardez attentivement, vous pourrez voir des petits bouts de papier éparpillés partout, comme un livre qui aurait été déchiré en mille morceaux. Les fruits ont séché mais le livre... je ne sais pas. C'est peut-être bien lui qui l'a déchiré.

– Pour l'importance que ça a... Ce que je n'arrive pas à comprendre, c'est l'utilité de tous ces putains de biberons ! »

N'en sachant rien non plus, le concierge haussa les épaules.

« Vous avez déjà eu des locataires qui se livraient à ce genre de joyeusetés ?

– Je dois dire que des trucs comme ça, jamais ! On n'y avait pas encore eu droit. Regardez-moi ça ! Comment voulez-vous arracher tout ça, le plâtre va venir avec. »

Détail fâcheux mais qui n'eut pas l'air d'émouvoir outre mesure Bunting père.

« D'abord, dit-il, la mort de ma femme, il y a trois semaines. Et puis Bobby, qui n'a pas inventé le fil à couper le beurre, mais qui était notre seul enfant. Ah ! je vous jure, on peut dire que je n'ai pas été loupé, le jour de la distribution ! Quand les emmerdes commencent, c'est jusqu'au bout ! Et comme si ça ne suffisait pas : ça ! J'aurais peut-être mieux fait de ne pas venir, tiens.

– Vous dites que vous avez vu son visage ?

– Hein ?

– Vous disiez que vous aviez vu son visage. »

M. Bunting gratifia le concierge du regard que se jettent deux boxeurs au moment d'engager le combat.

« Moi aussi, j'ai vu sa tête... quand je l'ai trouvé, dit le concierge. C'est pour ça que j'ai pensé que vous deviez voir... ça. C'est inimaginable... »

M. Bunting hocha la tête mais rien ne vint adoucir son expression.

« J'ai vu qu'il était mort dès que je suis entré. Aucun doute là-dessus. J'ai fait la Corée et je sais à quoi ressemble un cadavre. Lui, on aurait dit qu'il avait été renversé par un camion. C'est dingue, mais c'est immédiatement ce que je me suis dit quand je l'ai vu. Littéralement aplati contre le mur, qu'il était, et le lit... eh bien, vous voyez... Mais ce qui m'a frappé, c'est surtout l'expression de son visage. Bon, ce qui est fait est fait, excusez-moi de remuer le couteau dans la plaie, mais je doute fort que la police puisse un jour mettre un nom sur celui qui a fait ça. Parce que, croyez-moi, personne n'aurait pu faire ce que j'ai vu ce jour-là... »

Pas un muscle ne bougea sur le visage de M. Bunting.

« C'était ça le plus étrange, l'expression de son visage. Personne ne saura sans doute jamais ce qui s'est passé, mais il avait l'air heureux, comme si, juste au moment de mourir, il avait vu quelque chose de merveilleux.

– Oui, dit M. Bunting en souriant pour la première fois depuis son arrivée. Il n'avait pas tout à fait cet air-là quand je l'ai vu, mais ce que vous me dites ne me surprend pas beaucoup. »

Mal à l'aise, le concierge préférait nettement l'ancien personnage.

« Il pouvait donner le change à sa mère, mais moi, pour m'impressionner, faut se lever de bonne heure.

– Quoi ?

– Monsieur a toujours cru qu'il était destiné à faire de grandes choses. Résultat... dit M. Bunting en écartant les bras.

– Ouais, dit le concierge, que voulez-vous, c'est comme ça, des fois. »

INTERLUDE : AU FOND DU BAR

C'était un petit bar dont la seule étrangeté résidait dans le fait qu'il était situé non de plain-pied sur la rue, mais au premier étage, au-dessus d'un restaurant indien. Les habitués n'entraient jamais au restaurant ; le personnel et les clients du restaurant, eux, ne montaient jamais au bar. Ceux qui venaient là appréciaient le long comptoir de bois noir, les glaces, les lambris et les réclames de vieilles marques de bières sur les murs. Personne ne s'intéressait plus aux photos des poètes et des romanciers qui avaient fait autrefois la renommée des lieux, ou aux clichés des boxeurs et des figures anonymes du monde du spectacle qui, à une époque plus tardive, en avaient également fait leur point de ralliement. Personne non plus n'était très attiré par les fenêtres, qui n'avaient pas changé depuis l'époque où le bar n'était qu'un simple appartement ; tout se passait comme si les habitués, une fois grimpé l'escalier, voulaient oublier qu'ils étaient au-dessus de la rue.

Ces habitués étaient des gens du quartier qui venaient là pour se changer un peu les idées. Personne n'était bien jeune, ni même très riche ; chacun menait sa vie sans s'occuper de celle des autres. La plupart d'entre eux ne se montraient pas très bavards, sauf, bien sûr, avec Max, le barman. C'était d'ailleurs à ce détail que l'on reconnaissait les habitués : accoudé au comptoir, semblant en vouloir à ceux qui le retardaient, chacun attendait patiemment que Max en ait terminé à l'autre bout du bar pour pouvoir reprendre la conversation entamée. Parmi tous ceux présents dans la salle, Max était souvent le plus jeune; il suivait des cours pour devenir artiste comique et, disposant d'un public à domicile, ne détestait pas régaler son audience de quelque numéro improvisé, histoire de se faire la main.

Un jour, à l'automne, alors que le temps commençait sérieusement à fraîchir, une nouvelle tête – un inconnu qui portait un treillis, une veste de cuir et une vieille paire de chaussures de sport éculées – poussa la porte du bar. Le treillis était tout passé, semblant avoir subi des milliers de lavages, et montrait des endroits plus foncés, là où insignes et écussons avaient été arrachés. Le jeune homme avait de longs cheveux bruns très fournis et portait des lunettes rondes aux verres épais. Ne venant jamais sans un livre, il s'asseyait toujours au fond de la salle, commandait une vodka on the rocks et plongeait le nez dans son livre une heure ou deux. Il renouvelait sa consommation deux ou trois fois, puis refermait son livre, réglait son addition et s'en allait. Bientôt, il vint presque tous les jours. Quelques habitués commencèrent à hocher la tête à son adresse en le voyant arriver; il répondait de même, ou souriait, mais ne parlait à personne, même pas à Max.

Au bout d'une quinzaine de jours, devenu l'un des plus fidèles clients de la maison, il se présenta vêtu d'un col roulé noir et d'un jean si délavé qu'il en était presque blanc. Poussée par la curiosité, une habituée, une femme d'une soixantaine d'années du nom de Jeannie, ne put résister à l'envie de l'aborder.

« Eh bien, alors, et votre treillis? fit-elle. Vous l'avez lavé, finalement? »

Cela fit rire Max.

« J'ai des tas de treillis, dit le jeune homme.

– Vous devez beaucoup lire, dit Jeannie. Chaque fois qu'on vous voit, c'est avec un bouquin.

– J'en ai aussi beaucoup », s'esclaffa le jeune homme, surpris par ses propres paroles.

Tout le monde les regardait, même Max, et Jeannie se sentit inexplicablement rougir. Elle voulut s'éloigner, mais le jeune homme la retint par le poignet et la força à s'asseoir. Max se trouva quelque chose à faire à l'autre bout du bar et chacun renoua qui avec le fil de la conversation, qui avec celui de ses pensées. Au bout d'un moment, Max dit quelque chose à Billy Blue, un ancien de la marine marchande, et Billy éclata de rire. Max se tourna vers un autre habitué et lui servit la même chanson; tout le monde partit d'un gros rire, ayant oublié Jeannie. Puis quelqu'un, Max ou un autre, tourna la tête vers le fond de la salle. Jeannie était bien là, mais plus le jeune homme; ce dernier avait laissé quelques billets sur la table et était parti sans que personne ne s'en aperçût. Jeannie faisait une drôle de tête, comme si elle venait de se rappeler quelque chose qu'elle aurait préféré oublier.

« Ce mec a dit quelque chose qu'il ne fallait pas, Jeannie? demanda Max. Il s'est montré grossier?

– Non, dit Jeannie qui s'était levée pour aller se poster à une fenêtre. Gentil, au contraire. Très gentil.

– *Gentil?* demanda Max. Qu'est-ce que vous voulez dire?

– Vous ne pourriez pas comprendre », murmura Jeannie, les yeux fixés sur la rue.

Pleurait-elle? Certains en auraient bien juré et, un instant, un peu gêné, tout le monde se tut. Puis Jeannie s'écarta de la fenêtre et regagna sa place habituelle au comptoir. Le jeune homme ne revint jamais; deux semaines plus tard, Jeannie changea de bar et se mit à en fréquenter un autre, un peu plus bas dans la rue.

OÙ L'ON VOIT LA MORT, ET AUSSI DES FLAMMES

L'origine et la nature même du Taxi Magique de Bobo restent très mystérieuses, et, aujourd'hui encore, le Taxi est toujours l'énigme qu'il était lorsqu'il est apparu pour la première fois en public sur la sciure de bois d'une piste. Ce modeste véhicule a naturellement fait couler beaucoup d'encre : je possède plusieurs chemises bourrées à craquer de conjectures et de spéculations les plus diverses quant à sa méthode de construction et à son principe de fonctionnement. « L'effet Bobo » n'est pas près de retomber.

Pendant des années, comme vous vous en souvenez peut-être, l'examen du Taxi par les plus grands experts en mécanique a constitué presque à lui seul le clou du spectacle. Cet examen, aussi scrupuleux qu'il ait pu être conduit par les professionnels les plus pointus, n'est cependant jamais parvenu à découvrir en quoi cette merveilleuse mécanique diffère des autres véhicules du même type. Le Taxi Magique a été examiné sur toutes les coutures et force est de se rendre à l'évidence : aucun organe, aucune pièce ne saurait expliquer ce qui peut le rendre apte à inspirer la surprise, le bonheur ou l'effroi qu'il provoque aujourd'hui encore.

Au temps où cet examen passionnait encore les foules – tant il est vrai qu'il y a de la baguette du magicien dans la clef à molette du garagiste –, Bobo, apparemment très inquiet, se tenait toujours à côté des candidats à l'auscultation. Il se grattait alors la tête (scratch! scratch!), souriait d'un air idiot (hi! hi!), soufflait dans la petite poire attachée à sa ceinture (pouet-pouet!), ou bien faisait la roue ou le grand écart (et hop!). Sa crainte de voir les mystères du Taxi Magique enfin révélés était tellement évidente qu'elle jetait les enfants dans des transports de joie. Je crois pour ma part que cette crainte était loin d'être feinte et que Bobo, loin de jouer la comédie, avait réellement peur qu'un soir un Einstein des soupapes ou un Freud du joint de culasse ne découvrît le principe qui rendait son Taxi Magique unique, lui ôtant par là même tout attrait. Une fois les ficelles d'un truc exposées tout à trac, celui-ci ne serait plus qu'un bidule inutile. En sueur, poussant force grognements, les as de la mécanique sondaient le réservoir d'essence, se glissaient sous la jupe du véhicule, se plongeaient dans le moteur puis, le temps qui leur était imparti s'étant écoulé, jetaient l'éponge, couverts de graisse et de cambouis, tels des clochards d'opérette. Rien, ils n'avaient rien pu trouver, ni numéro de série sur le bloc-moteur, ni marque de fabricant sur les pièces.

En apparence, c'est un taxi ordinaire, long, noir et ventru, du genre de ceux qu'on voit surtout à Londres. Sa grosse tête carrée, toujours coiffée d'un chapeau, appuyée contre le judas de Plexiglas qui communique avec le compartiment arrière, Bobo fait son entrée sous le chapiteau fièrement assis derrière le volant. L'arrière est vide, à part la banquette capitonnée et les deux sièges en vis-à-vis. Quoi de plus banal qu'un chauffeur de taxi fier d'exhiber son instrument de travail? direz-vous, mais, dans le cas présent, le problème est qu'on a plutôt l'impression que c'est le taxi qui promène le chauffeur et non le contraire; bien que rien ne soit en effet plus banal qu'un de ces taxis noirs comme il y en a des milliers à Londres, la tension monte dans l'assistance dès que le Taxi Magique de Bobo entre en scène. J'ai vu la chose se produire bien des fois : les lumières ne baissent pas, il n'y a pas de roulements de tambour, pas d'annonce au micro. Un rideau se soulève sur le côté du chapiteau et Bobo, le visage impassible, amène le Taxi (à moins que ce ne soit le Taxi qui ne conduise Bobo) jusqu'au centre de la piste. A cet instant, le silence se fait dans le public, littéralement hypnotisé. Un peu nerveux, chacun ressent un vague malaise, comme s'il avait oublié quelque chose d'important. Puis le miracle a lieu une nouvelle fois.

Bobo n'accomplit en définitive que fort peu de chose pendant le déroulement du numéro. C'est à cause de ce rôle effacé que tout le monde l'aime bien. Habillé de son habit de lumière et pressant sa petite poire lorsqu'il est heureux ou embarrassé, il pourrait être l'un d'entre nous. Le numéro terminé, il s'incline sur le volant, courbant la tête sous les applaudissements nourris, et quitte la piste comme il est venu. Parfois, alors que le capot du Taxi va s'engager sous le rideau, il lève sa main tridactyle gantée de blanc pour prendre congé du public, geste plein de regrets, semble-t-il, comme s'il souhaitait pouvoir échanger sa place contre la nôtre, nous qui sommes inconfortablement assis sur les gradins. Il lève la main et puis s'en va ; le spectacle est terminé.

Il n'y a pas grand-chose à dire sur le numéro lui-même, qui ne varie jamais, même s'il n'est pas tout à fait le même pour chaque spectateur. Les enfants, à en juger par ce qu'ils chuchotent entre eux, doivent voir quelque chose qui se rapproche assez d'un feu d'artifice. Un feu d'artifice dont les salves ne s'éteindraient pas mais persisteraient de longues minutes, mimant quelque drame. Interrogés par les adultes, ils font seulement quelques vagues allusions au « Soldat », à la « Belle Dame » et à « l'Homme à la Pèlerine ». Quand on leur demande si le spectacle leur a plu, ils hochent la tête en clignant des yeux, comme s'il s'agissait d'une question idiote.

Les adultes, eux, ne s'étendent guère sur le spectacle, sauf dans le domaine de l'écrit, où sont surtout relevées les similitudes existant entre ce qui est vu et ressenti par chacun, simplification rassurante qui permet aux historiens de parler de « notre communauté », et même de « communauté » tout court. Les esprits s'accordent pour diviser le numéro en trois parties, trois Actes, correspondant aux trois temps forts qui en ponctuent le déroulement. En principe, toute personne de plus de dix-huit ans passe obligatoirement par ces trois phases.

Les Ténèbres, c'est ainsi qu'est appelé le premier acte. Pendant cette partie, très courte, le spectateur a l'impression de traverser une espèce de nuage, ou de brouillard, dans lequel tout devient indistinct, hormis le Taxi et son chauffeur. A aucun moment les lumières des projecteurs ne diminuent d'intensité ; à peine clignotent-elles parfois. Cependant, l'impression de baigner dans une atmosphère crépusculaire est indéniable ; sous le grand chapiteau, chacun se trouve séparé des autres, plongé dans ses propres pensées, et se rappelle ses péchés, ses bassesses et ses lâchetés. Certains pleurent. Invariablement, Bobo, lui, éclate en sanglots – ses larmes coulent à flots sur son maquillage blanc – et presse frénétiquement la petite poire accrochée à sa ceinture. Torturé de souffrance, son faciès clownesque, pourtant familier, se change alors en un masque si lunaire que chacun se sent brusquement délivré de ses propres hantises, débarrassé du poids du remords, en un mot arraché à son triste sort par une vague d'amour irrésistible. Bobo le bienheureux, ce baladin peinturluré, ayant pris sur lui tous nos péchés, le deuxième acte peut commencer.

A cause des sensations physiques induites, on appelle cette partie la Chute. Rivé à sa place sur les gradins de bois usé, chaque spectateur a l'impression de tomber dans l'espace. Des trois actes, c'est celui qui est le plus onirique. Tandis que l'impression de chute irréelle persiste, chacun assiste au déroulement d'un drame qui s'imprimerait directement sur son cerveau. Ce drame, ce « film », également très onirique, diffère selon les personnes, mais il semble qu'y figure toujours le père ou la mère, tels qu'ils étaient avant la naissance de chacun. Il y est question de la mort, de la mort et des flammes. Auréolé de lumière, chacun est soudain transporté ailleurs. Parfois se déroule une bataille; souvent, progressant sous des sapins, des arbres immenses et toujours verts, il faut gravir le flanc d'une montagne. Selon les cas, la scène peut se dérouler en Irlande, en Allemagne, en Suède. Le pays de nos arrière-arrière-arrière-grands-parents. Nous appartenons à cette terre; enfin, nous sommes chez nous. Nous avons enfin atteint le pays que nous cherchions confusément, seulement connu de nos cellules, de notre sang; un pays où il est possible de connaître de brefs moments d'héroïsme ou de s'acheter une nouvelle conduite pour refaire son existence. Ce drame nous exalte et nous prépare à la dernière partie du spectacle, les Strates.

Le rayon lumineux émis par le Taxi Magique s'éteint lentement et s'efface de nos pupilles. Le Taxi, Bobo, la dame en sueur assise à côté de vous, l'homme en pull à col roulé bleu dans la rangée de devant, tout disparaît. Chacun a d'abord l'impression de sombrer dans le sommeil, puis les Strates apparaissent. Certains voient des bandes multicolores; pour d'autres, ce sont des couches de terre, de cailloux, de grès rouge. Un archéologue m'a confié un jour que dans cette partie du spectacle, il voyait défiler des civilisations entières sous ses yeux, des villes et des villages enfouis sous la terre : habitants des cavernes, bâtisseurs de huttes, fabricants d'armes, fondeurs de métaux. Pour ma part, il me semble m'élever sans fin à travers des scènes de ma propre vie : je me vois en train de jouer sous les arbres, de faire des boules de neige, de réviser mes leçons, d'acheter un livre, et je crie de plaisir en me voyant, si petit, me satisfaire de plaisirs aussi dérisoires. Comme tout cela semble futile! Puis la réalité quotidienne reprend ses droits; Bobo agite la main avant de disparaître derrière le rideau, et tout est fini.

Les premières années, quand le Taxi n'attirait pas encore les foules, personne ne s'embarrassait d'explications. Nous prenions cela uniquement comme un spectacle, un bon numéro de music-hall agrémenté d'une surprise finale, comme il était inscrit sur les affiches. Puis des grosses têtes de l'université de C*** ont publié un article affirmant que ce qui se passait, tout le temps que le Taxi de Bobo était en piste, était ce qu'en d'autres temps on aurait appelé un « miracle », signe que le monde était baigné par l'esprit. Des chercheurs des universités de B*** et d'Y*** ont fait chorus et publié un essai intitulé *Le sacré au quotidien.*

G*** et O***, cependant, d'un avis contraire, ont contre-attaqué. Mettant en avant tout le côté sordide du numéro, l'aspect régressif des deux premiers actes, la petite poire de Bobo, ses larmes, les gradins de bois et la barbe à papa, leur ouvrage critique, *Transit vers nulle part*, lorgne beaucoup du côté de Darwin, Mondrian et Beckett. Comme beaucoup de gens, j'ai lu ces ouvrages, mais je ne crois pas qu'ils aient saisi l'essentiel. Leurs arguments péremptoires, pour ingénieux et autorisés qu'ils soient, ne font qu'effleurer la surface des choses, comme le papillon condamné à venir se briser les ailes contre la vitre. Une remarque prononcée par un de mes amis est à mon avis beaucoup plus proche de la réalité que tous les discours de ces savants exégètes.

« Je pense souvent à Bobo au temps où il n'était pas encore devenu une célébrité, m'a dit un jour cet ami. Tu sais qu'on raconte que c'était quelqu'un comme toi et moi. Un médecin, un comptable, un prof de maths, que sais-je encore. Ma belle-sœur croit dur comme fer qu'il était président d'une manufacture de tabac. “ C'est dans son attitude ”, qu'elle dit. Quoi qu'il en soit, je pense souvent à ce matin-là, quand il est parti travailler comme d'habitude et qu'il a trouvé ce taxi noir qui l'attendait le long du trottoir, tournant au ralenti, sans savoir que c'était sa destinée qui l'attendait là et que toute sa vie allait en être bouleversée. »

INTERLUDE : L'ANCIEN COMBATTANT

Après deux divorces, il habite aujourd'hui – avec Lurp, son pit bull – une maison de la banlieue de Columbus, Ohio, où il dispose de deux chambres. Sa garde-robe est restée marquée par la guerre du Viêt-nam et il a toute une collection de tee-shirts frappés d'un dragon frétillant et de slogans du genre Z'Y ÉTIEZ PAS ? ALORS FERMEZ-LA ! La seconde chambre lui sert de salle d'entraînement ; c'est là que, chaque matin et chaque après-midi, il soulève des tonnes de fonte. Bien qu'il n'ait jamais lu pour le plaisir dans sa jeunesse et qu'aujourd'hui encore il lise très peu, il gagne à présent sa vie en écrivant des romans d'action, tous situés au Viêt-nam.

Il écrit dans la salle de séjour, face au mur où s'étalent des agrandissements de certaines couvertures de ses œuvres, des photos de femmes asiatiques, de lui-même ou de son ancienne unité, une affiche, fruit d'une précédente campagne publicitaire de son éditeur, et, juste à hauteur des yeux, au-dessus du moniteur de l'ordinateur, les médailles qu'il a reçues au Viêt-nam, exposées dans un cadre de verre. Les rideaux sont toujours tirés.

Il travaille onze ou douze heures par jour et ne sort que lorsqu'il y est forcé. Ses deux ex-épouses voudraient bien le voir suivre une psychothérapie, fréquenter au moins une amicale d'anciens combattants, mais il affirme que ses livres sont une thérapie bien suffisante. Il surveille ce qu'il boit – ainsi d'ailleurs que le reste –, car il estime qu'un homme qui ne contrôle pas ses désirs ne mérite pas ce nom.

Toutes les nuits, couvert de sueur, il se réveille en sursaut, les yeux braqués sur le monstre écailleux qui retourne se tapir entre cauchemar et néant. « Encore toi, se dit-il, encore toi, vieux pirate. »

MME DIEU

Pour Lina Kalinich

Prenez une ligne. Qu'est-ce qu'une ligne ? A quoi cela sert-il ? Par quelle image la remplacer ?

....

Je n'ai pas du tout l'impression d'être concerné mais de regarder. (Lui, Elle... des arbres, des rochers, des planètes, des étoiles.) Pourtant, je suis là, ici, là-bas, partout. C'est moi-même que je contemple.

Charles BERNSTEIN, *La texture des rêves*

Standish ne se rendit compte à quel point il était sur les nerfs que lorsque l'avion quitta la piste d'envol ; reprenant le contrôle de son cerveau, son corps commença à se détendre. Désormais, plus rien ne pouvait le faire revenir en arrière, ni les angoisses de Jean, ni ses propres scrupules. L'affaire était dans le sac : l'avion venait de décoller. L'étonnante carte nocturne de New York apparut dans le hublot puis glissa hors de son champ de vision. Il était au-dessus de la terre, à une hauteur démentielle, vertigineuse, qui aurait signifié une mort certaine à l'époque d'Isobel Standish, encore que celle pour qui son quasi-petit-fils n'avait pas hésité à fuir le toit conjugal en y laissant une épouse enceinte de sept mois, eût sans doute trouvé passionnant d'être promenée autour de la terre dans un bout de tuyau métallique.

La nervosité de ces derniers mois le quittait peu à peu. Comme la sueur ou le sperme, l'anxiété était quelque chose que le corps semblait pouvoir sécréter en quantité infinie. Bien sûr qu'il avait raison d'avoir entrepris ce voyage; même Jean avait dû finir par admettre la chance inespérée que représentait Esswood pour lui. Trois ou quatre semaines dans une fondation aussi prestigieuse pouvaient asseoir définitivement sa carrière, déboucher sur un ouvrage consacré à Isobel – qu'il considérait désormais comme sa grand-mère – et insuffler un nouvel élan à sa vie. Lorsqu'il reprendrait le chemin du domicile conjugal (comme Jean qui portait encore une fois dans son ventre les germes d'une nouvelle vie), il aurait dans sa serviette, prêts à éclore, ceux d'un nouvel avenir. De toute façon, sur ce sujet précis, sa tendre épouse n'avait pas voix au chapitre.

Réconforté par cette pensée, Standish pria l'hôtesse de lui apporter un Martini gin. Une partie de sa nervosité s'expliquait par le seul fait que sa demande ait pu être acceptée. Esswood était en effet une institution connue pour annuler au dernier moment « toutes décisions prises antérieurement » et ce, à des moments extrêmement critiques de la vie des candidats qui, d'heureux impétrants, se retrouvaient postulants froidement remerciés. Standish avait ainsi connu deux hommes qui, après avoir annoncé leur départ imminent, n'en avaient brusquement plus reparlé. Les malheureux avaient dû ranger leurs valises avant même de les avoir bouclées. Vus d'Amérique, Esswood et ses propriétaires, les Seneschal, semblaient appartenir à une autre planète.

Standish avait connu le premier de ces deux hommes il y avait une dizaine d'années. Charles Ridgeley était alors professeur titulaire attaché (pris ici dans son sens littéral, tellement il faisait partie des meubles) à la faculté des lettres de la petite université de Popham, à Popham, dans l'Ohio, où Standish, simple chargé de cours, avait commencé sa carrière. Original de la plus belle eau, vieilli avant l'âge, il avait demandé, et obtenu, un congé sabbatique de six mois pour aller éplucher à la célèbre bibliothèque d'Esswood où moisissaient les vers inachevés et les notes manuscrites de Theodore Corn, obscur poète géorgien qui, trente ans auparavant, avait été le sujet de sa thèse. Le cher Theodore avait, semble-t-il, effectué de fréquents séjours à Esswood; il avait même déclaré un jour que celui qui n'avait pas vu Esswood et ses alentours – « la prairie montueuse et le moulin nonchalant au-dessus des eaux clapotantes du bassin » – ne pouvait rien comprendre à sa poésie.

« Il n'y a rien de pareil au monde, lui avait affirmé un autre distingué membre de la faculté des lettres, un triste individu en qui Standish, étant encore jeune et crédule, voyait un ami. Peu de gens ont pu en franchir les portes, malgré les trésors que renferme la bibliothèque. C'est une institution privée, et les Seneschal n'acceptent jamais plus de deux universitaires par an. On dit que les choses ont beaucoup changé, depuis l'époque où Edith Seneschal tenait les rênes de la maison et où mesdames et messieurs les artistes se bousculaient dans l'aile ouest, et même dans le grenier à foin, paraît-il. La famille y vit toujours, mais sans toute la pompe d'autrefois – que veux-tu, mon bon Standish, comme pour Satan, il est des œuvres et des pompes auxquelles on est parfois obligé de renoncer. » C'était bien là le style de ce traître et fallacieux ami, toujours à balancer entre l'insinuation assassine et l'allusion crapuleuse. « Il y en a qui sont rudement vernis. Six mois à traîner sa misère dans une des bibliothèques privées les plus riches du monde, et tout ça pour quoi ? Pour exhumer des pleines caisses d'inédits, enfin disons de rogatons impubliables, de cet imbécile de Theodore Corn ! Il va faire tache dans le paysage, qu'on dit pourtant de toute beauté. Peut-être découvrira-t-il le secret des lieux ? Car il y aurait un secret à Esswood, figure-toi. Tel que je connais notre bon vieux Chester, je suis sûr qu'il a une idée derrière la tête, à défaut d'avoir quelque chose dans le crâne. »

Parce qu'il n'en était pas encore sûr, Standish n'avait pas dit à ce monstre de perfidie, dont le nom et la personne étaient irrémédiablement associés dans sa mémoire à une forte odeur de pastilles contre la toux, qu'il croyait que la sœur de sa grand-mère, de surcroît la première femme de son grand-père, Isobel Standish pour ne pas la nommer, avait elle aussi séjourné à Esswood. Il n'en était pas encore tout à fait certain, mais l'allusion à un secret avait remué en lui de vieux souvenirs. Il lui semblait bien se rappeler que la sœur de sa grand-mère était morte en Angleterre dans une propriété dont le nom ressemblait fort à celui-ci, mais il n'avait pas fait de plus amples rapprochements. A cette époque, à Popham, tout pouvait encore s'expliquer par des coïncidences.

Vers la fin de l'année, entrant un après-midi dans le bureau des professeurs, Standish avait reçu un choc. Le teint gris, les joues flasques, les paupières tombantes et les yeux tirés, Chester Ridgeley n'était plus voûté, mais bossu. Lui qui n'avait jamais eu la démarche très assurée se traînait maintenant comme un vieillard. Selon le même ami, aussi fourbe que bien informé, Ridgeley, qui avait déjà sous-loué son appartement et commencé à prospecter les garde-meubles pour entreposer ses biens, venait juste de recevoir une lettre d'Esswood dans laquelle la famille Seneschal, ayant eu vent de certains faits regrettables survenus dans son passé, l'informait qu'elle était malheureusement au regret, ainsi qu'il était précisé dans le dernier paragraphe, de surseoir à l'accord qui lui avait été précédemment signifié.

Des zones d'ombre dans le passé de Ridgeley ? s'était étonné Standish.

A une certaine époque, comme s'était empressé de le renseigner le faux frère auquel il avait accordé son amitié, il avait en effet circulé certains bruits sur ce brave Ridgeley. Peu après son arrivée à Popham, ce judas de quarante-six ans, face aux vingt-quatre printemps de Standish, cette caricature d'ami, cette hyène à l'haleine mentholée, avait eu vent, lui aussi, de ragots concernant un incident oublié, une vieille affaire devenue trop vague pour être encore qualifiée de scandale. Ridgeley aurait mis une de ses étudiantes dans une situation embarrassante. Celle-ci aurait abandonné ses études en catastrophe et serait retournée au fin fond de sa campagne, enceinte de ses œuvres, où elle serait morte peu après en mettant son enfant au monde. Ce n'étaient que des rumeurs. Pour sa part, Ridgeley avait toujours nié cette pseudo-paternité et, les années aidant, l'affaire avait fini par tomber dans l'oubli. La question était de savoir, détail qui intriguait son fielleux ami, comment cette vieille histoire avait pu parvenir jusqu'à Esswood. Le conseil d'administration de cette digne institution avait-il fait appel à quelque officine privée ? L'accord de principe n'avait pas été purement et simplement annulé, mais simplement repoussé à une date ultérieure; peut-être les investigations en cours concluraient-elles à un non-lieu en faveur de Ridgeley. « Tu penses bien qu'avant d'accepter n'importe qui, avait susurré le serpent qu'il croyait son ami, ces gens-là prennent leurs précautions. »

Bien sûr, Ridgeley avait survécu. Il avait réussi à annuler son congé sabbatique et à garder son appartement, mais, pour ce qu'en savait Standish, l'invitation à Esswood n'avait jamais été renouvelée.

La « seconde affaire Esswood » était survenue au moment où les fondements mêmes de sa vie avaient failli s'écrouler, sapés par les vicieux coups de boutoir de la vipère qu'il avait réchauffée dans son sein, drame qui s'était terminé en bain de sang, en véritable boucherie, bien que le sang versé ne fût ni le sien ni celui de son ignominieux ami, mais celui du monstrueux sac de glaires qui n'aurait jamais dû sortir du cloaque où il avait été conçu et qui avait fini là où finissent toutes les parodies d'humanité – poubelle, incinérateur ou égouts. A chaque chose malheur est bon, et, suite à ce pénible incident, sa candidature dans une institution à cent coudées au-dessus de Popham (l'université de Zenith, à Zenith, dans l'Illinois) ayant été acceptée, sa vie avait changé du tout au tout.

Standish n'avait jamais compris comment Jeremy Starger avait pu être invité à Esswood. Jeune maître-assistant nanti de la seule inexpérience de ses vingt-cinq ans et de la thèse qu'il venait de décrocher à l'université d'Ann Arbor, Jeremy Starger arrivait la plupart du temps à ses cours dans un état d'ébriété avancé. Les joues mangées par une barbe hirsute, l'œil allumé, il n'avait que D.H. Lawrence à la bouche, sujet de ses « recherches » et dada personnel. Lawrence avait passé plusieurs semaines à Esswood, mais avait pris soin de ne jamais s'y trouver en même temps que le sieur Theodore Corn, qu'il détestait cordialement. (Il avait qualifié Corn de « ver de terre » et de « sale punaise » dans une lettre à Bertrand Russell.) Surpris d'apprendre que Starger connaissait l'existence d'Esswood, Standish l'avait été plus encore quand celui-ci l'avait coincé dans les couloirs du bâtiment des sciences humaines pour lui annoncer qu'il y était « invité ». Pour trois mois, à compter de la mi-juin. Bien que fort occupé à terminer sa propre thèse, c'était à cette époque que Standish avait commencé à s'intéresser sérieusement à Esswood.

A compter de ce jour, Jeremy Starger s'était mis à agir de manière de plus en plus bizarre, annulant certains cours quand il ne les oubliait pas carrément. Un jour, Standish avait aperçu une mince enveloppe grise dans le casier de son collègue et n'avait pu s'empêcher de jeter un bref coup d'œil à l'en-tête. Fondation Esswood, Esswood, Beaswick, Lincolnshire, avait-il lu. Son cours à peine terminé, il s'était précipité au bureau des professeurs. Fébrile et ne se tenant plus de joie, Starger venait juste d'ouvrir la fameuse enveloppe. Mine de rien, Standish s'était approché. La lettre était manuscrite; si succincte, qu'il n'avait pas fallu longtemps à Jeremy pour en prendre connaissance. Celui-ci s'était laissé tomber sur la chaise d'un collègue, assommé, et, voyant l'étonnement peint sur le visage de Standish, était devenu rouge comme une tomate.

« Ils sont revenus sur leur décision!

– Non! avait dit Standish. J'en suis navré pour toi.

– Tiens donc! avait répliqué Jeremy. Navré, vraiment? Mon pauvre Standish, les seules émotions que tu ressens... Excuse-moi, je ne sais plus ce que je dis. Je n'arrive pas à y croire. Il ne peut s'agir que d'un malentendu, avait-il gémi en parcourant la lettre une seconde fois. Comment peuvent-ils me faire une chose pareille ?

– Oh ! tu sais, c'est un peu la façon d'agir de la maison, avait dit Standish, enclin à prendre les choses avec une certaine philosophie depuis que Starger avait laissé parler ses sentiments. Quelles raisons donnent-ils pour expliquer leur revirement, au juste ? »

« *Dans ces conditions, vous comprendrez que nous sommes dans l'obligation de reconsidérer nos engagements. Conscients que cette décision n'ira pas sans vous poser problème, veuillez croire que nous regrettons sincèrement de ne pouvoir vous compter parmi nous cet été.* »

Jeremy avait froissé la lettre et l'avait jetée dans la corbeille à papier.

« Je suppose que tu n'as rien à voir là-dedans, hein, mon bon Standish ?

– Évidemment ! Sache que si quelqu'un a écrit aux Seneschal pour leur signaler que le grand spécialiste de D.H. Lawrence risquait de passer plus de temps à taquiner la dive bouteille que les volumes de leur magnifique bibliothèque, ce n'est pas moi ! »

Jeremy lui avait jeté un regard noir et, serrant les dents, l'avait planté là, sans doute pour se précipiter au Stein, le bar le plus fréquenté par la gent savante de Zenith.

Un an plus tard, le sémillant Jeremy Starger exilé au fin fond de l'Oklahoma, William Standish avait commencé à se dire qu'un petit séjour à Esswood était sans doute la meilleure solution pour lui. Il avait poursuivi ses recherches sur l'œuvre de la première femme de son grand-père Martin et était maintenant de plus en plus convaincu que derrière cette femme entière, exaltée et restée complètement méconnue, se cachait l'un des précurseurs de la poésie moderne – un talent oublié, mineur, certes, mais néanmoins indéniable. Si elle avait fréquenté Garsington, le groupe de Bloomsbury l'aurait prise sous son aile et tout le monde aurait crié au génie ; si par bonheur elle y était morte, c'est T.S. Eliot qui aurait prononcé son panégyrique, et elle serait aujourd'hui célèbre. Mais Isobel Standish avait préféré la compagnie d'Edith Seneschal à celle d'Ottoline Morrell et elle était donc morte dans l'indifférence la plus totale. (Theodore Corn, lui, avait passé de nombreux mois à Garsington, mais, comparé à Isobel, ce n'était qu'un rimailleur de la pire espèce.)

Isobel Standish n'avait publié qu'un seul ouvrage, le délicat *Crack, Whack and Wheel*, Brunton Press, 1912. La moitié des cinq cents exemplaires du tirage avait été gracieusement offerte à diverses bibliothèques ou distribuée à des amis. Le reste, ignoré par la presse et la critique, avait fini dans la cave de la maison de Brunton Street, à Duxbury, Massachusetts, car c'était Martin Standish qui avait fait publier à compte d'auteur l'étrange petit livre de sa femme, initiative a priori curieuse car il n'avait rien d'un esprit littéraire. Aux yeux plus avertis de William Standish, les poèmes de son aïeule étaient des textes d'une très grande originalité qui se singularisaient surtout par un recours aux techniques de la langue parlée, un penchant très marqué pour l'absurde et l'emploi d'une métrique systématiquement tronquée. Énivrée par le chant de ses propres sirènes, c'était là une poésie qui rejetait toute forme de sentimentalisme. Isobel Standish méritait d'avoir une place aux côtés de Wallace Stevens, Marianne Craig Moore, William Carlos Williams, Ezra Pound et T.S. Eliot. D'une certaine manière, c'était la Emily Dickinson du vingtième siècle, la chasse gardée de William Standish.

Il avait mis longtemps à l'admettre mais il lui avait bien fallu se rendre à l'évidence : sa thèse sur Henry James ne verrait jamais le jour, morte de sa belle mort. Jean et lui n'avaient pas divorcé. Si les choses semblaient s'arranger de ce côté et s'ils envisageaient, malgré le poids du passé, de devenir parents, sa carrière à Zenith s'annonçait en revanche sous un jour moins rose. S'il voulait contrer le scepticisme de plus en plus affiché du conseil de l'université à son égard et, par là même, conserver son poste, il fallait absolument qu'il mène à bien les deux ouvrages consacrés à Isobel qu'il avait en tête, à savoir une intégrale de son œuvre poétique et un essai sur sa place dans la poésie contemporaine. Faute de quoi, adieu veaux, vaches, cochons, et même Zenith ; il n'aurait plus qu'à aller se faire pendre ailleurs, dans le Nord-Est, par exemple, où ne manquaient pas les établissements prestigieux où l'on saurait beaucoup mieux apprécier ses talents.

Environ neuf mois avant que le conseil l'informe qu'une publication quelconque dans un délai relativement bref était désormais la condition indispensable à la poursuite de sa carrière universitaire dans la contrée, Standish avait écrit à Esswood, posant moult questions. Isobel s'était-elle plu à Esswood ? Avait-elle pris la plume, le temps qu'elle y était restée ? Surtout, avait-elle fait don de documents inédits à la fondation ? Si tel était bien le cas, pouvait-il caresser l'espoir d'être reçu à Esswood, pour une période dont il laissait aux distingués administrateurs de la fondation le soin de fixer la durée, afin d'explorer les trésors de la célèbre bibliothèque en vue de la publication d'un ouvrage de fond sur son œuvre ? Œuvre pour laquelle il n'avait pas caché son enthousiasme et dont il avait souligné toute l'importance à ses yeux. Il allait sans dire qu'il n'avait en outre pas manqué de faire allusion à sa « parenté » avec la poétesse.

Il avait reçu une réponse par retour du courrier, une simple lettre signée des initiales R.W. Il serait statué sur sa demande « en temps utile ». Aux anges, Standish avait aussitôt informé les membres du conseil qu'il allait bientôt pouvoir leur présenter quelque chose de concret à se mettre sous la dent.

Cinq mois s'étaient ensuite écoulés sans un mot en provenance d'Angleterre. En janvier, Jean avait appris qu'elle était à nouveau enceinte; la naissance était prévue pour la fin septembre. En mars, elle avait subitement présenté des troubles alarmants – tension anormalement élevée, saignements vaginaux persistants – et avait dû garder le lit quatre semaines. Docile, elle n'avait pas posé le pied par terre pendant un mois. C'était alors, soit huit mois après sa demande, qu'il avait reçu une seconde lettre de Beaswick, Lincolnshire. Sa demande avait été acceptée. Durant trois semaines, il aurait libre accès aux écrits laissés par Isobel Standish et à tout ce que contenait la bibliothèque. (« La recherche intellectuelle ne devant en effet subir aucune entrave », écrivait R.W., Robert Wall, ainsi qu'il le savait à présent.) Robert Wall avait ajouté une phrase affable pour s'excuser du délai mis à répondre, sans toutefois en préciser la raison. Le candidat primitivement retenu avait peut-être fait faux bond – on était déjà au mois d'août. Ou bien la fondation était revenue sur son accord, comme cela s'était déjà produit avec Chester Ridgeley et Jeremy Starger, hypothèse qui paraissait la plus vraisemblable. En tout état de cause, le malheur des uns faisant le bonheur des autres, il était sauvé.

Sauvé était bien le mot. Le doyen avait accepté de reculer d'une année toute décision concernant son avenir à Zenith. Standish comptait mettre ce laps de temps à profit pour préparer son édition des œuvres complètes d'Isobel, c'est-à-dire rédiger une introduction substantielle et commencer à tâter le terrain en vue de la publication en volume.

Jean avait été le dernier obstacle à négocier. « Comment peux-tu être sûr qu'ils ne vont pas revenir sur leur décision au tout dernier moment? Apparemment, ça semble même être la spécialité de la maison. » (Comble de malheur, Jean était au courant de la mésaventure survenue à Jeremy Starger et à Chester Ridgeley.) « Est-ce que tu connais seulement quelqu'un qui soit allé là-bas? La fondation Esswood! Si ça se trouve, c'est encore une de tes inventions, un de tes délires littéraires. Et si jamais ils prenaient des renseignements sur toi, hein ? Tu as pensé à ça ? Pourquoi tiens-tu tellement à aller là-bas, Bill ? » Voilà le genre de questions avec lequel une Jean travaillée par sept mois de grossesse le réveillait toutes les nuits, interrogatoires qui se terminaient invariablement par une crise de larmes. Le lendemain, faisant montre d'une discrétion qui ne lui était pas coutumière, c'était à peine si elle lui adressait la parole quand il rentrait, muette incarnation du remords et de la contrition.

« N'essaie pas de prétendre que tu vas là-bas pour mon bien, je te prie ! » avait-elle répondu lorsqu'il lui avait présenté un éventuel séjour de trois semaines à Esswood comme la clef du nouvel avenir qu'il se faisait fort de leur offrir à tous deux. Durant tout le premier semestre, Jean avait ruminé cette idée, oscillant entre acceptation muette et hostilité larvée. En juin, elle fondait en larmes chaque fois qu'il était question de l'Angleterre dans la conversation. Il ne pouvait pas partir ; c'était impossible – surtout maintenant. Zenith n'était pas la seule université au monde. Et même si aucun autre établissement ne voulait l'engager, n'y avait-il pas les lycées ? Est-ce que ce serait une telle déchéance ?

Et si jamais elle perdait le bébé – hein ? C'était une éventualité qu'il ne fallait pas écarter ; n'en avait-il donc pas conscience ?

Sachant jusqu'où elle pouvait aller, Jean ne s'était cependant jamais risquée à dire : « Et si jamais je perdais celui-là *aussi*, hein ? » D'ailleurs, il aurait fait beau voir qu'elle lui reprochât la perte du crachat qu'on avait extirpé de son ventre et qui avait eu le sort qu'il méritait. Au vide-ordures, les immondices.

Le ventre distendu, les cheveux qui pendaient en mèches grasses et les traits bouffis, Jean offrait un bien triste spectacle, et Standish avait parfois dû se frotter les yeux pour se convaincre qu'il ne vivait pas avec une étrangère. Il s'était efforcé de la rassurer en lui répétant qu'elle était en parfaite santé et qu'il serait de retour trois semaines avant la date de l'accouchement.

« *Ce n'est pas vrai*, ne cessait-elle de pleurnicher. *Je le sais. Je serai toute seule à l'hôpital. Tu te fiches complètement de me voir mourir.* » Si les choses en étaient à ce point-là, avait-il fini par lâcher, excédé, eh bien ce n'était pas compliqué, il allait écrire à Esswood et informer la fondation qu'il était forcé de renoncer à ses projets par suite d'ennuis familiaux. « *Tu crois que je cherche à te retenir à tout prix. Tu ne comprends pas. Tu préfères te voiler les yeux.* » Comme s'il y avait quelque chose à comprendre. « *Je vais avoir un bébé, tu entends ? Un enfant ! Que tu le veuilles ou non ! Es-tu sûr qu'Esswood existe, au moins ? Et qu'est-ce qui te fait croire que tu vas pouvoir écrire un livre là-bas ?* » Sous-entendu : puisque tu n'as jamais été foutu d'en écrire un ici. « *Est-ce que tu te rappelles, dis, est-ce qu'au moins tu te rappelles tout ce que tu m'as fait subir ?* »

Frayeurs de femme enceinte, s'était-il dit, prenant son mal en patience. De toute façon, Jean avait bien tort de s'inquiéter. Dans une semaine ou deux, il recevrait une enveloppe grise avec un unique paragraphe manuscrit.

Il avait passé toutes ses dernières soirées avec elle. Il lui parlait de ses cours, ou bien ils regardaient la télévision. La nourriture, les feuilletons du moment et les mouvements du bébé dans son ventre, Jean ne parlait de rien d'autre et ne semblait plus répondre qu'à certains stimuli précis, comme quelqu'un qui serait mort et n'aurait été qu'imparfaitement ressuscité. Un soir, il avait ouvert son exemplaire de *Crack, Whack and Wheel* et avait commencé à prendre des notes. Jean n'avait pas protesté. Assez bizarrement, les poèmes lui avaient paru lettre morte, verbiage puéril et dénué de talent. Morts, eux aussi.

Mais pourquoi se tracasser ? Dans quelques jours, il recevrait une enveloppe grise qui mettrait fin à cette mascarade. A la faculté, le courrier était distribué dans l'après-midi, entre trois heures et trois heures et demie. Chaque jour, après son cours de première année, Standish se précipitait au bureau des professeurs et, aussitôt la porte franchie, l'angoisse au cœur, braquait les yeux vers son casier.

Six jours après la lettre qui lui avait annoncé que sa candidature était acceptée, il avait trouvé une autre enveloppe grise au fond de son casier. Imaginant déjà le pire, il n'avait pu s'empêcher de se tourner vers le bureau jonché de papiers qui avait été celui de Jeremy Starger. Le jeune barbu spécialiste du XVIIIe siècle qui l'occupait à présent avait relevé les yeux, sourcils froncés. « Qu'est-ce que vous avez à me regarder comme ça ? » avait-il demandé. Sans se soucier de répondre à ce jeune sot, Standish avait tendu la main vers l'enveloppe tant redoutée et les avis de publication qui constituaient l'essentiel de son courrier habituel. La peur au ventre, surpris de constater à quel point il était déçu, il avait jeté les publicités dans la corbeille déjà pleine de paperasses et emporté l'enveloppe à son bureau. Il avait chaud, brusquement ; il devait être rouge comme une tomate. Robert Wall l'avait percé à jour. La mort dans l'âme, il avait déchiré l'enveloppe et en avait sorti une feuille couverte de hiéroglyphes abscons qui, au bout de quelques secondes, s'était muée sous ses yeux en une carte ronéotypée montrant comment se rendre de l'aéroport de Heathrow à Beaswick. Battements de cœur, rougeur, tout s'était envolé comme par enchantement. Un X surajouté au crayon situait l'emplacement d'Esswood. Standish avait ressenti un soulagement comparable à celui que devait éprouver un condamné à mort apprenant qu'il vient de faire l'objet d'une mesure de grâce.

Ce soir-là, il avait tendu la carte à Jean quand elle était venue le rejoindre devant la télévision. « Magnifique », avait-elle marmonné en la lui rendant, les doigts boudinés et les joues gonflées comme des pastèques à la lueur de l'écran. Ce n'était pas uniquement son ventre, mais tout son corps qui avait grossi, lardé d'une gangue de graisse due aux beignets et aux crèmes glacées dont elle ne cessait de s'empiffrer. Il avait repris la carte en songeant qu'Isobel Standish, elle, avait dû rester mince toute sa vie.

« Avec ça, tu vas aller loin, tiens! avait-elle grommelé, les yeux fixés sur l'écran.

– Pourquoi ?

– Je me demande à quoi cette carte va bien pouvoir te servir, avait-elle répondu sans même se donner la peine de le regarder.

– Pourquoi dis-tu des choses pareilles ? avait-il demandé, incapable de masquer un soupçon d'aigreur.

– Peux-tu m'expliquer ce que tu irais faire à Heathrow ? avait-elle expliqué en consentant enfin à tourner la tête vers lui.

– Mais... c'est le nom de l'aéroport international de Londres.

– Mais tu n'atterris pas à Heathrow. Ton avion se pose je ne sais où. Gatwick, je crois. »

Gatwick. Le nom lui semblait familier. Il était monté jusqu'à la chambre, avait sorti son billet du tiroir de la commode où il l'avait rangé et lu les indications qui y étaient portées.

Il avait dû faire amende honorable en redescendant.

Jean s'était contentée de grogner. Avait-elle fouillé dans ses affaires ? Et quel besoin avait-elle de monter autant le volume de la télévision ? Il s'était emparé d'un atlas et plongé dans l'index, mais n'y avait pas trouvé Gatwick [1].

Il était retourné s'asseoir à côté de Jean et avait déplié la carte envoyée par Robert Wall, écheveau de routes et d'échangeurs. Aucun des noms en caractères gras n'était celui de Gatwick; nulle part entre Londres et le Lincolnshire, il n'avait trouvé mention de la ville. Peu importait, il trouverait bien l'endroit une fois sur place. On pouvait se procurer des cartes dans toutes les stations-service. Et il y avait bien des stations-service en Angleterre, non ?

Bien qu'il ait surveillé chaque jour son courrier avec inquié-

1. L'aéroport international de Heathrow est situé à vingt-cinq kilomètres à l'ouest de Londres, celui de Gatwick à quarante kilomètres au sud, c'est-à-dire exactement à l'opposé du Lincolnshire. *(N.d.T.)*

tude, la lettre fatidique n'était jamais arrivée, et il était maintenant là, à trente mille pieds au-dessus de l'Atlantique. Il avait déjà pris trois dry Martini pour tromper la longueur du trajet et s'apprêtait à en demander un quatrième lorsqu'il pensa tout à coup à Jeremy Starger.

Admettre ce Poil de carotte aviné dans une bibliothèque aussi prestigieuse que celle d'Esswood ? Absurde !

Pénétré de son importance et légèrement grisé par le gin, Standish sortit *Crack, Whack and Wheel* de la mallette qu'il avait gardée avec lui. Soulignements, renvois, annotations, tout cela avait un côté rassurant et témoignait aussi bien des mérites de la poésie d'Isobel que de la profondeur de sa propre pensée. Toutes ces notes étaient le fruit d'une intelligence aiguisée ayant trouvé un sujet à la mesure de son talent. *Cf. psaume 69*, disait l'une d'elles. *Le monde est sourd à la pitié. Intention ironique; réf. au mari?* D'une encre différente, il avait ajouté : *Vibrant élan de compassion, attribut du moi poétique*, note au-dessus de laquelle il avait inscrit : *Volonté antinarrative.* Toute l'œuvre d'Isobel Standish n'était qu'une machine antinarrative. En divers endroits dans les marges presque entièrement gribouillées, apparaissaient des noms tels que : *L'Odyssée, Dante.* « Reproche », tel était le titre du poème qu'il avait si minutieusement annoté.

Et il n'a rien trouvé non plus, dit le vagabond
Sous les combles pourrissants de la maison
Fatigué, sans personne vers qui se tourner,
Personne pour lever la main et dire

« Pauvre fou, c'est la peine d'avoir des lunettes
Quand on a une poutre dans l'œil. Tiens! mademoiselle

Standish... »
C'est la pleine lune. La foule des invités
Est déjà rassemblée sur la terrasse.

Tout le monde ne parle plus que de cet homme
Qui aurait découvert, encore que bien tard
Les caveaux pleins de jouets et de bébés cassés
De reproche, nul n'est exempt.

La tête déjà un peu lourde, Standish fit passer le peu appétissant plateau-repas fourni par la compagnie à l'aide d'un verre de vin rouge au goût de décapant et en garda un autre pour regarder le film. Il n'était pas habitué à boire autant. Jean n'était pas partisane de mettre du vin sur la table et, de façon générale, il n'aimait pas la somnolence dans laquelle le plongeait plus d'un verre. Mais aujourd'hui, rien n'était comme d'habitude. Le domicile conjugal était à des milliers de kilomètres derrière lui; en route pour un pays qu'il ne connaissait que de nom, il était suspendu entre ciel et terre avec un exemplaire de *Crack, Whack and Wheel* entre les mains. Tout cela n'était pas sans lui inspirer une certaine appréhension. Trois semaines avec pour seule compagnie des poèmes qu'il n'était pas encore vraiment sûr de comprendre semblaient une éternité.

Standish s'endormit pendant le film et se réveilla au petit matin, en nage et le corps couvert d'une pellicule de sueur grasse. L'hôtesse avait distribué une couverture à chacun pendant la nuit et, pendant quelques instants, il se débattit sauvagement, croyant lutter contre une créature cauchemardesque. Pleinement réveillé, il se passa les mains sur le visage et jeta un regard autour de lui; seuls quelques imbéciles, hilares, avaient été témoins de son affolement. La couverture glissa contre ses jambes; il ne s'en était pas rendu compte, mais il avait une superbe érection. Comme un monstre tapi dans son antre, son rêve était encore présent, rôdant à la surface de ses pensées.

L'avion amorça sa descente peu après le petit déjeuner. Standish tira le rideau de son hublot, et une froide lumière grise envahit la carlingue. Comme un sous-marin en plongée, l'appareil semblait piquer vers le fond d'une mer aux reflets argentés. L'avion perça une dernière couche de nuages d'une blancheur irréelle, et un paysage totalement étranger s'offrit à ses yeux. Des champs minuscules, aussi distincts que les pavés d'une rue, cernaient un aéroport grand comme un mouchoir de poche. Au loin, deux autoroutes venaient mêler leurs voies aux abords d'une petite ville hérissée de rangées de maisons toutes semblables. Au-delà de la ville miniature, s'étendait une grande forêt, tache d'un vert éclatant qui semblait la seule vraie couleur dans le paysage. *L'Angleterre*, songea Standish, parcouru par un frisson d'étrangeté.

L'appareil s'étant rangé à quelque distance du terminal, les passagers durent traverser la piste avec leurs bagages à main. Standish y avait bourré à la dernière minute quantité de sacs de livres et de cassettes et avait mal au bras; au bout de la courroie passée autour de son cou, son baladeur lui battait la poitrine. Heureux comme un gamin, il laissa ses yeux se gorger de la lumière argentée, inconnue en Amérique, qui faisait miroiter le macadam. Minuscules sous le fuselage de l'avion, deux mécaniciens en bleu de chauffe maculé de graisse observaient les passagers se dirigeant vers le terminal. Même s'il avait pu entendre les paroles que les deux hommes échangeaient tout en louchant à travers la fumée de leur cigarette, Standish savait qu'il n'en aurait pas compris un traître mot.

Mais il n'eut aucun problème, ni pour comprendre ce qu'on lui disait ni pour être compris, lorsqu'il pénétra dans l'aérogare. L'employé des Douanes le traita avec courtoisie. Celui des services de l'Immigration parut sincèrement s'intéresser aux raisons de sa venue en Angleterre et le rassura bien vite quant à la route à suivre pour gagner le petit village du Lincolnshire où il devait se rendre. « Oh ! ne vous inquiétez pas. Nous sommes un petit pays, ici, comparé au vôtre. Vous ne pouvez pas vous perdre. » Chaque mot, chaque syllabe de cet aimable discours, était non seulement clair, mais musical : les voix avaient ici des inflexions inconnues en Amérique. L'hôtesse de l'agence de location de véhicules sans chauffeur n'avait jamais entendu parler d'Esswood ou de Beaswick, mais cette accorte jeune personne lui présenta plusieurs cartes avant de l'accompagner jusqu'à la Ford Escort turquoise vieille de dix ans qui l'attendait sur le parking de l'aéroport, humble et patiente comme une mule. « Vous devriez pouvoir ranger vos bagages dans le coffre, mais vous avez de la place sur le siège arrière, si ce n'est pas suffisant. Le mieux serait de prendre directement l'autoroute à la sortie de l'aéroport et de rouler jusqu'au prochain échangeur. Ensuite, vous n'aurez plus qu'à suivre les panneaux. »

Standish se demanda si tous les Anglais parlaient avec une petite musique dans la voix.

2

Conduire à gauche, bien que totalement contraire à ses habitudes, n'était pas l'aventure qu'il avait imaginée. Il suffisait de se laisser emporter par le flot de la circulation. De même, passé un premier moment déconcertant, allumer la radio de la main gauche au lieu de la droite et doubler les véhicules plus lents du mauvais côté, enfin du côté inhabituel, étaient un jeu d'enfant. Toutefois, Standish ne savait pas ce que deviendrait cette belle assurance en cas de pépin. Que faire si la voiture qui le précédait crevait un pneu ou se mettait à déraper ? Se voyant déjà la cause d'un monstrueux carambolage, il ralentit quelque peu l'allure, l'esprit envahi de visions de kilomètres d'épaves fumantes, et s'adressa un sourire d'encouragement dans le rétroviseur. Il était fatigué et un peu dérouté par le décalage horaire, mais il jubilait, heureux d'être en vie comme il l'avait rarement été.

Seuls les ronds-points lui posaient problème. La théorie était simple : une fois sur l'anneau, il n'y avait plus qu'à sélectionner sa direction en se rapprochant d'autant plus du terre-plein central que la sortie choisie était éloignée du point d'entrée. Les sorties avaient beau être indiquées par de grands panneaux fléchés, suant à grosses gouttes, incapable de savoir quelle flèche suivre, Standish accomplit deux fois le tour du rond-point. Il finit par repérer la bonne sortie, la troisième de l'anneau, mais, coincé à la corde du rond-point, fut incapable de couper la file qui lui barrait la droite. Il dut se résigner à un troisième tour de terre-plein, s'efforçant de conduire en gardant les yeux fixés sur la lunette arrière, et déclencha les essuie-glaces en voulant actionner le clignotant. Dès qu'il fit mine de quitter sa file, un concert d'avertisseurs éclata aussitôt. Il poussa un juron, resta sagement dans sa file, repartit pour un tour et, cette fois, réussit à s'insérer dans la file extérieure. Quand enfin il put s'engager dans la bretelle de sortie, il n'avait plus un poil de sec.

Quarante kilomètres plus loin, il rencontra un second rond-point. Les cartes qu'il avait étalées sur le siège du passager glissèrent sur le plancher et il connut un bref instant de panique. Se dirigeant toujours vers le nord, il était censé rester sur cette voie express encore un certain temps, emprunter ensuite une nationale et s'engager enfin sur des routes qui n'étaient plus que de simples traits noirs sur la carte. Tenaillé par le doute et l'indécision, il dut encore faire plusieurs fois le tour du terre-plein. Le clignotant tictaquait comme une bombe. Il avait les mains moites et du mal à contrôler le volant. Il réussit enfin à s'insérer dans la file extérieure et à s'échapper de ce guêpier. Une fois en sécurité, il s'arrêta sur l'accotement et ramassa les cartes éparpillées sur le tapis du plancher. Ayant trouvé la bonne, il ne vit nulle part le rond-point dont il venait juste de réussir à s'extraire. Il n'existait pas sur la carte, seulement dans la vie. Dire qu'il avait imaginé un voyage d'agrément sur de petites routes de campagne. Autant oublier de telles idées; il était perdu. Il en aurait pleuré. Il réussit à se calmer et finit par localiser un rond-point sur la carte, un inoffensif cercle gris qui ne pouvait être que celui qu'il venait de quitter. En principe, il devait rester sur la nationale pendant encore une centaine de kilomètres et la quitter à Huckstall, un petit village où un panneau lui indiquerait la direction de Beaswick. D'ici là, heureusement, plus de rond-point à affronter. Rasséréné, Standish se remit en route.

Et roula. Pendant des kilomètres et des kilomètres. A un moment donné, le paysage devint incroyablement vide et désolé. Seuls quelques buissons, semblables à des tas de fumier, rompaient çà et là la monotonie de la campagne, plate et uniformément grise. Au loin, plaquées sur l'horizon, s'élevaient quelques maisons de briques rouges. Ce ne pouvait tout de même pas être Huckstall.

Parvenu dans le hameau, conduisant lentement, les yeux tournés vers la fenêtre du passager, il aperçut sur sa gauche un visage livide pressé contre une fenêtre, tache blanche sur fond noir. Un visage d'enfant. Prisonnier. Enfermé dans cette affreuse bâtisse de briques avec pour seule distraction le spectacle des voitures qui passaient en grondant sur la nationale – l'idée était étrange et Standish n'aurait su dire d'où lui venait cette bizarre impression. Deux autres taches blanches, plus petites, sans doute des mains, apparurent derrière la vitre, et un trou s'ouvrit dans le bas du visage, comme si l'enfant voulait lui crier quelque chose. L'appeler à l'aide.

Standish détourna rapidement les yeux. Une colline basse et noire surgit devant lui sur le côté droit de la nationale. Dépourvue de végétation, la butte semblait étrangère au paysage vide qui s'étalait sous l'horizon, tertre artificiel plutôt que formation géologique. D'autres collines semblables masquaient la moitié du ciel. Toutes avaient le même aspect lugubre de dépôts d'ordures disséminés sur un immense champ d'épandage. Des images d'officine de faiseuse d'anges, jonchée de tampons, de serviettes et de draps souillés de sang coagulé, noirci par le temps, lui traversèrent l'esprit.

Il flottait une âcre odeur métallique, comme si l'air était plein de minuscules particules de fer en suspension. En approchant de la première butte, Standish constata qu'il s'agissait en fait de tas de charbon. Des pans entiers de scories s'écroulaient silencieusement. Perdus dans ce paysage lunaire baigné par les halos des projecteurs et les lueurs des torchères, des bulldozers aux allures de jouets mécaniques s'affairaient en tous sens, chevauchés par des hommes au visage noir de suie. Des grues, des treuils, des palans s'activaient à de mystérieuses besognes. « Des crassiers », se dit Standish, ne sachant pas s'il avait raison. Crassiers, terrils ? Y avait-il une différence ?

Même le ciel semblait sale. De gigantesques machines semblaient gronder dans les profondeurs du sous-sol. Standish avait l'impression de rouler au milieu d'un atelier infernal, d'une immense usine à ciel ouvert. Cela faisait une éternité qu'il n'avait pas rencontré le moindre panneau. Partout où ses yeux se posaient, ce n'étaient que crassiers dressés face au ciel et gueules noires éclairées par les reflets mouvants des torchères. La route était singulièrement étroite pour une nationale.

Il décida de continuer à rouler jusqu'au prochain panneau. A l'idée de quitter sa voiture pour affronter cet univers sinistré, sa gorge se serrait.

En un clin d'œil, le paysage changea du tout au tout. Standish laissa derrière lui les crassiers, les projecteurs, les conducteurs de bulldozers-jouets et les flammes des torchères, et s'enfonça dans une forêt verdoyante. La route était à présent bordée de buissons et d'arbres colonisés par le lierre. Au bout d'un quart d'heure, ayant l'impression de rouler dans une serre, il dut s'arrêter au bord de la route pour s'essuyer le front. Les branches entortillées de lierre griffèrent le rétroviseur extérieur. Il jeta un nouveau coup d'œil à sa carte.

Partant du rond-point et orientée au nord-est, une ligne noire menait directement à Huckstall. La carte indiquait bien les zones boisées en vert, mais il n'y avait aucune tache verte à proximité de son itinéraire supposé. Catastrophé, Standish se dit que cette saloperie de conduite à gauche avait tellement dû le déboussoler qu'il avait sans doute pris au sud à la sortie de Gatwick au lieu de prendre au nord. Il était à présent à des centaines de kilomètres du but de sa destination. Il gémit et ferma les yeux. Quelque chose de mou éclata contre le pare-brise. Étouffant un grognement de surprise, il leva instinctivement le bras pour se protéger le visage.

Il abaissa le bras et rouvrit les yeux. Une énorme éclaboussure huileuse étoilait tout le haut du pare-brise, juste au-dessus de ses yeux. Mieux valait ne pas chercher à savoir quelle sorte de créature était venue s'écraser comme un œuf contre la vitre, un insecte de la taille d'un bébé, apparemment. La mort, toujours, changeante et multiple. Il s'essuya le front et reprit sa route.

La forêt disparut aussi brusquement qu'elle était apparue et, sans la moindre transition, laissa la place au même paysage de terre brûlée qu'il croyait avoir définitivement abandonné. Par deux fois, il longea des usines en plein air, plus petites que celle qu'il avait déjà rencontrée, mais avec les mêmes crassiers et les mêmes gueules noires travaillant à la lueur des torchères. Il avait l'impression de tourner en rond. Toujours pas de panneau pour Huckstall, ni d'ailleurs pour une autre ville. Des routes anonymes coupaient celle sur laquelle il roulait, s'enfonçant dans la campagne rousse. Fatigué et sans personne vers qui se tourner, disait le poème « Reproche ». Il aurait tout de même bien aimé apercevoir un panneau pour Boston, Sleaford ou Lincoln, les villes principales mentionnées sur la carte fournie par Robert Wall.

Quelques minutes plus tard, une borne, plantée comme une dent au bord de la route, se dessina devant lui. Standish ralentit, se gara sur la berge, mit pied à terre et s'avança pour lire l'inscription usée : 12. Douze ? Il était bien avancé.

« Perdu ? »

Surpris, Standish releva brusquement la tête et, juste derrière la borne, découvrit un individu hâve et dégingandé qui semblait avoir poussé de terre comme un champignon. L'homme était vêtu d'un pantalon brun trop grand pour lui, de bottes crottées et d'un vieil imperméable élimé dont les couleurs se confondaient presque avec celles du paysage. Coiffé d'une casquette sombre, enfoncée très bas sur le front, l'homme se voûta en guise de salut et se fendit d'un sourire. Il lui manquait presque toutes les dents.

« Eh bien... à vrai dire, je ne sais pas, répondit Standish.

– Z'en savez rien ? s'esclaffa l'homme en se pourléchant les gencives.

– Je veux dire que je commence à me le demander, dit Standish. Je pensais que cette borne pourrait m'aider.

– Et c'est pas le cas ? »

L'inconnu parlait d'une voix calme et grasseyante, pleine de sous-entendus.

« Y a pourtant pas mal de choses indiquées là-dessus. Un homme peut parcourir bien de la route avec des renseignements aussi précis. »

Standish détestait ce ton, moqueur et insultant.

« Ah bon ? dit-il. Vous n'êtes pas difficile. Je désire me rendre à Huckstall, mais je ne sais pas si je suis sur la bonne nationale.

– Huckstall, médita l'homme. Jamais entendu dire qu'y avait des Américains qu'allaient à Huckstall.

– En fait, je ne vais pas vraiment à Huckstall, précisa Standish, furieux de devoir s'expliquer. Je comptais simplement m'y arrêter pour dîner et reprendre ensuite ma route pour le Lincolnshire.

– Le Lincolnshire, vous dites ? C'est que ça fait une sérieuse trotte jusque là-bas. Et vous pensiez que vous zétiez sur une nationale ? C'est comme ça qu'elles sont faites les nationales, en Amérique ?

– Ah... alors, où est la nationale la plus proche ? demanda Standish, légèrement énervé.

– Tiens! Z'avez tué un zoizeau ? Un zoizillon ?

– Quoi ?

– Avec votre bagnole, expliqua l'homme en hochant le menton vers le pare-brise maculé d'humeurs et de matières.

– Vous êtes fou, ma parole ! » s'écria Standish, dont les mots avaient dépassé la pensée.

L'homme cilla et recula d'un pas. Sa langue se logea dans un des trous qui lui crénelait les dents. Il avait maintenant l'air un peu moins sûr de lui et semblait sur la défensive, ayant perdu une bonne partie de son insolence précédente. Ce pauvre hère était indéniablement fou à lier. Où Standish avait-il la tête pour ne pas s'en être aperçu d'emblée ?

« D'où êtes-vous ? » demanda-t-il, espérant bien que l'homme répondrait qu'il habitait Huckstall.

Le bonhomme eut un mouvement de tête vers les solitudes qui s'étendaient derrière lui, puis recula encore d'un pas, comme s'il avait peur que Standish ne se jetât sur lui. Standish le vit alors tel qu'il était : ce n'était pas du tout le personnage ironique, presque menaçant, qu'il avait tout d'abord cru. Ce n'était qu'un pauvre faible d'esprit, un retardé mental, probablement. Il devait vivre seul dans ces immensités désolées et dormir dans ses vêtements. Maintenant qu'il n'en avait plus peur, Standish aurait plutôt eu pitié de lui.

« En tout cas, je sais pas ce que vous z'avez tué, mais z'avez tué quelque chose, reprit l'homme en s'écartant légèrement de côté, les yeux humides comme ceux d'un chien. La faute à pas de chance, sans doute. »

Et c'était sans doute aussi la faute à pas de chance si Standish était tombé sur un énergumène de cet acabit, un rustaud tout droit sorti d'une page de Thomas Hardy.

« Savez-vous où se trouve Huckstall ?

– Ça oui. Ça, je le sais. Oui.

– Et ?

– Et ?

– Alors où est-ce ? s'emporta Standish.

– Là-bas. Tout là-bas. Tout au bout de c'te même route où c'que vous êtes en ce moment. »

Standish soupira.

« Tout le monde m'a abandonné », ajouta l'homme.

Standish mit les mains dans ses poches et rebroussa chemin vers la Ford Escort, sans toutefois tourner complètement le dos au vagabond.

« Parfois cela me navre, continua l'homme. Pieds nus, j'arpente ma chambre en tous sens. »

Standish s'arrêta net, brusquement de nouveau conscient d'être en Angleterre. En effet, il doutait fort qu'en Amérique un clochard pouilleux pût vous citer du Thomas Wyatt sur le bord d'une route secondaire. Sa curiosité éveillée, le professeur de lettres anglaises qu'il était n'aurait pas pu être plus ravi.

« Continuez, dit-il.

– Je les ai connus, aimables, humbles et effacés. Tous ceux qui tiennent aujourd'hui le haut du pavé et ont tout oublié. Qui parfois... »

L'homme s'interrompit puis déclama :

« *Timor mortis, conturbat me.* »

Cette phrase était tirée d'un autre poème. L'homme devait en avoir des centaines en réserve.

« Très bien ! dit Standish en souriant. Excellent. Vous m'avez beaucoup aidé. Merci. »

L'étrange individu ferma les yeux et se mit à ânonner :

« Allongé sur ma couche solitaire, recherchant en vain le sommeil, j'ai entendu une femme bercer son enfant qui pleurait à chaudes larmes. Elle soupirait avec tristesse et chantonnait tout doucement pour endormir son petit, mais celui-ci continuait à pleurer, pressé contre son sein.

– Euh... oui », dit Standish, en s'empressant de remonter en voiture.

Il mit le contact et, inquiet, vit le poète en guenilles, tout lyrisme à présent envolé, s'avancer vers la voiture en traînant les pieds, la main tendue vers la portière du passager. Standish se maudit de ne pas avoir songé à s'assurer que les portes étaient bien verrouillées quand il avait pris possession de la voiture à l'aéroport. Le moteur gronda. Les yeux fixés sur le rétroviseur, Standish démarra juste avant que l'homme ait atteint la poignée. La démarche titubante, l'amateur de poésie pré-élisabéthaine se lança à la poursuite de la Ford en agitant les bras. Standish accéléra et reporta son attention droit devant lui.

Il roulait peut-être depuis cinq minutes quand il aperçut un petit panneau vert. HUCKSTALL. Encore une quinzaine de kilomètres.

Cette distance accomplie, il pénétra dans un village aux ruelles étroites bordées de maisons de briques, si laid et si inhospitalier qu'il faillit décider de ne pas s'y arrêter. Mais le prochain village semblait être à une trentaine de kilomètres et, sur ces petites routes de campagne, il n'y arriverait pas avant encore au moins trois quarts d'heure. Lorsqu'il déboucha sur la place du marché, en plein centre du village, Huckstall ne lui parut plus aussi rébarbatif.

Des guirlandes de fanions de plastique triangulaires divisaient la place pavée en toute une série de petites baies : les jours de marché, chaque commerçant installait son banc sur l'emplacement qui lui était réservé. Ces cordes empennées n'étaient heureusement pas les seuls signes de civilisation. Standish découvrit successivement la devanture d'une pharmacie, la façade victorienne d'une agence de la Lloyds Bank et la vitrine, pleine de livres de poche aux couvertures bariolées, d'une librairie de la chaîne W.H. Smith. Du côté opposé où il avait garé la Ford surchargée de bagages, s'élevait une grande bâtisse à la façade percée d'une porte à colombage et de larges bow-windows. A côté de la porte, sous un coq doré, une petite pancarte bleue proclamait PRENEZ COURAGE ; au-dessus, sur fond de pistolets disposés en sautoir, l'enseigne, beaucoup plus grande, portait la légende LES DUELLISTES. Les fenêtres miroitaient, la peinture bleue et les moulures blanches scintillaient au soleil. Standish soupira, l'esprit ragaillardi par des images réconfortantes : cochon rôti sur un plateau, meules rebondies de fromage jaune et moelleux, fûts débordants de bière, maître queux ventripotent, le chef coiffé d'une toque, découpant d'épaisses tranches de bœuf rôti et nappant d'une généreuse sauce brune un Yorkshire pudding [1].

Il n'allait pas être à Beaswick avant plusieurs heures. *Je me suis arrêté en route pour manger un morceau*, dirait-il. *Une charmante petite auberge de campagne. Les Duellistes, à Huckstall. Vous connaissez ? A mon humble avis, la maison mériterait de figurer dans les meilleurs guides.*

Son estomac grondait. Décidément, sa première journée en Angleterre prenait la tournure d'un voyage d'initiation. Invité par l'une des fondations littéraires les plus renommées du pays, il avait conduit – à gauche ! – une voiture étrangère pendant des centaines de kilomètres sur des routes qu'il ne connaissait pas et voilà que, pour la première fois, il allait pénétrer dans un intérieur anglais. Il grimpa allégrement les marches du perron et poussa la porte d'entrée.

Il fut d'abord frappé par l'immensité des lieux ; il pensa ensuite que l'établissement devait être fermé pour l'après-midi. La salle, de proportions véritablement gigantesques, était divisée en une série d'autres salles, plus petites mais de dimensions néanmoins encore impressionnantes, meublées de tables rondes, toutes vides, et de banquettes matelassées mises dos à dos pour former de grands box. Le sol était recouvert d'un tapis rouge à carreaux ; le colombage des murs n'était pas d'origine. Dans la lumière tamisée qui filtrait des fenêtres, Standish aperçut un homme brun, personnage à la carrure imposante, occupé à laver des verres derrière le bar, à l'autre bout de l'immense salle. L'air empestait la fumée de cigarette. L'homme releva les yeux vers Standish qui dansait d'un pied sur l'autre dans l'encadrement de la porte, puis continua à sortir de l'eau chaude de grandes chopes, ayant vaguement la forme d'ananas, qu'il alignait une à une sur le comptoir.

Se demandant toujours s'il avait vraiment le temps d'avaler un en-cas, Standish s'avança jusqu'au bar. Le ménage n'avait pas encore été fait : de la bière avait coulé partout sur les tables et la

1. *Yorkshire pudding :* pâte à crêpe cuite accompagnant un rôti de bœuf. *(N.d.T.)*

plupart des cendriers étaient pleins de mégots et de paquets froissés de Silk Cut et de Rothmans.

« Oui ? dit l'homme en lui jetant un regard appuyé avant de replonger les mains dans l'eau.

– Vous êtes ouvert ?

– Ça n'a pas l'air fermé, que je sache.

– Hum. Je me disais que peut-être la législation sur les débits de boisson...

– Oh ! ça a bien changé, tout ça. Comme toute cette putain d'époque.

– Euh... oui... »

L'homme lui jeta un regard impatient et s'essuya les mains avec un torchon.

« Donc, vous n'êtes pas fermé », dit Standish.

L'homme tendit les mains, les paumes en l'air, et écarta les bras dans le plus pur style « Voyez vous-même ».

« Qu'est-ce que je vous sers ?

– J'aurais voulu une bière. Et aussi quelque chose à manger.

– La carte est derrière le bar », dit l'homme en hochant la tête vers un tableau noir marqué à la craie.

Il y avait le choix entre des steaks, des rognons, du hachis parmentier, un ploughman's lunch, des sandwiches au fromage et au jambon, des œufs à l'écossaise [1], du pâté de porc en croûte, des beignets de crevettes et des escalopes panées.

Encore une fois, conquis, Standish sentit son cœur fondre. En contemplant cette liste, il put constater à quel point il était loin de Zenith. Selon des critères anglais, il ne devait s'agir là que d'une carte des plus humbles, mais il aurait voulu goûter à tout. Voilà ce qu'il appelait de la nourriture simple et populaire.

« Tout a l'air si bon, dit-il.

– Ah ? »

Fronçant les sourcils, l'homme se tourna pour mieux examiner la carte, apparemment étonné par tant d'enthousiasme.

« Alors, qu'est-ce que ce sera ?

– Un ploughman's lunch, s'il vous plaît. »

Standish imaginait déjà une grande platée fumante de pommes de terre, de saucisses et de poireaux baignant dans un riche bouillon.

« Ce doit être excellent, non ?

1. Les œufs à l'écossaise sont des œufs durs, enrobés de chair à saucisse. Le ploughman's lunch (qu'on pourrait traduire par le casse-croûte du laboureur), contrairement à ce que croit naïvement Standish, est un déjeuner tout ce qu'il a de plus frugal composé de pain, de beurre et de fromage, le tout arrosé de bière. *(N.d.T.)*

– On ne s'en plaint généralement pas. Chutney, pickles ?
– Euh... les deux. »

L'homme gagna l'extrémité du bar et disparut par une porte. Au bout d'un moment, Standish comprit qu'il était allé donner des ordres en cuisine. L'homme réapparut aussi subitement qu'il s'était éclipsé. La mine maussade et renfrognée, il donnait l'impression d'accomplir son travail à contrecœur.

« Et avec ça, monsieur ?
– Avec ça ?
– Qu'est-ce que vous boirez ? Une pinte de bitter ? Une demi-pinte ?
– Quelle idée merveilleuse ! » s'exclama Standish, sachant qu'il devait avoir l'air d'un parfait imbécile, mais incapable de faire taire ses émotions.

Une pinte de bitter. Comme l'Angleterre était petite ; fabuleux pays, que cette île-nation où les gens cultivaient encore tout ce qui donnait du charme à l'existence et faisait chaud au cœur.

« Oh ! une pinte, finit-il par se décider devant l'air plus que dubitatif de son amphitryon.
– Une pinte de quoi, monsieur ? dit ce dernier en tendant le bras vers la pompe à l'ancienne aux robinets munis de poignées en faïence. D'ordinaire ?
– Euh... non. Quelle est la meilleure ? Je viens d'arriver des États-Unis il y a à peine quelques heures, vous comprenez. »

L'homme hocha la tête, prit une des chopes qu'il avait mises à sécher, la glissa sous le robinet étiqueté *Director's Bitter* et releva la poignée en arrière. Un liquide brun troublé jaillit au fond de la chope. Virtuose de la pression, l'homme abaissa et releva plusieurs fois le robinet jusqu'à ce que la chope soit pleine. Les traits tirés, pétrifiés, pas un seul muscle de son visage ne bougeait, comme si, sous la peau, tous les nerfs étaient morts.

« Il paraît que vous buvez encore la bière chaude, par ici, c'est vrai ?
– Oui, mais on ne la fait pas bouillir, dit l'homme en posant bruyamment la chope sur le comptoir. Laissez reposer. »

A voir les lambeaux de matière brune et limoneuse – en un mot fécale – qui tourbillonnaient sous la mousse, Standish se demanda si la maison ne remplissait pas directement ses cuves à l'étang du village.

« On ne voit pas beaucoup d'Américains, dans nos régions.
– Oh, j'ai encore une longue route à accomplir, dit Standish. Je me rends à Beaswick, un village du Lincolnshire. Je suis invité dans un... je suppose que vous diriez un manoir. Esswood.

– Il y a un type qui s'est fait assassiner, là-bas, commenta l'homme. Ça vous fera trois livres quarante en tout. »

Standish sortit quatre livres de sa réserve de numéraire britannique.

« Vous devez vous tromper, dit-il. C'est une fondation. Chaque année, ils invitent quelqu'un – c'est comme qui dirait une sorte de distinction.

– Drôle de distinction, dit l'homme en lui rendant sa monnaie. Un Américain, même, que c'était. Comme vous, monsieur. Asseyez-vous donc; ça va bientôt être prêt. »

Standish emporta sa lourde chope jusqu'à une table de la deuxième rangée et s'assit. Il jeta un coup d'œil circonspect à sa bière, recouverte d'une couche de mousse fine comme de l'écume. Le liquide s'était décanté. Les lambeaux de matière brune s'étaient dissous dans la robe du breuvage. Avec précaution, il y trempa les lèvres. Dieu que c'était fort, tellement fort que la chose faisait songer plus au whisky qu'à la bière; ce n'était sûrement pas de la bière, mais une potion primitive à base d'herbes aux vertus roboratives. Standish sentit une saine distance s'établir entre lui et les valeurs ayant cours à Zenith. Enhardi, il avala une vraie gorgée; ma foi, on ne pouvait pas dire que c'était mauvais.

« C'est fort, hein, la Director's ? » s'enquit une voix féminine dans son dos.

Standish sursauta, surpris, et renversa un peu de bière sur sa manche.

« Je vous demande pardon », dit une jeune femme, souriant de sa confusion.

C'était une jolie blonde qui ne devait pas avoir plus de vingt ans avec de grands yeux plutôt inexpressifs d'un bleu très pâle, presque délavé. Le ventre proéminent, elle portait, sous un tablier blanc constellé de taches qui lui fit penser, sans qu'il sût pourquoi, à une blouse d'infirmière, un chandail de laine rouge. Il remarqua qu'elle était enceinte avant d'apercevoir l'assiette qu'elle tenait à la main, garnie d'une grosse tranche de fromage et d'un quignon de pain français.

« Bon appétit.

– Excusez-moi, mais ce n'est pas ce que j'ai demandé, dit Standish.

– Mais si ! se récria la serveuse, toute sa gaieté envolée. Vous êtes le seul client. Me gourer avec une seule commande ? Ça me ferait mal !

– Attendez. Ça, c'est du pain et du froma...

– Du ploughman's lunch, que c'est ! Avec pickles et chutney ! »

dit-elle en lui mettant l'assiette sous le nez pour bien lui montrer les deux flaques de sauce, brune et jaune, à côté de la tranche de fromage.

Elle laissa bruyamment tomber l'assiette devant lui et, tout aussi rudement, y adjoignit une fourchette et un couteau.

« Y a quelque chose qui vous convient pas ? demanda-t-elle en le regardant avec une lueur assassine dans le regard. Je suis tout de même pas folle ! " Ploughman's lunch, avec pickles et chutney ", j'ai tout de même bien entendu ce qu'il m'a dit. Même que je lui ai dit : " Y veut des deux, le monsieur ? " Parce que faut vous dire que j'étais à la fenêtre quand vous êtes arrivé. J'ai tout de suite deviné que vous étiez Américain, rien qu'à vos vêtements et à votre façon de marcher. C'est comme ça que je les repère, moi, les Américains, à leur façon de marcher. Faudrait pas vous imaginer que je suis plus bête qu'une autre parce que j'habite Huckstall et que je travaille dans une auberge de campagne. Je vais même vous dire une bonne chose : telle que vous me voyez, j'ai bien plus d'éducation que la plupart de toutes vos grandes gourdes d'Amerloques, allez. Même que j'ai mon certificat, moi monsieur, eh oui ! Et même que l'auberge, eh ben elle appartient à mon mari. Faut voir la tête qu'y font, tous, quand on rentre à la maison. Ah ! la ! la ! la trooonche... »

Suite à cette stupéfiante déclaration, Standish commençait maintenant à comprendre pourquoi le patron – puisqu'il s'agissait du patron et non d'un quelconque sous-fifre – faisait une tête d'enterrement. Les pensées du pauvre homme pouvaient d'ailleurs se lire sur son visage : « *Non, mais c'est pas vrai ! La v'là qui remet ça !* »

Et, montée, le souffle court, elle était d'ailleurs prête à continuer.

« Ça va ! » dit le patron.

La jeune femme gratifia Standish d'un regard noir et, au lieu de regagner la cuisine, fila vers la porte d'entrée. Là, elle dénoua le cordon de son tablier et sans autre forme de procès, abandonna mari et client à leur sort.

Éberlué, Standish se tourna vers le patron. S'essuyant les mains avec un torchon, celui-ci se contenta de lui renvoyer un regard bovin.

« On ferme, monsieur.

– Quoi ?

– Il faut vous en aller. C'est l'heure.

– Mais je n'ai même pas...

– Je vais vous rendre votre argent. »

Le patron sortir un rouleau de billets froissés de sa poche, en extirpa quatre billets d'une livre et les déposa à côté de l'assiette de Standish, où ils s'imbibèrent immédiatement de bière.

« Voyons! dit Standish. Je peux attendre ici, si vous voulez aller la chercher. Vous savez, je vous comprends tout à fait – ma femme est enceinte, elle aussi, et elle n'est pas toujours à prendre avec des pincettes...

– C'est l'heure, le coupa le patron en abattant sur son épaule une main aussi lourde qu'un sac de ciment. Emportez le fromage. Je ferme. »

Standish avala précipitamment une gorgée du redoutable brouet maison et se leva. La main du patron glissa de son épaule à son coude.

« Maintenant, monsieur, s'il vous plaît.

– Ce n'est pas la peine de me pousser! »

Standish eut à peine le temps de s'emparer de son morceau de fromage. Sans rudesse, mais sans ménagement, le visage impassible, muet, comme s'il déplaçait un meuble encombrant, le patron l'accompagna jusqu'à la porte. Il lui laissa cependant l'ouvrir et Standish sortit aussi dignement qu'il le put.

Dehors, en haut des marches du perron, Standish considéra un instant la place du marché déserte avec ses petits drapeaux qui flottaient au vent. La jeune femme enceinte n'était nulle part en vue. Dans son dos, il entendit donner plusieurs vigoureux tours de clef.

« Ben, merde! »

Il avait bonne mine, tiens, avec son bout de fromage à la main. Sans qu'il puisse en deviner la source, un grondement assourdi mais cependant nettement perceptible, halètements d'une turbine invisible, retentissait quelque part au loin. Il n'en aurait pas juré, mais il lui semblait que des gens l'épiaient derrière les rideaux. Le seul mouvement sur la place était le ballet erratique d'un sac éventré, chassé de ci de là par le vent, qui saupoudrait les pavés de pommes chips et de minuscules grains de sel blanc à chacune de ses envolées. Et le fromage commençait à lui coller aux doigts.

Dans un trou aussi perdu, se dit Standish, tout le monde connaissait tout le monde et chacun savait ce que faisait son voisin. Cette espèce de folle avait dû faire fuir tous les clients; dès qu'il avait franchi la porte de l'auberge, tout le village avait dû se précipiter aux rideaux pour voir combien de temps il allait tenir avant d'être jeté dehors.

Il traversa la place et s'avança jusqu'à la modeste petite mule turquoise qui semblait garée sur une grande flaque d'eau scintillante, effet dû à la réverbération du soleil sur le quartz qui pailletait les pavés. La vie des autres est comme un livre, songea-t-il. On en voit si peu; à peine y a-t-on jeté un coup d'œil par une fenêtre qu'on se met déjà à échafauder des dizaines d'hypothèses.

Pendant un moment, la place du marché s'estompa sous ses yeux, remplacée par le charmant quadrilatère, sillonné d'allées qui se croisaient, formant le centre du campus de Popham. Puis il perçut un mouvement derrière lui et se retourna d'un bloc, figé par la surprise. Pas de foule grouillante, comme il l'avait imaginé, mais seulement deux personnes qui l'observaient, à l'abri du passage voûté qui séparait l'auberge du bureau de tabac. Une femme blonde vêtue d'un chandail rouge et un homme, maigre et dégingandé, avec une casquette et un grand manteau crotté. S'il reconnut sans peine la femme de l'aubergiste, il lui fallut un moment pour comprendre pourquoi l'homme lui semblait familier : c'était le vagabond qu'il avait rencontré peu avant d'arriver au village. Le couple disparut dans l'ombre du passage voûté, retraite scandée par le martèlement des croquenots du clochard et le claquement des talons de la femme de l'aubergiste.

Comment cet homme avait-il pu parcourir quinze kilomètres à pied en aussi peu de temps?

Tout le monde m'a abandonné. Parfois cela me navre.

Il sursauta à un bruit soudain, mais ce n'était que le sac de pommes chips qui faisait les quatre coins de la place. L'étrange grondement de machines invisibles n'avait pas cessé une seule seconde.

Standish se tourna vers l'auberge et aperçut enfin la source de ce grondement mystérieux. Par-dessus le toit de l'auberge, au-delà des champs qui entouraient le village, un flot ininterrompu d'automobiles et de camions fonçait vers le nord sur une voie surélevée. Ce ne pouvait être que la nationale qu'il aurait dû prendre à l'un des ronds-points.

Le reste du trajet se déroula avec une facilité à vrai dire surprenante. Une nationale après l'autre, il parvint à destination sans encombre. L'écheveau de lignes qui noircissait la carte de Robert Wall se transforma, à mesure qu'il progressait, en routes bien réelles pourvues de numéros précis menant à des endroits qui n'avaient rien de fantomatique. Il ne s'égara qu'une seule fois, ayant manqué une intersection mal signalée. C'était là un voyage difficile et éprouvant, mais, comparé aux affres qu'il avait connues toute la matinée, le parcours lui semblait maintenant une simple promenade de santé.

La lumière du jour diminua peu à peu. Dans le crépuscule qui s'annonçait, Standish commença à voir des levées et des chenaux dans les champs, qui, même dans la lumière faiblissante, étaient d'un vert profond, presque électrique. Guidé par sa carte, il s'enfonça au cœur du Lincolnshire, traversant hameaux et marais. Une pâle phosphorescence, comme quelque chose de mort revenu à une vie aléatoire, fulgurait par instants sur les marécages.

Lorsqu'il arriva à Beaswick, peu avant vingt-deux heures, il faisait tout à fait nuit. Le village n'était qu'une morne bourgade d'affreuses bicoques toutes identiques, à la monotonie seulement rompue par des pubs enfumés et des boutiques rustiques. Il le traversa en dix minutes, les yeux rivés sur sa carte.

Quelques minutes plus tard, il parvint sur une route anonyme qui venait mourir contre un rideau de chênes gigantesques. Il franchit une grille métallique, ouverte, et s'engagea dans l'allée qui s'enfonçait sous les arbres centenaires. Le chemin décrivit une dernière courbe et une vaste demeure blanche, à laquelle on accédait par un grand escalier, se dessina dans la nuit. Les pinceaux de ses phares balayèrent d'abord une série de terrasses en palier aménagées derrière les corps de bâtiment, puis éclaboussèrent les fenêtres de la façade. Standish se gara au pied de l'escalier, heureux d'être enfin parvenu à destination. Esswood House. Il n'avait pas prévu qu'il en tomberait amoureux au premier regard.

3

Standish n'était jamais allé en France ou en Italie ; il n'avait jamais vu Longleat, Hardwick Hall, Wilton House ou l'une des vingt autres somptueuses propriétés qui étaient l'équivalent d'Esswood, mais cela n'aurait fait aucune différence. Esswood le frappa par sa perfection. La pureté symétrique de ses lignes, régulièrement brisée par de grandes et hautes fenêtres, était enchanteresse. Quel nom donnait-on à de telles façades ? Il ne s'en rappelait plus, mais cela n'avait pas d'importance. La grande structure blanche, sertie dans son écrin de verdure, respirait l'équilibre et l'harmonie. Tout ce qui aurait pu nuire à l'ensemble – la blancheur et l'austérité classique de la façade, l'escalier monumental qui évoquait l'entrée d'un édifice public –, tout cela avait été humanisé par un usage quotidien. Des gens vivaient là, pas des fonctionnaires sans âme. Une seule famille, les Seneschal, habitait les lieux depuis plusieurs centaines d'années. Depuis des siècles, des gens avaient monté et descendu ces marches, vécu dans ces pièces ; des enfants avaient grandi entre ces murs. Même dans l'obscurité, Standish pouvait voir que les marches du perron étaient usées, érodées par les semelles d'innombrables Seneschal et de centaines de poètes, de peintres et d'écrivains. La peinture s'écaillait par endroits, et la pluie avait laissé de grandes traînées grisâtres au coin de certaines des fenêtres, mais ces menues imperfections n'entamaient en rien la noblesse de la demeure.

Standish ouvrit le coffre de la voiture et en sortit deux grandes valises. Elles lui semblèrent beaucoup plus lourdes qu'à Zenith et il dut les poser sur le gravier de l'allée avant de refermer le coffre.

Quelqu'un avait dû l'entendre arriver car il vit une lumière passer derrière les fenêtres aveugles. Allait-il être accueilli par une servante, un chandelier à la main, comme on accueillait les visiteurs autrefois ? Y avait-il encore des domestiques à Esswood House ? Devait-il se présenter à l'entrée principale ? Il devait y en avoir une autre, près de l'escalier, probablement, ou plus loin sur la droite, vers la tonnelle qui bordait le coin de la demeure. Il chassa ses hésitations d'un grognement et hissa ses deux grosses valises au sommet du perron. La porte massive surchargée de moulures s'ouvrit sur un chatoiement de lumière et de couleurs, et, sous ses yeux éblouis, une femme vêtue d'une veste grise rayée à la coupe extrêmement seyante et d'une jupe serrée, apparut dans l'encadrement. L'apparition – sourire aux lèvres, de longs cheveux souples, des traits aquilins, des yeux vifs et intelligents – devait avoir à peu près son âge, à peine plus.

Confus et indécis, Standish ne savait quelle attitude adopter.

« Je ne me suis pas trompé de porte ? demanda-t-il. Je suis au bon endroit ?

– Monsieur Standish, le rassura la femme d'une voix chaude. Entrez, je vous en prie. Nous nous demandions si vous alliez arriver un jour. »

Standish sentit redoubler son amour pour Esswood.

« Pas tant que moi ! » avoua-t-il.

Il crut voir pétiller les yeux de son hôtesse ; impression favorable qu'il gâcha cependant aussitôt.

« C'est bien par là que l'on doit se présenter ? Je ne me suis pas trompé ? »

La femme hocha la tête, sourlant maintenant de sa sottise au lieu de son esprit de repartie. Mortifié, Standish souleva ses lourdes valises et franchit la porte. Ses bagages, comme son humour, lui semblaient peser des tonnes. Le sourire de cette merveilleuse femme, les miroirs, le parquet ciré, les appliques de cuivre et les étoffes chatoyantes, tout brillait avec éclat.

« Vous n'avez pas de bougie, fit-il remarquer.

– La Grande-Bretagne n'est pas un pays aussi arriéré que vous semblez le croire, monsieur Standish. Vous n'auriez pas dû vous encombrer de vos valises, vous savez. Il y a du personnel, ici, pour ce genre de besogne. Quelqu'un va monter vos bagages dans votre chambre ; je vais donner des ordres en ce sens. Peut-être désirez-vous vous détendre un peu, avant de gagner la salle à manger ? M. Wall vous y attend avec impatience. Je suis sûre que vous devez être affamé. »

C'était une femme comme cela qu'il aurait dû épouser.

« Je suppose que vous n'avez rien amené d'autre ? »

Elle attendait manifestement une réponse négative. A voir l'expression de ses yeux, il était clair qu'il était venu beaucoup trop chargé ; déjà, ses deux grosses valises étaient une peccadille sur laquelle elle voulait bien passer, mais il ne fallait pas exagérer. Standish aurait voulu que la vieille Ford et tout ce qu'elle contenait disparussent sous terre.

« Si, hélas... dit-il. J'ai même bien peur d'avoir rempli le coffre.

– Quelqu'un va s'en occuper. Il ne faudrait pas que vous vous donniez un tour de reins avant d'avoir pu commencer à travailler. »

Elle sourit, comme pour lui pardonner semblable boulimie de bagages, et lui ouvrit le chemin vers ses quartiers. Standish s'arrêta au bout de quelques pas. Son mentor hésita, puis se retourna. Standish eut un geste pour ses deux énormes valises, grotesques, abandonnées sur le parquet ciré du vestibule.

« Quelqu'un va s'en charger aussi, ne vous inquiétez pas. Nous nous chargeons de tout. Vous verrez, vous allez apprendre à apprécier la maison, monsieur Standish. »

Il la suivit à travers un couloir jalonné de grandes tapisseries qui n'était, ainsi qu'il put le constater, qu'un des côtés d'un grand salon d'apparat, aussi vaste qu'une salle de bal, qui avait été isolé de la sorte. Chaque espace entre les tentures livrait au visiteur un bref aperçu de l'immense pièce. Ici, des fauteuils et des canapés richement capitonnés, disposés devant l'âtre d'une énorme cheminée de pierre aux jambages ioniques. Là, accrochés aux boiseries des murs, des tableaux patinés par les ans où l'on distinguait des enfants, des chasseurs et des chevaux. Plus loin, une galerie suspendue qui courait sur le mur du fond, un balcon à claire-voie fermé d'une balustrade chapeautée d'arcades.

« Le salon du levant, précisa son guide. La partie la plus ancienne de la demeure. Pur style élisabéthain, bien sûr.

– Bien sûr », dit Standish.

Au bout du couloir tapissé, ils prirent à gauche et débouchèrent au pied d'un monumental escalier à départ central qui se divisait en deux volées en fer à cheval, édifice presque aussi imposant que celui de l'entrée. Des portraits d'aristocrates du XVIIIe siècle aux visages sévères tentaient d'égayer les murs.

« Je crains qu'il n'y ait encore des marches à monter, mais vous logez juste au-dessus de la bibliothèque, dans l'appartement de la fontaine. C'est là que nous installons tous nos invités; personne ne s'en est jamais plaint.

– Y a-t-il réellement une fontaine?

– Dans la cour, monsieur Standish, pas dans l'appartement, l'informa son guide en lui souriant par-dessus son épaule avant de s'engager dans la volée de gauche. Mais, de votre chambre, la vue est excellente. »

Une question qu'il s'était posée à Zenith lui revint brusquement en mémoire.

« Est-ce que je suis le seul invité? Y a-t-il d'autres personnes qui travaillent en ce moment à la bibliothèque?

– Bien sûr que non, répondit son cicérone en le toisant d'un regard étonné, presque offusqué. Je croyais que vous le saviez. Oh, mais excusez-moi, j'oubliais que c'est la première fois que vous venez à Esswood. Pour que nos invités puissent travailler en toute liberté, nous ne recevons jamais plus d'une personne à la fois. Il semble que travail intellectuel et promiscuité n'aillent pas de pair, et nous tenons à ce que nos invités profitent au mieux des richesses de la bibliothèque. Imaginez que deux chercheurs aient besoin de travailler sur les mêmes documents... Vous faites de vos recherches une affaire personnelle, n'est-ce pas? Les partager avec quelqu'un d'autre serait comme de devoir partager, je ne sais pas, sa brosse à dents ou son gant de toilette, ou... »

Son lit, songea Standish.

« Bien, reprit-elle, les yeux brillants. Rassurez-vous, vous êtes seul. Esswood et sa bibliothèque sont à vous pour trois semaines. Enfin, c'est une façon de parler, bien sûr.

– Pensez-vous qu'il me soit possible de prolonger mon séjour d'une semaine si la nécessité s'en faisait sentir?

– Oh, ce devrait être possible, oui. Ah! nous y sommes presque. Votre appartement est situé juste au bout de la galerie intérieure que voici... »

Parvenue sur le palier, elle ouvrit une porte donnant dans une petite pièce qui, après l'éblouissement du vestibule, parut à Standish aussi sombre qu'une salle de cinéma. Grande comme la chambre qu'il partageait avec Jean à Zenith, encombrée d'un fatras de meubles, le réduit semblait particulièrement peu accueillant.

« L'éclairage est détraqué, par ici. Il faudra voir cela aussi. Cette pièce était un cabinet de travail, mais, de nos jours, il n'est plus guère utilisé. »

Dans l'obscurité, Standish distingua des bergères pataudes et des ottomanes sans grâce; les murs étaient couverts de livres. Ombre parmi les ombres, diaphane comme une écharpe de brume, son chaperon traversa rapidement la pièce et ouvrit une porte qui faisait pendant à celle par laquelle ils étaient entrés, révélant un rectangle de lumière. Impression bizarre, Standish eut le sentiment de devoir se hâter s'il ne voulait pas rester seul. Il se précipita hors du cabinet, s'attendant à trouver un corridor, mais l'espace vide qu'il découvrit, très haut de plafond, était trop large pour être un simple couloir et trop étroit pour former une pièce distincte. Du côté droit, comme dans un musée, de grandes toiles – animaux et marines – étaient suspendues au-dessus de banquettes basses qui n'incitaient guère à s'asseoir; de l'autre, sur la gauche, deux hautes croisées donnaient sur les fenêtres éclairées d'un autre corps de bâtiment. Standish comprit qu'ils venaient de passer dans une autre aile de la demeure et devaient dominer la cour où se trouvait la fameuse fontaine.

« Ce n'est plus très loin, monsieur Standish. Vous êtes dans la galerie intérieure, ainsi nommée parce qu'il en existe aussi une autre au premier étage, la galerie du ponant. Elle a été rajoutée dans les années 1730, quand Sir Walton Seneschal a fait refaire la façade dans le style palladien. »

Palladien. Voilà le mot qu'il cherchait. Il avait également vu une lumière, chandelle ou torche électrique, passer derrière les fenêtres.

« Cette galerie est située au premier étage, dites-vous? demanda-t-il.

– Les deux, oui.

– On accède donc directement au premier étage, une fois franchies les marches du perron ? »

La femme en resta une seconde muette de saisissement.

« Mais... absolument pas, on accède au rez-de-chaussée! Oh! pardonnez-moi, j'oubliais que les Américains raisonnent en niveaux et non pas en étages; ce qui pour nous est un rez-de-chaussée est pour vous un premier étage, enfin un premier niveau. Mais vous verrez, vous vous ferez très vite aux usages européens », dit-elle en se remettant en marche.

Peut-être s'était-il trompé.

« Euh... mais ne portiez-vous pas une bougie, enfin quelque chose, quand vous êtes venue m'accueillir ? »

La femme s'arrêta et le contempla d'un regard songeur, presque soucieux. Puis ses traits s'adoucirent.

« Oooh... vous cherchez à me taquiner ? »

Standish crut discerner, sous le vernis de civilité, une note de coquetterie voilée.

« Vous taquiner ? dit-il d'une voix rauque. Loin de moi cette pensée... »

L'intention mutine qu'il avait cru discerner sur le visage de son hôtesse disparut si rapidement que Standish se demanda s'il n'avait pas rêvé.

« J'ai cru voir quelqu'un passer derrière les fenêtres. Quelqu'un muni d'une lampe. »

Un ange passa.

« J'ai bien peur que ce ne soit tout à fait impossible, monsieur Standish. Nous y voilà, ajouta-t-elle en ouvrant la porte qui fermait la galerie. Votre chambre a été préparée. Quelqu'un va s'occuper de vos bagages. Dès que vous serez prêt, vous n'aurez qu'à rejoindre M. Wall à la salle à manger. C'est au rez-de-chaussée. Pour vous y rendre, vous pouvez emprunter la volée droite de l'escalier principal et traverser le salon du ponant. Mais vous pouvez aussi utiliser l'escalier secondaire qui relie votre chambre à la bibliothèque, *enfiler* le couloir de la bibliothèque, tourner à gauche et continuer jusqu'à une porte à placard – ce sera celle de la salle à manger.

– Parfait. »

Contrairement à ce qu'il avait espéré, elle n'entra pas dans l'appartement mais s'effaça de côté pour le laisser passer.

« Les Seneschal sont-ils là en ce moment ? demanda-t-il pour reculer l'instant de son départ.

– Ils sont rarement ailleurs, dit-elle en hochant la tête. Mlle Seneschal est invalide et quitte peu l'aile familiale. Bien sûr, ils sont tous deux très âgés.

– Ils n'ont pas eu d'enfants ? »

Elle cilla, comme s'il était réellement allé trop loin, et fit un geste vers la porte entrouverte.

« Efforcez-vous de ne pas faire attendre ce pauvre M. Wall trop longtemps. Il va pousser un soupir de soulagement en vous voyant. Tout comme vous, je présume, en pouvant enfin vous restaurer.

– Je brûle en effet de le voir et j'avoue que je mangerais bien quelque chose. J'espère aussi avoir le plaisir de vous revoir. »

Ses grands yeux intelligents le jaugèrent une seconde avec une expression amusée, puis elle prit congé sans rien ajouter.

Standish entra chez lui et se retourna pour la regarder s'éloigner. Il se rendit compte qu'à aucun moment cette mystérieuse femme ne lui avait dit son nom. Il ne pouvait pas la rappeler : à Esswood, on ne hélait pas la domesticité dans les couloirs.

Sa chambre n'était pas du tout conforme à l'image qu'il s'en était faite. La splendeur du reste de la demeure, le qualificatif même d'appartement privé, « l'appartement de la fontaine », lui avait fait espérer quelque chose d'extravagant : velours, dorures, antiquités, lit à baldaquin. En réalité, ses quartiers – une enfilade de trois pièces meublées sans luxe ni recherche – n'avaient absolument rien d'une suite de grand hôtel.

L'antichambre était meublée de fauteuils à hauts dossiers et d'un canapé tendu de chintz, disposés autour d'une petite table basse sur laquelle étaient entassés de vieux numéros de *Country Life* et de *The Tatler*. La lumière, tamisée, était dispensée par de petites lampes munies d'abat-jour ocre. Un renard empaillé et un jardin japonais planté de fougères voisinaient sur le manteau de la cheminée. A côté d'un secrétaire à tablette de cuir où était posée une lampe de bureau verte, une petite bibliothèque était remplie de romans de Warwick Deeping, Compton Mackenzie, John Buchan et Agatha Christie, tous ouvrages qui semblaient avoir été réunis là sans le moindre discernement. Divers tableaux étaient accrochés sur les roses entrelacées du papier mural : hommes en perruque et gilet brodé plongés dans une partie de cartes dans ce qui semblait être le salon d'apparat qu'il avait entr'aperçu au rez-de-chaussée, personnages habillés de façon un peu plus contemporaine qui jouaient au croquet sur la première terrasse, sur l'arrière d'Esswood House, carrosse tiré par des chevaux enrubannés qui remontait l'allée où il avait laissé la Ford, escorté par un petit épagneul tacheté. Les fenêtres, du côté gauche de la pièce, donnaient sur celles des Seneschal, de l'autre côté de la cour. Il n'y avait ni télévision, ni radio, ni téléphone.

Un peu plus petite que l'antichambre, la chambre était meublée d'une table de nuit et d'un lit à une place avec un dosseret en bois sculpté, d'un bon vieux fauteuil à oreillettes, d'un sofa tendu du même tissu bleu foncé, là encore à motif floral, que le couvre-lit, d'un petit bureau et d'une grande armoire pour y pendre les vêtements. A côté de l'armoire, une porte, qui devait être celle de l'escalier secondaire. Standish nota encore la présence d'une bibliothèque à hauteur d'appui, regroupant cette fois les œuvres apparemment complètes de Winston Churchill. Au-dessus du manteau de la cheminée, où trônait une paire de lourds chandeliers d'argent, était suspendue une gravure au burin qui n'était autre que la reproduction des trois terrasses. Celles-ci descendaient par degrés jusqu'à un long bassin et permettaient d'accéder, au-delà du bassin, à une clairière circulaire nichée au milieu d'un petit bois, ce qui n'était pas sans évoquer un site druidique;

derrière s'étendaient champs et prairies. Les persiennes avaient été tirées, et toute la pièce semblait baigner dans une lumière diffuse.

Standish tira les poignées d'une porte à double battant chacun pourvu d'une glace, s'attendant à trouver un placard, mais découvrit une salle de bains carrelée. Il s'y enferma, soulagea sa vessie, se lava les mains et s'examina dans la glace du lavabo.

Ses paupières étaient légèrement roses et gonflées, comme les yeux d'un lapin. D'où pouvait bien provenir toute cette poussière qui lui salissait le visage ? Ses cheveux clairsemés, aplatis comme des algues, lui collaient au crâne. Voilà la tête qu'il avait montrée à cette merveilleuse femme à l'esprit si subtil. Ce qu'il avait pris pour des invites n'avait été que simple commisération. Chargé comme un baudet, il était arrivé avec des heures de retard; bouche bée, il n'avait cessé de jouer les touristes ébahis et, comme si cela ne suffisait pas, avait poussé le vice jusqu'à faire du rentre-dedans à une domestique. Parfaitement, du rentre-dedans. Mon Dieu, ce qu'il avait dû paraître ridicule. Il enleva sa veste, déboutonna sa chemise, remplit le lavabo, se lava la figure, puis fit à nouveau couler l'eau chaude pour se laver les cheveux.

Lorsqu'il sortit de la salle de bains, il trouva ses chemises, chaussettes et sous-vêtements étalés sur le lit, à côté de sa trousse de toilette. Ses quatre valises avaient été rangées à côté du lit; l'exemplaire de *Crack, Whack and Wheel* posé sur le petit bureau; ses vestes, vestons et pantalons pendus dans l'armoire, au-dessus de ses chaussures; ses cravates passées sur le cordon fixé à l'intérieur de la porte droite.

Standish mit une chemise propre et une nouvelle cravate, changea de veste, troqua ses chaussures contre une paire de mocassins bien cirés et s'assura dans les glaces de la porte de la salle de bains qu'il avait à peu près retrouvé figure humaine. Il se sentait l'estomac vide et, plutôt que de refaire le trajet par la galerie, le cabinet sans lumière et l'escalier d'honneur, ayant décidé que l'escalier secondaire devait être le plus court moyen de gagner la salle à manger, ouvrit la porte à côté de l'armoire.

4

Elle donnait sur un petit couloir au plancher brut, non ciré, palier supérieur, percé d'une fenêtre, d'un escalier en colimaçon. Des ampoules fixées dans de vieilles appliques à gaz dispensaient un éclairage parcimonieux, mais suffisant. Standish s'engagea résolument dans les marches.

Au bout de trois ou quatre tours complets, il tordit le cou vers le haut, essayant de retracer le chemin par où il était venu, mais ne vit que la surface unie des murs et les arêtes aiguës des contremarches. Il se demanda s'il n'avait pas manqué le rez-de-chaussée et n'était pas en train de descendre vers les cuisines, ou les cachots, ou ce qu'il pouvait y avoir dans les sous-sols. Se rappelant la hauteur de l'immense salle de réception, avec sa cheminée de pierre colossale, il continua à descendre sans s'inquiéter outre mesure. Il accomplit encore plusieurs tours, mais, parvenu à une section où les ampoules avaient grillé, dut ralentir et poursuivre sa progression en suivant le long du mur. Il crut qu'il allait retrouver la lumière au tour suivant mais ne rencontra que l'obscurité. Il descendit encore une dizaine de marches dans le noir, puis, devant lui, le mur s'éclaira d'une faible lueur. Ses mains, les manches de sa veste, étaient pleines de toiles d'araignées.

Il aperçut enfin le bas de l'escalier. Un couloir carrelé éclairé par les mêmes appliques à gaz reconverties menait à une grande porte étroite identique à celle de sa chambre. Ce devait être celle de la bibliothèque. Standish descendit les dernières marches et, parvenu à hauteur de la porte, se sentant presque coupable, posa la main sur la poignée métallique non sans s'être assuré d'un bref coup d'œil à gauche, puis à droite, que le couloir était vide. Après une journée aussi fertile en événements, quoi de plus normal que de s'accorder un petit plaisir innocent ? Il était l'hôte de la maison et pouvait disposer de la bibliothèque comme bon lui semblait. Une grande partie de l'œuvre poétique d'Isobel Standish se trouvait de l'autre côté de cette porte.

Standish tourna la poignée, fébrile à l'idée de ce qu'il allait découvrir, puis, la porte résistant, se mit à l'agiter en tous sens, comme s'il pouvait la forcer à s'ouvrir. Pourquoi était-ce fermé ? Pour éloigner les domestiques ? Ou pour l'éloigner, *lui* ? Songeant aux ampoules mortes de l'escalier, il se demanda depuis combien de temps le dernier chercheur avait été invité à Esswood. Ce qu'avait dit l'aubergiste de Huckstall lui revint aussi en mémoire ; s'il fallait l'en croire, un Américain avait été assassiné ici. Standish s'éloigna précipitamment de la porte.

Au bout d'une quinzaine de mètres, changement de direction marqué par une statue de marbre dans le style italien – un petit garçon dressé sur la pointe des pieds, les bras écartés, comme pour embrasser quelqu'un –, le couloir tournait brusquement à gauche. Standish laissa la statue derrière lui et, d'un pas silencieux, accomplit encore une quarantaine de mètres avant d'être à nouveau obligé de prendre à gauche. Il déboucha cette fois dans un couloir plus large, carrelé, lui aussi, et tout aussi chichement éclairé. Cette fois, dressée sur une table ronde au plateau de marbre, c'était une statue de femme – le visage caché dans les mains – qui gardait l'encoignure du mur. Venus des profondeurs mystérieuses de la grande demeure, il entendit des bruits et des murmures étouffés. Il parvint enfin devant une large porte à placard qu'on lui avait annoncée comme étant celle de la salle à manger. Il y frappa doucement et se brossa rapidement les manches pour en enlever les toiles d'araignées. N'obtenant pas de réponse, il tourna la poignée, sentit avec satisfaction le pêne tourner dans la gâche et poussa la lourde porte.

Le voyant entrer, l'homme assis à l'autre bout d'une longue table dressée au milieu de la salle – un visage énergique, carré, d'abondants cheveux gris qui lui tombaient dans les yeux –, fronça les sourcils, puis sourit et se leva. L'homme était plus grand que lui de plusieurs centimètres. Il n'y avait qu'un seul autre couvert, vis-à-vis du sien.

« Ah ! enfin ! Monsieur Standish ! Comme c'est bon de vous voir. Je suis Robert Wall. »

Standish s'avança vers la table, mais celle-ci était trop large pour qu'il pût lui serrer la main.

« Je viens de perdre un pari, dit Robert Wall en arborant une mine faussement dépitée. Asseyez vous là, ajouta-t-il en faisant le tour de la table, je m'occuperai du service. »

Il portait un magnifique complet de tweed gris, une chemise bleu foncé et une cravate rose en soie écrue. Le personnage ne correspondait pas du tout à l'idée que Standish s'en était forgée. C'était un président d'université, qu'il avait devant lui, pas le simple administrateur d'une fondation privée. Tant de prestance était presque insolent. Standish se demanda comment Jean aurait réagi à la vue d'un tel homme.

« Permettez-moi de vous accueillir comme il convient, dit Wall en lui donnant une solide poignée de main. Enfin, vous voilà parmi nous ! Puis-je vous offrir un verre, avant de passer à table ? Un peu de whisky ? Pur malt ? Une grande chose, vous verrez. »

Standish, qui ne buvait jamais de whisky, s'entendit cependant accepter avec empressement. De près, le visage de Wall semblait gris de fatigue. De minuscules rides semblables à des coupures de rasoir lui marquaient les commissures des yeux et des lèvres. Souriant, Wall l'entraîna vers la porte de l'office, à l'autre bout de la table. Standish suivit son hôte, à la fois séduit et déconcerté par la taille et la splendeur de la pièce. Les ancêtres des Seneschal, alignés sur les murs, le dévisageaient d'un air grave. Partout où il posait les yeux, il découvrait de nouveaux détails : la corniche moulurée du plafond, les médaillons de stuc des appliques murales, les losanges croisillonnés du parquet, le tapis oriental qui occupait le centre de la salle. Les couverts, posés de chaque côté de son assiette, l'assiette elle-même et le filigrane du verre à vin, tout était en or. Une assiette en or ! Une fourchette en or, une cuillère en or, un couteau en or ! L'opulence qui semblait ici de mise le mettait mal à l'aise, comme s'il avait par inadvertance quitté la réalité pour pénétrer dans un monde de contes de fées.

Dans l'office, les placards vitrés regorgeaient de pièces et d'ustensiles également en or ; le dernier de la rangée était en fait un cabinet à liqueurs. Un escalier, aussi raide et étroit que celui qu'il avait trouvé en sortant de sa chambre, s'enfonçait vers le bas, menant sans doute aux cuisines. Robert Wall choisit une bouteille et prit deux verres sur une étagère.

« Vous disiez que vous avez perdu un pari ?

– Oui », s'esclaffa Wall.

La fatigue de ce dernier, évidente, les minuscules rides qui lui cernaient les yeux et lui plissaient la bouche, tout cela tempérait quelque peu l'impression favorable que l'homme avait d'abord produite sur Standish. Wall ressemblait à un vieillard qui n'aurait pas été complètement remis d'une greffe de peau.

Pensée que Standish corrigea aussitôt. Robert Wall n'était ni fatigué ni malade. Il était dévoré d'ambition, voilà tout, tel un homme ayant toujours aspiré à une destinée qui s'était dérobée à lui toute sa vie et peu décidé à se contenter de son sort.

Wall le guida hors de l'office et le raccompagna jusqu'à la table. Wall avait peut-être des envies dévorantes, mais Standish, lui, avait faim de nourritures plus terrestres.

La bouteille et les deux verres à la main, Wall s'assit d'un côté de la table et lui fit signe de prendre place en face de lui. Standish ne se fit pas prier.

« Pour ne rien vous cacher, j'avais parié que vous choisiriez l'escalier d'honneur et que vous entreriez par le salon du ponant. Mais vous êtes quelqu'un d'intrépide, et vous avez emprunté l'escalier secondaire. »

Wall leur versa une rasade de whisky à chacun, se leva à demi pour tendre son verre à Standish, et, d'un mouvement plein d'élégance, se laissa retomber sur sa chaise. Saisi d'un bref instant de désarroi, Standish se surprit à se demander si l'homme qui était assis en face de lui n'était pas marié à la femme qui l'avait conduit jusqu'à sa chambre.

Oooh... vous cherchez à me taquiner? Standish revoyait encore le beau visage aquilin, tendu vers lui.

« Cette femme qui m'a conduit jusqu'à ma chambre... » commença-t-il.

Wall hocha la tête et leva son verre, n'ayant apparemment pas l'air de juger le moment opportun pour évoquer des questions domestiques. Standish trempa ses lèvres dans le sien. Un flot de chaleur et de douceur se répandit sur sa langue. Du velours. Wall guettait ce qu'il allait dire.

« C'est elle qui m'a appris l'existence du second escalier. Sans cela, vous auriez gagné votre pari. Je ne connais pas son nom; elle ne me l'a pas dit.

– Je ne saurais vous le dire. Comment avez-vous trouvé votre chambre?

– Des cheveux bruns, très longs. Comment dire? Des cheveux qui ne semblent pas avoir besoin du peigne. Une très belle femme. Environ mon âge.

– Diable, une femme mystérieuse... Vous êtes décidément très intrépide, monsieur Standish, dit Wall en consultant sa montre. Le dîner ne devrait plus tarder. Tout est prêt, il n'y a plus qu'à réchauffer. Comment trouvez-vous ce whisky ?

– Exquis.

– Excellent ! Intrépide et le goût sûr, qui plus est. Ce whisky est une pure splendeur – soixante-dix ans d'âge.

– Est-ce à dire que vous ne connaissez pas son nom ?

– J'avoue ne guère me préoccuper de ce genre de détails. Avez-vous fait bon voyage ? »

Standish lui raconta comment il s'était perdu au sortir du deuxième rond-point et avait ensuite miraculeusement retrouvé la route de Huckstall, puis lui narra la scène qui s'était déroulée à l'auberge.

« Avec le recul, tout cela fait irrésistiblement penser à un poème d'Isobel Standish. Je veux dire que c'est tout à fait le genre de mésaventure qui aurait pu lui arriver.

– Quel dommage que vous ayez choisi Huckstall pour votre premier contact avec l'Angleterre. Mais ce qui est fait est fait.

– Curieux village, en effet. Est-ce l'habitude d'y honnir l'étranger ?

– Pas exactement, je vous en toucherai quelques mots pendant le repas, répondit Wall en jetant un nouveau coup d'œil à sa montre. Mais enfin, je vous le demande, que fait-on en cuisine ? D'habitude, ce n'est pas si long. Peut-être attend-on que nous ayons fini notre whisky ? »

Wall se leva et disparut par la porte de l'office. Standish l'entendit parler à quelqu'un, puis, en réponse, perçut un rire féminin. Wall fit sa réapparition quelques secondes plus tard, les bras chargés d'un plateau.

« Heureusement, dit-il, cette sotte n'a rien renversé. C'eût été dommage, car je vois qu'on a véritablement songé à vous, ce soir. Longe de veau avec sa sauce aux morilles et ses haricots verts. Que diriez-vous d'une bonne bouteille pour accompagner tout cela ? »

Standish hocha la tête. L'odeur qui se dégageait du plateau le faisait déjà saliver. Wall lui tendit son assiette, qui s'adapta parfaitement dans la grande assiette en or, rapporta le plateau à l'office et en ramena une bouteille de vin rouge et un tire-bouchon.

« Je vais me joindre à vous, si vous le permettez. Nous pourrons ensuite continuer à bavarder, à moins que vous n'ayez envie de monter vous coucher. Je dois m'absenter, demain après-midi. Je ne serai pas là de quelque temps, mais, si vous n'y voyez pas d'inconvénient, je pourrais prendre le petit déjeuner avec vous demain matin.

– Je vous en prie, dit Standish », heureux de ne pas être laissé seul dans cette immense salle à manger.

Il mordit dans un morceau de veau et un tel bouquet de senteurs, subtiles et puissantes, envahit son palais, qu'il en poussa un grognement de satisfaction. Il n'avait jamais rien goûté de semblable, ni même d'approchant. Le bouchon sauta de la bouteille avec un bruit sympathique et Wall emplit son verre filigrané d'un vin à l'éclat de rubis. Toutes les papilles mises à contribution, Standish avala son morceau avec délices.

« Naturellement, vous savez pourquoi on vous a servi du veau à la sauce aux morilles ? » demanda Wall en se rasseyant.

Standish secoua la tête. Le bordeaux était aussi extraordinaire que la viande.

« C'était le plat préféré d'Isobel Standish, répondit Wall en souriant. On ne parle plus que de votre arrivée, aux cuisines. Les champignons sont frais, naturellement, et l'on peut se procurer de l'excellente viande au village. Je suis heureux que cela vous plaise, ajouta-t-il en marquant une pause avant de changer de sujet. Ainsi donc, vous ne saviez rien de Huckstall en vous y arrêtant ? Sa réputation n'a pas traversé l'Atlantique ? »

Standish secoua la tête. Du centre de son être, une chaleur bienfaisante se répandait peu à peu dans tout son corps.

« Il s'y est produit un drame, au début de l'été, dit Wall. Un triple meurtre. Disons plutôt un double meurtre suivi d'un suicide. Un homme, qui a tué sa femme et l'amant de celle-ci, avant de se faire justice. Un aubergiste. »

Au souvenir du visage hostile, glacial, du patron des Duellistes, la longe de veau prit un goût de cendres dans la bouche de Standish.

« Une bagatelle, certes, vue d'Amérique, poursuivit Wall. Mais ici, cette triple mort a mis tout le village en émoi. La femme était enceinte. Son mari l'a enchaînée à la cave avec son amant et les a torturés pendant plusieurs jours avant de les décapiter. Tous les deux. L'amant jouissait d'une certaine notoriété dans la région, dit-on, et passait pour une sorte de barde local. Mais... je ne voudrais pas gâcher votre repas, monsieur Standish.

– Du tout. C'est fascinant. Je sais que c'est idiot, mais j'ai l'impression d'avoir rencontré les gens dont vous parlez. »

Wall parut sincèrement étonné.

« Dans cette auberge. Les Duellistes, précisa Standish.

– Ah ! dit Wall avec un sourire bonhomme. Je vois. Je ne me

rappelle plus le nom de l'auberge en question... Enfin, peu importe, celle où vous avez fait halte ne saurait être celle tenue par notre mari jaloux.

– Oh! Et pourquoi?

– Parce qu'il a tout fait brûler après avoir en avoir terminé avec sa femme et son amant. Il ne savait plus où il avait la tête, si vous me pardonnez l'expression. Un détail, encore : son forfait accompli, il a passé les têtes de ses deux victimes dans un broyeur et s'en est débarrassé dans un crassier. Peut-être croyait-il que personne n'irait regarder là, ou même s'en donnerait la peine. Dans sa situation, il n'avait plus rien à perdre. Il s'est jeté sous les roues d'une voiture, juste à la sortie du village. Mais... reprenez donc un peu de vin. »

Constatant, surpris, que son verre était vide, Standish souleva la bouteille pour y remédier. Profitant de l'occasion, Wall tendit son propre verre.

« Le choc l'a tué sur le coup, mais son corps n'a été découvert que le lendemain matin. Tout le monde était occupé à lutter contre l'incendie. L'auberge a brûlé de fond en comble et on a même craint un moment que les maisons voisines ne prissent feu. Lorsque le sinistre a pu être enfin maîtrisé, les sauveteurs ont découvert les deux cadavres à la cave. Ils ont pu être facilement identifiés car ils n'avaient pratiquement pas été touchés par les flammes. C'est l'épaisseur des murs, probablement, qui les aura protégés. Oh! j'oubliais, dit-il en regardant Standish avec intensité. Je vous ai dit que l'amant était considéré comme une sorte de poète, mais c'est un doux euphémisme. Ce qui a encore ajouté au scandale. L'homme avait connu une certaine position, autrefois, mais il était tombé bien bas. Pour certains, il avait été bibliothécaire, enfin quelque chose comme cela, peut-être même conservateur. Enfin, conservateur ou pas, c'était de l'histoire ancienne. L'alcool, vous comprenez. Depuis qu'il avait perdu son poste, il vivait sans domicile fixe, un jour ici, un autre ailleurs. L'aubergiste n'a pas pu supporter d'être trompé par un clochard. »

Écoutant Wall parler, Standish s'appliquait à mastiquer lentement, ne goûtant plus qu'à moitié la saveur délicate de la viande.

« Mais je ne sais si c'est là le genre d'histoire qui convient vraiment à un dîner, poursuivit Wall.

– Elle m'intéresse beaucoup, au contraire, dit Standish. Quand j'étais aux Duellistes...

– Alors que je vous raconte la suite. Le lendemain, comme je vous l'ai dit, le corps de l'aubergiste a été retrouvé à la sortie du village. Le choc l'avait tué sur le coup. La voiture qui l'avait renversé était toujours là – la porte du chauffeur ouverte et le moteur tournant toujours. Mais il n'y avait plus traces du chauffeur. Pris de panique, il s'était enfui en coupant par la lande. Le malheureux n'a jamais su qu'il n'avait rien à se reprocher : il n'a jamais su le fin mot de l'histoire.

– Mais... n'a-t-on pu le retrouver, à l'aide du numéro d'immatriculation du véhicule, par exemple ?

– C'était une voiture louée. Peut-être avait-il utilisé une fausse identité ? Je suppose qu'il court encore.

– L'aubergiste des Duellistes m'a dit que quelqu'un avait été assassiné ici.

– Ici ? à Esswood ?

– Ici même. Un Américain, a-t-il précisé.

– Comme c'est curieux... »

La nouvelle n'avait pourtant pas l'air de le bouleverser tant que cela.

« ... car enfin, j'en aurais entendu parler ! Je ne bouge pour ainsi dire jamais d'ici. »

La mine soucieuse, tracassée, masquait en fait le plus satisfait des sourires. Jamais Standish n'avait vu autant d'ironie sur un visage.

« Sur le moment, j'ai trouvé cela bizarre.

– Je n'ai pas souvenir d'à quand remonte le dernier meurtre ici, répondit Wall, souriant maintenant presque sans retenue. Et j'ai toujours vécu là, enfin presque. Votre aubergiste a dû confondre avec un nom voisin, Exmoor, ou quelque chose dans ce goût-là. Vous ne vous êtes pas inquiété, au moins ?

– Quelle idée. Non, pas du tout.

– Je constate qu'Esswood a fait le bon choix en vous invitant, monsieur Standish.

– Merci. »

Désarçonné par le compliment, Standish se demanda s'il devait prier Wall de l'appeler William. Et verrait-il d'un mauvais œil qu'on l'appelât Robert ?

« Avez-vous pensé à jeter un coup d'œil à la bibliothèque au passage ? Moi, à votre place, je n'y aurais pas résisté.

– A vrai dire, j'ai failli. »

Wall haussa les sourcils.

« J'ai bien essayé d'entrer, mais la porte était fermée.

– Oh ! vous m'étonnez fort. Les portes de la bibliothèque ne sont jamais fermées. Vous vous serez trompé.

– Ce n'est pas la porte qui est au pied de l'escalier ?

– Hummm. Bon, aucune importance. Mais s'il s'avérait, pour

une raison quelconque, que vous ne pussiez y entrer, nous serions alors peut-être amenés à reconsidérer notre position, monsieur Standish. »

Wall jouait avec lui comme un chat avec une souris. Standish but une gorgée de bordeaux et rompit le silence qui menaçait de s'installer par une question.

« Vous avez vécu à Esswood la plus grande partie de votre vie, dites-vous. Vous êtes né ici ?

– D'une certaine manière, oui. Mon père était le garde-chasse du domaine, avant la Première Guerre mondiale. »

Wall s'interrompit le temps de remplir leurs verres.

« En ce temps-là, il y avait toujours des foules d'invités à Esswood, des gens qu'attiraient certes l'hospitalité légendaire d'Edith Seneschal et la renommée de sa cuisine, réputation non usurpée, comme vous pouvez le constater, mais qui venaient surtout pour la qualité du cadre et des hôtes (saviez-vous que ce mot vient du latin *hospes*, otage ?) qu'on y rencontrait. Tous ceux qui ont séjourné à Esswood ont tenu à témoigner leur gratitude en contribuant à la richesse de la bibliothèque, ce qui explique pourquoi celle-ci est unique. Tous ceux qui sont passés ici ont fait don de manuscrits, de journaux, de notes, de dessins, enfin de toutes sortes de documents, œuvres majeures ou considérées au contraire comme insignifiantes par leurs auteurs. Naturellement, parmi ces dernières pièces, certaines feraient aujourd'hui l'orgueil de bien des bibliothèques de par le monde.

« Des manuscrits, des journaux ? T.S. Eliot, D.H. Lawrence et tous les autres ? Même Theodore Corn ? Même Isobel ?

– Oui, elle aussi, dit Wall en souriant. Surtout Isobel, devrais-je dire. Je ne sais pas exactement comment tout cela a commencé, mais, en très peu de temps, donner quelque chose à la bibliothèque est devenu une sorte d'habitude. C'était une manière de remercier Edith de son accueil ; un hommage à la beauté et au calme sans pareils d'Esswood. Pendant des années, cela a fait partie du jeu : tous ceux qui passaient ici laissaient quelque chose en partant.

– C'est extraordinaire, dit Standish. Vous voulez dire que tous les grands noms qui sont venus ici ont tous laissé quelque chose ? Des journaux, des manuscrits originaux ?

– Tous. Année après année. Isobel Standish est venue deux fois à Esswood. A chaque fois, elle a laissé des documents extrêmement intéressants.

– Des... des documents qui seraient totalement inédits ? Qui n'auraient jamais été publiés ? C'est incr...

– Effectivement. Je crois ne pas me tromper en affirmant que tout ce que contient la bibliothèque est totalement inédit. Rien ne peut être publié ou reproduit sans autorisation. C'est une règle dont nous ne nous sommes jamais départis. »

Standish jubilait comme une poule qui vient de déterrer un ver de terre. La bibliothèque devait être une vraie caverne d'Ali Baba. Des manuscrits inconnus, de la main même des plus grands écrivains du vingtième siècle ! Des premiers jets des plus fameux poèmes et romans ! La perspective avait quelque chose de vertigineux et devait être proche de ce que pouvait ressentir quelqu'un découvrant un plein grenier de Matisse, de Cézanne et de Picasso.

Robert Wall dut lire son excitation dans ses yeux, car il ajouta :

« Je sais. De prime abord, pour qui est à même de l'apprécier, cela paraît fabuleux. Vous comprenez maintenant pourquoi nous prenons chaque année les plus extrêmes précautions avant de retenir une candidature : chaque postulant doit être digne de ses aînés.

– Oh ! dit Standish. Absolument.

– C'est ce qui me plaît tellement ici, je crois. Je considère cette maison comme mon foyer. Je suis allé au lycée, puis ensuite à l'université. Les Seneschal ont toujours été généreux, lorsqu'ils croyaient que cela en valait la peine, mais je me suis toujours senti profondément attaché à Esswood. Aussi, mes études terminées, j'ai fait des pieds et des mains pour devenir indispensable, et j'y suis resté. J'ai été mobilisé pendant la Deuxième Guerre mondiale, bien sûr, mais j'y suis revenu dès la fin des hostilités. La nostalgie de l'enfance, je suppose. En tout cas, je me flatte d'avoir aidé à faire entrer Esswood dans le monde moderne sans rien renier de son histoire ni de ce qui a fait sa gloire. Car tout est là, voyez-vous. A Esswood, le passé n'est pas mort. Tenez, je me souviens qu'un jour, un matin, alors que nous nous promenions le long du bassin, mon père et moi, nous avons rencontré Edith Seneschal, en qui je voyais alors la plus belle femme du monde, en compagnie d'une autre femme, grande et très belle, elle aussi, et d'un vieillard corpulent aux manières distinguées : Virginia Woolf et Henry James. James était très âgé à l'époque, c'était son dernier séjour à Esswood. Il s'est penché vers moi pour me serrer la main et s'est extasié sur mon manteau. « Mon Dieu, que de boutons, jeune homme, m'a-t-il dit. Est-ce là un chasseur ou le fils d'un garde-chasse ? [1] » Trop intimidé, je n'ai même pas pu bafouiller un semblant de réponse, ce qui l'a énormément amusé. Plus tard, j'ai lu toutes leurs œuvres, James comme Virginia

1. Jeu de mots entre buttons (boutons) et Buttons (groom). *(N.d.T.)*

Woolf, et tout ce qui a été écrit sur eux. Je tiens à tout savoir sur nos invités. C'est d'ailleurs une partie essentielle de mes attributions. Chaque demande est examinée avec le plus grand soin. Tout est passé au crible, car nous voulons connaître nos candidats mieux qu'ils ne se connaissent eux-mêmes. Nous voulons que nos invités se sentent ici chez eux. La fondation ne serait pas devenue ce qu'elle est aujourd'hui si nous n'avions pas toujours pratiqué cette politique. Cela va peut-être vous étonner, mais nous voulons qu'entre nos hôtes et nous il y ait... oui, de l'amour. »

Standish hocha la tête.

« Quant à moi, continua Wall, je suis un cas extrême. J'aime tellement Esswood que je n'ai jamais voulu m'en éloigner.

– Vous êtes un homme comblé.

– J'en conviens. Mais, de toute façon, il vaut mieux ne pas quitter Esswood. »

Sibylline, la phrase sonnait étrangement. L'attitude de Wall, la tête rejetée en arrière et les doigts crispés sur son verre, avait également quelque chose d'étrange. Standish crut comprendre ce que le vieil homme voulait dire; il devait avoir à peu près dix ans en 1914, et donc plus de quatre-vingts aujourd'hui. Pourtant, il n'en accusait pas plus de cinquante.

« Esswood semble vous avoir bien réussi », dit Standish.

Wall sourit et hocha lentement la tête.

« Disons que nous nous complétons. Mais je suis persuadé que votre séjour vous réussira tout autant. Vous ne pouvez pas savoir comme nous avons été heureux de recevoir votre lettre. Nous nous étions déjà résignés à ne recevoir personne cette année.

– Qu'est-ce à dire ? Vous n'avez reçu aucune autre demande ?

– Oh! non! Il y a eu le nombre de demandes habituel. »

Standish haussa les sourcils, piqué par la curiosité, et Wall consentit à l'éclairer.

« Un peu plus de six cents. Six cent trente-neuf, pour être précis.

– Et seule la mienne a été retenue ?

– Je dois dire qu'au départ, vous aviez quelques adversaires redoutables. Mais les choses se décantent toujours d'elles-mêmes, au bout de quelques mois. Nous pratiquons une sélection très sévère. »

Le sourire nonchalant, Wall n'avait plus rien d'un fils de gardechasse.

« Si vous avez terminé, nous pouvons faire un crochet par la bibliothèque. Puis je vous laisserai prendre le repos dont vous devez avoir besoin. A moins que vous n'ayez des questions ? »

Standish ne s'en était pas rendu compte, mais il ne restait plus rien dans son assiette.

« Je ne vous cacherai pas que je brûle de savoir si j'aurai l'occasion de rencontrer les Seneschal.

– Ils ne sont pas d'une santé très robuste, en ce moment, répondit Wall en se levant.

– La femme qui m'a accueilli m'a dit que Mme Seneschal... »

Au regard que lui adressa Wall, Standish eut l'impression qu'il avait dit quelque chose qu'il ne fallait pas.

« Allons essayer cette porte récalcitrante, voulez-vous ? »

Standish se leva, mais, saisi d'un brusque vertige, la tête qui tournait et les oreilles qui sifflaient, dut s'appuyer au dossier de sa chaise pour ne pas tomber. Wall dit quelque chose qui alla se perdre dans le néant.

« Je vous demande pardon ?

– Vous vous sentez bien ?

– Simple étourdissement. Excusez-moi, mais je n'ai pas saisi ce que vous venez de dire. »

Wall ouvrit la porte par laquelle Standish était entré un peu plus tôt.

« Je disais que vous aviez dû mal comprendre ce que vous avait dit cette femme énigmatique. Il n'y a pas de Mme Seneschal. »

Standish passa devant Wall et sortit dans le couloir, notant une nouvelle fois au passage les rides profondes qui lui marquaient le visage comme des cicatrices.

« Mais une Mlle Seneschal. Avec son frère, ce sont les deux seuls enfants survivants d'Edith.

– Oh ! je croyais que...

– Petite erreur compréhensible, de la part d'un homme fatigué. Contrairement à la plupart de nos invités, ajouta Wall en tendant la main, vous connaissez déjà le chemin. »

Ils refirent le trajet que Standish avait effectué seul. Wall, plein d'entrain, marchait comme un jeune homme.

« Ce qui prouve encore combien nous avons eu raison de vous choisir. Vous êtes marié, si je ne me trompe ? »

Ils prirent à droite et laissèrent derrière eux la statue de la femme qui se cachait le visage dans les mains.

« Oui, c'est exact.

– Des enfants ?

– Pas encore », répondit Standish en sentant se hérisser les poils de sa nuque.

Il dut faire appel à toute sa volonté pour chasser de son esprit l'image obsédante de la fenêtre allumée de certain appartement, à

Popham, où, derrière le rideau tiré, deux vipères lubriques, sa femme et son meilleur ami, s'étreignaient sans vergogne. Wall lui lança un regard interrogateur.

« Jean est enceinte. La naissance est prévue dans deux mois.

– Vous allez voir, nous allons vous renvoyez chez vous en pleine forme! »

Standish hocha machinalement la tête. Ils tournèrent une nouvelle fois à droite devant la statue du petit garçon dressé sur la pointe des pieds.

« Ah! voici l'objet de toutes vos convoitises! Voyons ce que cette porte a dans le ventre. »

C'était bien la grande porte étroite que Standish avait vainement tenté d'ouvrir. Des images ne cessaient de défiler devant ses yeux, une en particulier, celle de Jean, nichée dans les bras de Wall, frottant avidement son visage contre sa poitrine. Jean ne savait pas dire non à un bel homme.

« Tout me semble normal, dit Wall en tournant vers lui un masque impénétrable. Peut-être avez-vous tourné la poignée dans le mauvais sens? »

Non, il n'avait pas tourné la poignée dans le mauvais sens. Rouge jusqu'à la racine des cheveux, Standish se sentait aussi humilié qu'un petit garçon.

Wall poussa la porte et actionna un interrupteur.

« Entrez, monsieur Standish, entrez. »

Standish pénétra dans une immense salle qui lui parut tout d'abord ne contenir qu'un nombre d'ouvrages ridiculement faible. Ce qui frappait dès l'entrée, c'était l'espace disponible. De chaque côté de la pièce, se dressaient de grandes colonnes corinthiennes à la blancheur de marbre, le pied et le chapiteau festonnés d'acanthes dorées à l'or fin; une sorte de cartonnier occupait chacune des niches ménagées entre les deux paires centrales. Un examen plus poussé révélait qu'il devait y avoir là plusieurs milliers de volumes. Livres sur les étagères disposées tout autour de la salle, livres du sol presque jusqu'au plafond à la voûte en berceau aussi travaillée qu'une faïence de Wedgwood, manuscrits et documents non reliés enfermés dans des cartonnages, il y en avait véritablement partout. Des bergères de velours rouge aux accoudoirs dorés étaient alignées contre les murs. Un bureau et un fauteuil, rouge et or lui aussi, campaient sur le motif central du tapis oriental aux tons pêche étalé au milieu du parquet. Le portrait d'un aristocrate en perruque poudrée et habits du dix-huitième siècle, plongé dans la lecture d'un in-folio ouvert sur le bureau même qu'il avait sous les yeux, était accroché au-dessus du manteau de marbre de la cheminée. Là où ils n'étaient pas recouverts de palmettes, de guirlandes, de volutes ou d'arabesques, les murs et le plafond étaient peints d'une couleur claire, lumineuse, un vert tirant sur le gris. Toute la salle baignait d'ailleurs dans une lumière qui ne semblait provenir d'aucune source visible. Standish, qui avait pourtant vu bien des bibliothèques au cours de sa vie, n'avait cependant jamais rien contemplé de pareil; comme on hésite à manipuler un délicat mécanisme, un œuf de Fabergé, il osait à peine poser les pieds sur le parquet ciré.

« Magnifique, n'est-ce pas ? dit Wall en s'adossant à une colonne, les bras croisés sur la poitrine. La salle a été dessinée par Robert Adam, bien sûr. C'est sans conteste une de ses plus belles réussites.

– Mais en quoi sont donc faites ces colonnes ? Je les croyais peintes, mais...

– En albâtre. Saisissant, non ? Adam n'a pas fait mieux à Saltram House. On croit d'abord effectivement qu'elles sont peintes, mais remarquez ces veines délicates dans la pierre », dit Wall en s'écartant de la colonne contre laquelle il était appuyé. Je vais vous ramener par l'escalier principal. Il est un peu tard pour passer par les communs... même si pourtant, à une certaine époque, il s'y passait des choses peu communes. »

Standish sourit avant de comprendre le jeu de mots. Wall lui fit emprunter une porte à double battant richement sculptée et ils pénétrèrent dans une autre grande salle qui parut à Standish aussi froide qu'un musée. Wall tendit le bras vers une seconde porte à double battant, au bout du tapis qui traversait la pièce dans toute sa longueur, encadré de chaque côté par une haie de fauteuils alignés comme des soldats à la parade.

« L'escalier d'honneur qui vous ramènera à la galerie intérieure et à vos appartements se trouve juste au-delà de cette porte, précisa-t-il en s'engageant entre les deux martiales rangées de fauteuils. Bien, je vous verrai demain matin. Quelqu'un s'occupera de votre véhicule, ne vous faites aucun souci.

– Je ne peux m'empêcher de me demander ce qu'il va advenir d'une aussi splendide demeure quand les enfants d'Edith seront morts, dit Standish. Qui va en hériter ?

– J'ai bien peur de ne pas pouvoir vous répondre.

– Que voulez-vous dire ? Que vous n'êtes pas autorisé à me le dire ? »

Wall se borna à lui ouvrir la porte, apparemment pressé de le voir regagner ses pénates. Son attitude rappelait étrangement celle de l'aubergiste des Duellistes.

« Excusez-moi si j'ai posé une question malheureuse.

– Croyez bien que je suis pour ma part désolé de n'avoir pu mieux vous répondre. Toutefois, si vous désirez savoir autre chose, je vous en prie. Vous avez droit à trois questions.

– Je suis très curieux de tout ce qui touche à Isobel. Je sais qu'elle est morte ici, de maladie, je crois. Vous rappelez-vous les circonstances de sa mort ? »

Pas une ombre ne passa sur le visage de Wall, qui retenait toujours la porte d'une main.

« Est-il vrai qu'elle est morte de la grippe espagnole ?

– Était-ce là votre deuxième question ?

– Je sais qu'il y a eu une terrible épidémie, vers ces années-là... Vous souvenez-vous bien d'Isobel ? Je n'ai jamais vu la moindre photo d'elle.

– Je suppose que c'était votre troisième question. Bien sûr, que je me souviens d'Isobel. Sa mort a été une grande perte pour nous tous. Tout le monde l'aimait beaucoup. »

Standish franchit la porte et se retrouva au pied du grand escalier d'honneur.

« Elle est morte en couches, pour répondre à la question qui vous préoccupe. Je suis surpris que vous ne le sachiez pas.

– Je ne savais même pas qu'elle avait eu un enfant, avoua Standish.

– Oh ! l'enfant n'a pas survécu, dit Wall en prenant congé. Je ne vous raccompagne pas, je sais que vous ne vous perdrez pas. »

Dans l'escalier, Standish se retourna pour voir quelle direction Wall prenait, mais le rez-de-chaussée était plongé dans une obscurité totale. Un rire féminin, semblait-il né de nulle part, éclata puis mourut dans la nuit.

Standish se déshabilla et se coucha aussitôt parvenu dans sa chambre. Les draps étaient délicieusement frais ; le matelas souple et ferme, juste comme il l'aimait. Il entendit la minuterie s'éteindre dans la galerie intérieure. Quelque part, une porte se referma en chuintant.

5

Standish et un certain nombre d'autres hommes étaient retenus prisonniers dans une sorte d'entrepôt. Des soldats en uniforme brun avaient pris position le long des murs, regardant oisivement les captifs ou marmonnant entre eux à voix basse. A l'autre bout du baraquement, sur une estrade légèrement surélevée, un homme aux cheveux gris, si courts qu'on devinait la peau de son crâne, était assis derrière un bureau sur lequel étaient posées deux piles de formulaires. L'homme flottait dans un costume gris et arborait une cravate à fleurs; semblant s'ennuyer autant que les soldats, il examinait longuement chaque fiche avant de la faire passer d'une pile à l'autre. Les visages de leurs geôliers, que ce fût celui des soldats ou du personnage officiel assis derrière le bureau, étaient ceux d'hommes forts, virils, burinés par l'alcool, familiers de la violence et habitués à dispenser la mort. La neige recouvrait à présent tout le pays d'une épaisse couche blanche. A intervalles irréguliers, un soldat armé d'un fusil mitrailleur et vêtu d'une lourde capote passait devant les fenêtres, tiré par deux chiens tenus en laisse. Tous ces hommes ne semblaient nullement gênés par le froid et la neige qui tombait sans discontinuer et accomplissaient leur tâche avec l'efficacité que l'on attendait d'eux. L'atmosphère était celle d'une quelconque administration de province.

La peur au ventre, Standish était assis avec les autres captifs à même le plancher, au centre du baraquement. Lui mis à part, tout le monde portait une sorte de pyjama de laine sans couleur bien précise. Il savait que, bientôt, on lui enlèverait veste, chemise, cravate, chaussures et pantalon pour lui donner lui aussi un pyjama. Toute tentative de fuite était vouée à l'échec. Même s'il réussissait à se glisser hors du baraquement sans être vu et à échapper aux chiens et aux soldats, il serait mort de froid.

Parmi les prisonniers, tout le monde pliait l'échine; tous avaient le crâne rasé, le visage émacié, cendreux. A l'approche de la mort, ils étaient en paix avec eux-mêmes. En un sens, ils étaient déjà morts; rien ne pouvait plus les toucher, les faire sortir de leur apathie.

Pour la première fois, Standish faisait l'expérience de la peur.

Fiche après fiche, le commissaire assis derrière le bureau déterminait l'ordre dans lequel Standish et ses compagnons allaient être exécutés. Il ne fallait espérer aucune clémence. Indifférente, la main de cette machine d'exécution désincarnée s'abattait sur l'un d'eux. Il n'y avait là rien de personnel. Ce n'était que la simple application du règlement : traitées, les fiches passaient d'une pile à l'autre.

Le commissaire releva les yeux de la fiche qu'il venait de parcourir et prononça un nom. Un soldat s'avança vers le groupe de prisonniers et prit un homme par le coude. L'homme se leva et se laissa conduire jusqu'à la porte. A part Standish, personne ne tourna la tête pour le regarder partir. Le soldat ouvrit la porte et, sans rudesse, confia le prisonnier à un second soldat vêtu d'une capote noire et d'une toque de fourrure.

Standish savait que l'homme allait être décapité. Au loin, à peine visible depuis les fenêtres, il y avait un billot, avec une corbeille où tombaient les têtes tranchées. Il jeta un bref coup d'œil à la porte, sachant qu'il serait immédiatement abattu s'il faisait seulement mine de tendre la main vers la poignée, et se mit à faire les cent pas sous le regard impassible de ses geôliers. D'autres prisonniers déambulaient eux aussi de long en large, comme les âmes en peine qu'ils étaient, mais Standish évita de les regarder de trop près. La plupart restaient assis par terre sans bouger, les épaules voûtées; d'autres, affalés sur le plancher grossier, semblaient dormir, le visage caché dans les mains. Standish n'avait aucune envie de voir le visage de ces hommes. S'il en voyait un seul...

... choir du billot, les yeux exorbités et la bouche béante, l'esprit encore conscient, glacé par l'épouvantable morsure de la hache aux lèvres d'acier...

Il ne rêvait pas. Il ne savait plus par quel concours de circonstances il avait échoué dans cet enfer, mais il avait été capturé, traduit devant un tribunal, condamné à mort et conduit jusqu'à cette colonie pénitentiaire où était regroupée une humanité sur qui les portes du destin s'étaient déjà refermées. Deux des soldats l'observaient de façon insistante. Standish se força à marcher lentement jusqu'au mur le plus proche et posa les mains sur la cloison, gelée par le froid. Un courant d'air glacé s'engouffrait par les jours qui séparaient les planches.

Le commissaire du gouvernement prononça un autre nom, incompréhensible, mais où il crut reconnaître quelque chose comme *st*, et comme *sh*. Son sang se figea dans ses veines. Un soldat s'écarta du mur et s'avança vers le groupe de prisonniers. Incapable de faire un mouvement, Standish ouvrit la bouche, mais aucun son ne put franchir ses lèvres. Le visage indifférent du soldat était criblé de points noirs; une longue cicatrice blanche, ourlée comme la trace d'un baiser, lui balafrait le coin de l'œil droit et le haut de la joue.

Le soldat passa devant Standish, agrippa le bras de l'homme qui se tenait juste derrière lui, et entraîna le malheureux vers la porte. Déjà mort, l'homme tourna la tête au passage et plongea les yeux dans ceux de Standish. Standish frémit sous l'intensité de ce regard hanté. Il fit un pas en arrière pour ne pas voir la porte se refermer et aperçut, couché sur une petite table tirée contre le mur du fond, un bébé enveloppé dans une couverture. Le petit être voulut porter les mains à sa bouche, mais n'y parvint pas; comme s'il se noyait, ses mains retombèrent lentement contre ses flancs. C'était un tout petit bébé nouveau-né, le visage encore marbré, âgé seulement de quelques jours. Sa layette était aussi fruste que la tenue des prisonniers, et il semblait avoir de la difficulté à respirer. Standish s'avança vers la table; le nourrisson leva spasmodiquement les bras en l'air. Ses yeux n'étaient que deux plaies purulentes.

Un soldat cria quelque chose. Standish s'arrêta, la main tendue vers le bébé.

« Je le voudrais. Quel mal y a-t-il à ça ? »

Le commissaire du gouvernement mit soigneusement de côté la fiche qu'il tenait à la main et lança une brève série d'ordres. Le soldat abaissa son arme et retourna se mettre en faction contre le mur. Standish avala sa salive. Le commissaire tourna vers lui ses yeux couleur de la pluie en novembre.

« Pas votre bé-bé, dit-il lentement avec un fort accent. Vous comprendre ? Ça, pas votre bé-bé. »

Standish comprit alors que tout était perdu. Il allait être décapité dans ces solitudes glacées; le bébé qui étouffait sur la table n'était pas le sien. Son sang se liquéfia. Il gémit, sachant sa dernière heure venue, et se réveilla dans sa chambre ensoleillée à Esswood.

6

« J'ai encore perdu », dit Robert Wall en l'accueillant une heure et demie plus tard. Muni de deux crayons, d'un bloc-notes et de son exemplaire de *Crack, Whack and Wheel*, Standish, remis de son cauchemar, referma la porte derrière lui et s'approcha de la table. Il avait suivi le même chemin que la veille au soir. Deux couverts avaient été dressés. Des cloches d'or protégeaient leurs agapes.

« Est-ce que je me trompe, monsieur Standish, ou bien vous êtes homme à vous aventurer hors des sentiers battus?

– En effet, répondit Standish.

– Comme l'attestent assez vos choix en matière de littérature. Mais voyons ce qu'il y a là-dessous, voulez-vous? »

Ils soulevèrent chacun leur cloche et Standish découvrit dans son assiette un poisson tout racorni, les yeux protubérants.

« Ah! Du hareng! s'exclama Wall. Vous avez décidément droit à toutes les faveurs, monsieur Standish. Nous sommes un peu à court de provisions de bouche, en ce moment. Je pars pour Sleaford dans une heure pour remédier à ce fâcheux état de fait. La semaine dernière, j'ai eu droit à du porridge quatre jours d'affilée. »

Standish attendit que Wall ait raclé la queue de son hareng –

mettant à nu une rangée de fines arêtes aussi régulières que les dents d'un peigne – et englouti la bouchée suspecte en ronronnant. Lorsqu'il se risqua à imiter son hôte, une multitude de petites arêtes lui griffa la langue et l'intérieur des joues. La chose avait un goût ignoble, infâme, un goût de cendres relevé de vase. Il tritura héroïquement sa pâtée d'arêtes entre ses molaires, puis tenta, la mort dans l'âme, de s'expédier le résultat au fond du gosier, mais dut y renoncer, le cœur au bord des lèvres. Sa gorge refusait catégoriquement d'absorber pareille horreur; il porta sa serviette à ses lèvres et y cracha discrètement sa boulette d'arêtes.

« Et maintenant voyons cela », dit Wall en soulevant la cloche du plat qui trônait entre eux au milieu de la table.

Standish fit une prière pour que ce fût cette fois quelque chose de civilisé – des œufs brouillés, des toasts et du bacon, par exemple.

« Suprême délice! s'extasia Wall à la vue d'une substance gélatineuse d'un blanc jaunâtre. Du kedgeree [1]! précisa-t-il d'un ton ému en commençant à remplir généreusement son assiette. Diable, diable, le petit déjeuner est résolument marin, ce matin. Servez-vous, monsieur Standish, servez-vous.

– Pourrait-on caresser l'espoir de grignoter quelques toasts? s'enquit Standish.

– A côté de votre assiette, dit Wall en lui jetant un regard surpris. Sous la cloche à rôties, voyons. »

Standish n'avait même pas remarqué l'autre cloche, plus allongée, posée à côté de son assiette. Il souleva l'ustensile et découvrit avec satisfaction deux rangées de tranches de pain grillé disposées sur un chevalet métallique et, chacun piqué d'une petite cuillère en or, deux ramequins de confiture. Orange et ce qui semblait être de la fraise. Standish se jeta sur un toast et le tartina fébrilement de confiture.

« Quelque chose ne va pas, avec votre hareng fumé?

– Nooon! Merveilleux. Délicieux.

– J'espère que vous avez passé une bonne nuit?

– Splendide.

– Rien n'est venu troubler votre sommeil? Aucun dérangement d'aucune sorte?

– Pas le moindre.

– Parfait », dit Wall en s'interrompant brusquement.

Occupé à napper un deuxième toast de confiture, Standish releva les yeux, surpris.

1. Mets composé de riz accommodé avec du beurre, des œufs et du poisson. *(N.d.T.)*

« Il y a quelque chose dont je dois vous parler, reprit Wall. Un détail sans importance, j'en suis persuadé, mais je n'ai pas voulu aborder le problème hier soir.

– Ah ? répondit Standish, la cuillère pleine de confiture dans une main, son toast dans l'autre.

– Il semblerait qu'un certain mystère entoure les circonstances vous ayant amené à quitter votre premier poste. Popham, je crois ? »

Standish réussit à feindre l'étonnement.

« Un... certain mystère ? » dit-il en finissant machinalement de tartiner son toast, attentif à ce qui allait suivre.

– Certainement rien qui doive vous inquiéter, monsieur Standish, sans cela vous ne seriez pas là. Mais, voyons, je ne pense pas trahir un secret en vous avouant que nous avons eu vent... disons de certaines rumeurs, auxquelles, je m'empresse de le dire, nous n'avons attaché aucune importance.

– Popham est une université bien modeste, dit Standish qui sentait la sueur lui couler sous les aisselles. Et il en est des petites universités comme des petites villes, pour ne rien dire, devrais-je ajouter, des facultés de lettres des petites universités. C'est un monde clos où circulent quantités de ragots. Tenez, je me souviens qu'à mon arrivée, tout le monde parlait encore d'une vieille histoire qui remontait à plus d'une trentaine d'années, une liaison entre une étudiante et un professeur d'anglais, un certain Chester...

– Je vois, dit Wall avec le sourire conciliant de l'homme au fait de toutes les turpitudes humaines.

– Ce qui s'est passé est réellement très simple. »

Standish ferma les yeux, toujours hanté par le souvenir de Jean se débattant comme une furie sur le perron du petit pavillon de Iola, dans les faubourgs de Popham. Elle s'était évanouie sur le seuil quand l'infirmière qui n'en était pas une avait ouvert la porte. Il se rappelait aussi la haine, brûlante, déchaînée, qui l'avait soutenu ensuite pendant des jours, insensible à tout, à l'amour comme au chagrin.

« Je m'en souviens très bien, poursuivit-il en s'éclaircissant la gorge. J'étais moins naïf que certains auraient bien voulu le croire. Mes collègues ne m'aimaient pas beaucoup, mais l'un d'eux, en particulier, un serpent déguisé en ami, a véritablement dépassé les bornes. Sans entrer dans les détails, disons que cet homme n'a pas hésité à trahir la confiance que j'avais en lui. Il n'y a jamais rien d'officiel, bien sûr...

– Naturellement, dit Wall.

– ... mais, au fil du temps, il est devenu de plus en plus clair que Popham et moi n'étions pas faits l'un pour l'autre.

– On était jaloux de vous?

– Exactement. Aussi, après mûre réflexion, j'ai décidé d'aller chercher refuge sous des cieux plus hospitaliers. Je ne désespère pas d'y parvenir un jour; Zenith, c'est très bien, mais je ne compte pas y passer le reste de ma vie. »

Wall semblait maintenant embarrassé d'avoir abordé le sujet.

« Oui, je comprends cela », dit-il.

Virtuose du dépiautage de hareng saur, il faisait montre d'une habileté confondante pour glisser son couteau entre chair et arêtes. Pendant un instant, chacun mangea en silence. Sentant le regard de Wall posé sur lui, Standish n'osait lever les yeux de son assiette.

« Mais comme je vous le disais, reprit Wall, tout cela n'est pas bien important.

– En effet. »

Standish commençait à devenir nerveux et avait de plus en plus de mal à contenir le flot montant des souvenirs. En particulier celui du pire jour de sa vie, dans cette rue de Popham, vêtu, en plein été, de son chapeau et de son imperméable Burberry, en faction sous les jalousies de certaine fenêtre...

« Je pourrais vous en raconter, vous savez, mais je ne crois pas que...

– Moi non plus », assura Wall.

Les deux hommes finirent leur petit déjeuner dans un silence que Standish attribua au tact et au savoir-vivre de son hôte.

« C'est pour vous le grand jour! » dit Wall en l'accompagnant à la bibliothèque.

Pendant un court instant, ébloui par la lumière du matin qui coulait à flots dans l'immense salle, aucun d'eux ne parla. Le brillant du bois vernis, la splendeur des moulures dorées des colonnes, le lustre du tapis, tout était une vraie fête pour les yeux. Standish ne put réprimer un soupir.

« Je sais, dit Wall. Je ressens moi aussi la même chose à chaque fois. »

Standish porta son regard vers les fenêtres, irrésistiblement attiré par la cascade verdoyante des terrasses qui venaient mourir au bord d'un bassin où se miraient des bosquets qui auraient pu être peints par Constable. Les pelouses, les arbres, le bassin, tout semblait paré d'un éclat neuf. Au loin, les ailes d'un moulin tournaient lentement au sommet d'une colline.

« Vous êtes le premier à vous intéresser vraiment à Isobel, dit

Wall. C'était une artiste de tout premier ordre et, je dois dire, bien autre chose qu'une simple invitée, ici. »

Standish se tourna vers lui, appâté.

« Mais nous aurons le temps de reparler de tout cela. Laissez-moi vous montrer où sont rassemblées ses œuvres. »

Standish n'avait en fait qu'une envie, rester seul. Il avait la très nette impression que Wall ne cessait de se gausser de lui, sous ses parfaites bonnes manières et son humour britannique.

« Tout est là, entre ces deux colonnes, sur votre droite, dit Wall, légèrement surpris par son étonnant manque d'intérêt. Bien, je suppose qu'il ne me reste plus qu'à vous souhaiter bonne chance.

– Merci.

– Bon, je vous laisse.

– Oui. Merci. »

Wall parut sur le point de dire quelque chose, frappé par un détail, mais, se ravisant, hocha la tête et s'en alla en traînant les pieds.

Standish effectua d'abord un rapide tour des lieux, essayant de se faire une idée d'ensemble, puis jeta un coup d'œil attentif à chaque rayonnage afin d'avoir cette fois une idée plus précise de la méthode de classement utilisée.

La bibliothèque amassée par les Seneschal était constituée de strates quasi géologiques. La première accumulation significative semblait remonter au dix-septième siècle, avec une forte prépondérance d'œuvres théologiques : gros in-folios d'écrits patristiques reliés de cuir, commentaires grecs et latins, histoires de l'Église. Des étagères entières pliaient sous les Sermons. Le dix-huitième siècle avait apporté un profond bouleversement au catalogue, et c'étaient cette fois la politique, l'histoire naturelle et la géographie qui prédominaient. Parmi des dizaines de titres consacrés à la flore des antipodes ou à l'exposé des arcanes du régime parlementaire, seuls quelques ouvrages présentaient un réel intérêt littéraire : une collection complète du *Spectator*, les œuvres de Samuel Johnson et de James Boswell ainsi que de nombreuses éditions de Shakespeare, de Marlowe et des dramaturges élisabéthains. Le fonds avait presque doublé de volume au siècle suivant et, pour la première fois, la littérature y avait acquis la première place. Il y avait là tout Dickens, depuis les *Esquisses de Boz* jusqu'au *Mystère d'Edwin Drood*, éditions brochées ou reliées, mais aussi journaux et revues où beaucoup de récits avaient paru à l'origine; les œuvres complètes d'Anthony Trollope, de William Thackeray, de Wilkie Collins, du cardinal Newman, de Tennyson, de Keats, de Shelley, de Matthew

Arnold, de Robert Browning, de Mrs. Gaskell, des sœurs Brontë; des années complètes de *The Cornhill*, reliées de jaquettes de cuir brun; Swinburne, Ernest Christopher Dowson et Oscar Wilde. Et Henry James – dont était rassemblé là un nombre d'œuvres absolument stupéfiant –, qui faisait la charnière avec le vingtième siècle.

Edith Seneschal avait pris en main les destinées de la bibliothèque à l'époque des *Ambassadeurs*; année après année, du *Wasteland* de T.S. Eliot à l'*Ulysse* de James Joyce, les acquisitions s'étaient poursuivies à un rythme soutenu. Entre ces deux monuments littéraires, ce n'étaient que géorgiens, édouardiens, vorticistes, imagistes, futuristes, poètes de la Guerre et modernistes : revues, magazines, tirés à part, brochures, fascicules et éditions de toutes sortes rassemblés là par un esprit aussi éclairé que passionné. Ce qu'Edith Seneschal avait accumulé en trente-cinq ans prenait presque autant de place que tout le dix-neuvième siècle à lui seul. Après elle, les collections se réduisaient à quelques auteurs apparemment choisis au hasard. Sur les derniers rayons, étonné de voir là des auteurs si modernes qu'ils en paraissaient presque déplacés, Standish lut les noms de W. H. Auden, Stephen Spender, Louis MacNeice, Christopher Isherwood, E. F. Benson, P. G. Wodehouse, Evelyn Waugh, Kingsley Amis. Les derniers ouvrages, abandonnés négligemment au bas d'une étagère, affichaient des titres tels que *Poèmes pour la digestion*, *Les règles de l'arbitrage au tennis* et *L'esprit anglo-saxon*. Les derniers rejetons de la famille Seneschal n'avaient manifestement pas les mêmes goûts que leurs ancêtres en matière de littérature.

Standish aurait passionnément voulu être à la place de Robert Wall. Comme il aurait aimé pouvoir vivre dans un tel endroit, sans attaches ni boulet à traîner. Pourquoi cela devait-il rester un rêve inaccessible ? Quelqu'un allait bien devoir veiller sur la bibliothèque, après sa mort. Pourquoi pas un jeune et brillant universitaire américain ?

Mais, pour l'instant, Robert Wall portait bien son nom, et Standish se heurtait à un mur [1].

Standish s'approcha d'une fenêtre et laissa ses yeux se perdre parmi les champs qui verdoyaient au-delà du bassin. Le soleil était déjà haut dans le ciel. Tout était calme et assoupi sous la chaleur de la matinée; les arbres, les feuilles, les champs, tout semblait en attente, emmagasinant les rayons du soleil. De l'autre côté du bassin, il aperçut tout à coup une femme vêtue

1. Tel est en effet le sens de wall. *(N.d.T.)*

d'une longue robe vert pâle. Brusquement surgie des bosquets, le visage de l'inconnue n'était qu'une tache blanche imprécise. Standish crut deviner une certaine tension dans sa façon de marcher; la femme devait être en colère ou sous le coup d'une vive émotion; il n'aurait su le dire avec précision car, après avoir fait le tour du bassin, elle disparut, avalée par l'ombre de la dernière terrasse.

Standish se haussa sur la pointe des pieds et colla le front à la fenêtre, mais la femme ne réapparut pas. Sans doute venait-il de surprendre la vieille demoiselle Seneschal.

Il s'arracha à sa contemplation et décida d'inventorier le contenu des rayonnages garnissant les renfoncements aménagés entre les colonnes centrales. Le fond de chaque niche était entièrement couvert d'étagères s'élevant jusqu'au plafond, creusé comme une coquille et décoré d'ananas, de chandeliers et de volutes de plâtre. Une lumière égale jouait sur le dos des emboîtages – étuis de carton brun, vert ou jaune – où le nom de chaque auteur était gravé à l'or fin.

Pendant un instant, Standish ressentit quelque chose d'assez proche de la vénération. Les patronymes aux lettres d'or lui semblaient autant de figurines chryséléphantines montant une garde vigilante devant chaque boîte. Tout ce qui était à l'intérieur vivait comme au premier jour; rien n'avait été laissé à s'abîmer et à jaunir au soleil.

Une image absurde – Wall, la tête plongée dans une des boîtes, pleine de sang – lui traversa l'esprit, puis, au bout de la troisième étagère du réduit de droite, il vit soudain son propre nom, gravé sur le dos de trois volumineux emboîtages vert foncé. Il tendit la main et sortit le premier cartonnage, lourd comme un sac de plomb.

Il porta son fardeau jusqu'au bureau mis à la disposition des utilisateurs. Il s'assit, et, levant les yeux vers le médaillon central du plafond, découvrit, intrigué, un dieu barbu au regard austère, le front ceint de funèbres nuées et l'index tendu droit sur lui. Standish déglutit et reporta sur attention au niveau du sol. Il souleva le rabat du cartonnage, et un flot de feuillets épars – des dizaines de feuilles de papier couvertes d'une écriture minuscule – se répandit sur le bureau. Standish sentit son pouls s'accélérer à la vue des pattes de mouche d'Isobel; il tremblait tellement que le reste des feuillets glissa du carton.

Il en prit un et l'examina avec attention. De nombreux mots avaient été raturés; des lignes entières barrées. Chaque centimètre carré de la marge était occupé par des rajouts et des corrections. Il ne s'agissait pas de poésie, mais, à première vue, d'un roman. En haut de la marge droite, en pleines notes, se distinguait le nombre 142. Standish parvint à déchiffrer les mots *Je*, *projet*, *impossible*. Une autre série de hiéroglyphes lui en livra un autre, tout aussi énigmatique : *immortalité*.

Une seconde, Standish sentit son cœur s'affoler, caressé par une main invisible.

C'est cruel, lut-il au bas de la page. *C'est un marché bien cruel*, corrigea-t-il à la relecture, *que nous faisons avec la Terre. Cruel, oui, mais l'éternité, l'immortalité, l'art, tout cela n'est que cruauté. Une fois choisi, nul ne peut se dérober*. La suite était totalement indéchiffrable.

Il grogna, remit les feuillets en place et posa le cartonnage, lourd d'au moins une vingtaine de kilos, par terre au pied de son fauteuil. Il lui suffirait maintenant de plonger la main et de retirer les feuilles une à une.

Il y avait dans la boîte environ huit cents feuilles manuscrites et une chemise de papier bulle. Il sortit la chemise et l'ouvrit. La page de garde portait les initiales N. P., puis, juste en dessous, celles d'Isobel. La page suivante, numérotée 65, était couverte de la même écriture que ce qui couvrait les autres feuilles.

Standish n'interrompit sa lecture que lorsqu'il sentit son estomac protester. La salle chatoyait sous les feux du soleil de midi. Un regard à sa montre lui apprit qu'il était presque quatorze heures. Il mourait de faim. Il se leva et laissa en place les feuilles couvertes de l'écriture serrée d'Isobel, fragments d'un seul et même anathème venu des cieux, lancé, peut-être, par le dieu courroucé, qui, l'index significativement tendu, n'aurait visiblement pas été mécontent de le voir tout remettre en ordre avant de partir.

Dans la salle à manger, cloche, assiette et couverts, tout était d'or. Une bouteille de vin trempait dans un seau plein d'eau et de glace pilée. Esswood avait apparemment décidé de faire de lui un buveur de vin. Fort de cette investiture, il souleva la bouteille et examina l'étiquette dégoulinante. Puligny-Montrachet 1972. Un choix qu'on ne pouvait qu'approuver. Il découvrit son assiette et huma, aussi parfumés que la veille, les divins effluves de la longe de veau baignant dans sa sauce aux morilles.

Il s'assit et découvrit un mot, glissé sous le pied de son verre à vin.

Cher Monsieur Standish,

Je serai peut-être absent plus longtemps que prévu. Si vous aviez besoin de quoi que ce soit, laissez simplement un mot devant la porte du salon du ponant. Vous pourrez ainsi travailler sans être dérangé.

Le déjeuner est généralement servi à treize heures; le dîner à vingt.

A bientôt, R. W.

Repu, Standish regagna la bibliothèque par « son » couloir et reprit sa place derrière le bureau. Il se sentait la tête un peu lourde et les idées légèrement confuses, mais ce n'était pas désagréable. Avant d'oublier, il rédigea une liste de fournitures (une boîte de trombones, trois stylos-billes, trois chemises bulle et trois carnets à spirale) qu'il alla aussitôt déposer sur le tapis devant la porte ouvrant sur le salon du ponant.

Il se replongea ensuite dans l'examen du contenu de la chemise de papier bulle et parcourut une quarantaine de pages signées des deux initiales N.P. Aucune n'était dans l'ordre et certaines n'avaient pas de numéro. Il se surprit à bâiller, puis, plus surprenant encore, à lâcher un pet ronflant. L'ancêtre du dix-huitième siècle accroché au mur sembla froncer les sourcils et le dieu dyspeptique le frappa de sa foudre; il s'endormit comme une masse.

Il se réveilla le crâne bourdonnant, la vessie douloureuse et avec un goût infect dans la bouche. Il fit tomber les pages qu'il venait de lire en voulant repousser son fauteuil, se pencha en grognant, les ramassa et les remit dans la chemise. Il se leva et s'attarda un moment à une fenêtre pour admirer la vue plongeante sur les terrasses et le bassin. Les chênes torturés jetaient des ombres noueuses sur les champs. Il était seize heures trente à sa montre. Ayant aperçu un mouvement à proximité des arbres, il fit taire les élancements de sa vessie et vit surgir une femme du couvert des feuillages – chapeau cloche, robe longue, dans les tons clairs. Les arbres, les champs, les buissons, tout resplendissait, comme un peu plus tôt dans la matinée. La femme fit quelques pas, hésita, puis tourna la tête vers les arbres. Son manège donnait à croire qu'elle parlait à quelqu'un d'autre, dissimulé sous les chênes. Puis elle se retourna et leva la tête, les yeux dirigés droit sur la fenêtre où il se tenait. Saisi d'une peur irrationnelle, il se recula précipitamment et, ayant pris soin d'emporter la chemise, préféra s'éclipser par « son » couloir.

Des lambeaux déchirés de la toile d'araignée qu'il avait crevée le soir de son arrivée encore pris dans les cheveux, il se rua dans sa chambre puis, au bord de l'asphyxie, la ceinture déjà débouclée, dans la salle de bains. Il était temps. Soulagé, il poussa un soupir de bien-être retrouvé et aperçut la chemise sur la tablette, à côté de la douche, où il s'en était précipitamment débarrassé. Il tendit la main et l'ouvrit.

N.P... songea-t-il.

Naissance du Poète.

C'était cela, lui soufflait la voix d'Isobel. C'était une chronique, un journal de son séjour à Esswood qu'elle avait légué, comme le reste de ses écrits, à la bibliothèque de la fondation.

Il se lava les mains et décida de commencer la lecture du journal le soir même. Pour qui s'intéressait à la poésie d'Isobel, ce devait être un document fascinant. Qui sait, peut-être même était-il publiable ? Standish entrevoyait déjà un autre ouvrage capital. *Isobel Standish à Esswood : le poète à la croisée des chemins.*

Il était temps de regagner la bibliothèque ; il avait encore beaucoup à faire avant le dîner.

Pour mener à terme un tel projet, trois semaines semblaient un délai trop court. Il allait lui falloir au moins un mois pour compulser les centaines de pages qu'Isobel avait écrites de sa main et recenser l'intégralité de son œuvre poétique. Standish se demanda si Wall accepterait de le voir prolonger son séjour. Saurait-il trouver les arguments suffisants pour le convaincre que la fondation avait tout à gagner à la publication du journal et des inédits d'un des plus grands noms de la poésie contemporaine ? Jean lui pardonnerait sûrement, du moment qu'il rentrait avant la naissance du bébé. La pensée de son obèse et chère moitié accouchant dans un flot d'humeurs et de sang était quelque chose qu'il préférait oublier pour l'instant, une image aussi pénible que les stalactites poussiéreux de la toile d'araignée, là où il n'y avait plus de lumière dans l'escalier. Son travail venait de prendre une direction nouvelle, ce n'était pas le moment de se laisser aller à des pensées morbides. S'enfonçant toujours plus bas, l'escalier en colimaçon lui parut ne devoir jamais en finir.

Il poussa la porte de la bibliothèque avec un plaisir non dissimulé, heureux de retrouver le journal manuscrit sur le bureau, les colonnes qui montaient hiératiquement la garde et les milliers d'ouvrages qui couvraient les murs. Dans son cadre, l'aristocrate poudré semblait pressé de le voir s'asseoir pour se remettre au travail, mais, se souvenant des recommandations de Wall, Standish alla d'abord voir la suite qui avait été donnée à sa modeste demande de fournitures.

Comme des souris mortes rapportées par un chat attentionné sur le paillasson de son maître, il y avait sur le tapis une boîte de trombones numéro un, trois Bic jaunes, trois carnets et trois chemises bulle.

7

Le soleil était bas mais toujours visible quand Standish eut fini de trier entre prose, de loin la mieux représentée, et poésie. Demain, il passerait à l'inventaire du deuxième cartonnage et, s'il avait le temps, commencerait à recenser les poèmes publiables. Tout à l'heure, après dîner, il tenterait de reconstituer la pagination du journal et en entamerait la lecture.

Ayant encore une heure devant lui, il décida de s'octroyer une promenade jusqu'au bassin pour profiter des lueurs rasantes du couchant et des ombres qui s'allongeaient.

Il quitta la bibliothèque, traversa le salon du ponant, déboucha dans le couloir tendu de tapisseries, puis, de là, sur la terrasse du perron. L'air était si doux, si chargé de parfums, qu'il faisait l'effet d'une drogue. Comment s'étonner que le gotha littéraire londonien ait si souvent pris la route de Beaswick ? Comparée au Londres enfumé du début du siècle, Esswood House devait faire figure d'oasis. Il descendit l'escalier de marbre à petits pas, les genoux raides d'être resté assis toute la journée, et se retourna pour admirer la façade.

Vous allez apprendre à apprécier la maison.

Oooh... vous cherchez à me taquiner ?

Il se faisait sans doute des idées.

Ce qui frappait surtout était le silence. Les domestiques devaient vaquer quelque part à leurs occupations; les deux vieillards qu'étaient devenus les enfants d'Edith Seneschal ne plus guère quitter l'aile orientale. Pas un bruit; la demeure semblait totalement vidée de ses occupants. Un nuage traversa les fenêtres du deuxième étage.

Il prit à droite et remonta l'allée gravillonnée jusqu'au coin de la demeure. Là, les gravillons cédaient la place à une allée dallée qui s'enfonçait sous le cerceau de la tonnelle, luxuriant berceau de verdure et de plantes vivaces. Il poussa une petite porte de bois et se retrouva à l'air libre sur la pelouse de la première terrasse, dominant le bassin et les chênes noueux d'où avait surgi la femme en vert.

Les yeux levés vers la colline qui faisait face à la demeure, de l'autre côté du bassin et du bois de chênes, Standish se dirigea nonchalamment vers l'escalier métallique, peint en noir, qui courait jusqu'en bas de la dernière terrasse. Une haie de trembles drageonnants séparait le pied de la colline, récemment passé à la tondeuse, du haut, livré aux moutons, qui, aussi immobiles que des ballots de laine blanche, semblaient peints sur le vert de la grande prairie. Une molle brise faisait tourner lentement les ailes du moulin, pointu comme une ruche, dressé au sommet de la colline.

Le paradis ne devait pas être très différent de ce paysage idyllique; il devait y avoir un bassin similaire et des arbres comme ceux-ci, des moutons assoupis et un moulin endormi. Pour la première fois depuis son enfance, Standish se sentit follement heureux, débordant de joie.

La peinture était tout écaillée, attaquée par la rouille. Toute la structure métallique trembla quand il posa le pied sur la première marche. Il empoigna la rampe corrodée et se retourna une nouvelle fois vers Esswood.

Vue de l'arrière, pierres apparentes au rez-de-chaussée et simple brique aux étages, sans plus rien de ce qui faisait le charme de la façade, la demeure avait l'apparence massive d'une prison. Ici, les fenêtres étaient plus petites. Noyés sous la maçonnerie, des restes d'un antique colombage se devinaient encore par endroits, traces d'un ancien état de construction. Les fenêtres de la bibliothèque étaient les seules à ne pas avoir de persiennes; toutes les autres étaient tirées.

Des tables et des chaises blanches métalliques avaient été sorties sur la terrasse supérieure. La deuxième, nue, ressemblait à la scène vide d'un théâtre en plein air. Il atteignit la dernière marche les paumes orange de rouille. Dans son dos, la rampe vibrait et grinçait dans ses pattes de scellement.

La haie de trembles frissonnants, par-dessus la cime des chênes qui bordaient le bassin, la prairie où paissaient les moutons, le moulin perché au sommet de la colline : la vue était magnifique. Une puissante odeur végétale, presque animale, imprégnait l'air, une odeur de suint, d'eau et de champs inondés de soleil. D'une beauté à couper le souffle, comme tout ce que découvraient ses yeux depuis qu'il avait quitté la tonnelle, le paysage avait quelque chose d'irréel. Il franchit l'allée de gravillons rouges, s'accroupit au bord du bassin et plongea la main dans l'eau. La caresse de l'eau lui rafraîchit tout le corps. Étaient-ils venus se baigner là, Isobel Standish, Theodore Corn et les autres ? Il s'amusa quelques instants à agiter sa main dans l'eau ; le voile de rouille qui lui salissait les doigts se décolla de ses phalanges et coula lentement par le fond.

Il se releva en secouant sa main mouillée et se tourna vers Esswood. Vue du bassin, la construction semblait moins laide, plus conforme à l'idée que l'on se faisait de la demeure ancestrale d'une riche lignée de gentlemen-farmers, avant qu'Edith Seneschal n'eût transformé les lieux en phalanstère.

Un gros papillon aux ailes laquées de pourpre passa nonchalamment devant ses yeux ; Standish retint sa respiration et regarda le papillon s'éloigner en zigzaguant au-dessus du bassin. Selon la direction de son vol, les grandes ailes pourpres brillaient comme des vitraux ou se voilaient d'un gris cendreux. Du coin de l'œil, il perçut un mouvement dans la demeure et leva la tête. Il y avait une femme derrière une des fenêtres de la bibliothèque ; une tache blanche, le visage, et une tache verte, la robe. Sans savoir pourquoi, Standish se sentit frissonner. La femme criait quelque chose : le bas de son visage, un trou noir, ne cessait de s'ouvrir et se refermer. Il commençait à en avoir assez de voir partout cette femme en robe verte. Deux autres taches blanches, des poings, apparurent à la fenêtre. Mal à l'aise, il se souvint, dans le premier village qu'il avait traversé, de l'enfant qui implorait à l'aide, enfermé dans la maison de briques rouges.

Standish porta la main à son cœur, ayant l'impression qu'il allait étouffer, et jugea plus prudent de rentrer. En le voyant regagner l'escalier métallique, la femme s'écarta de la fenêtre et disparut à l'intérieur de la bibliothèque.

8

Standish poussa la porte de la salle à manger à huit heures moins cinq. Il avait emporté avec lui deux épaisses chemises, l'une pleine d'ébauches et de premiers jets de poèmes, l'autre qui rassemblait les pages, partiellement remises en ordre, du manuscrit de *Naissance du Poète*. Il avait l'intention de parcourir quelques poèmes pendant le dîner, puis, de retour à sa chambre, de s'attaquer sérieusement au journal.

La table avait été dressée de la façon qui lui était maintenant familière : service en or, cloche, verre à filigrane, grand cru, chandelier.

Standish s'assit, posa ses documents à côté de lui, tendit la main vers la cloche, légèrement inquiet, mais poussa un soupir de soulagement : longe de veau et sauce aux morilles. « Pas tout de suite », dit-il en reposant la cloche.

Il ne parvenait pas à oublier le merveilleux visage de celle qui l'avait accueilli le soir de son arrivée. Il y avait deux femmes, ici. L'une, la vieille demoiselle Seneschal, qui l'évitait et l'épiait derrière les fenêtres, et l'autre, qui cherchait à le provoquer. Il se leva et poussa la porte de l'office.

« Qu'est-ce que vous cherchez à faire ? M'engraisser pour le combat ? »

Pour toute réponse, un rire éclata sous ses pieds.

Il traversa l'office à pas de loup et, heureux comme un gamin, se lança dans le petit escalier qui menait aux cuisines.

« Ayez pitié de moi, ne me laissez pas manger tout seul! »

Personne. D'un côté, des placards blancs fixés au mur, au-dessus d'une rangée de vieux éviers métalliques, d'un lave-vaisselle et d'un long plan de travail en marbre vert foncé; de l'autre, un énorme fourneau à gaz équipé de deux fours, d'un gril et de huit feux; au milieu de la salle, une autre longue surface de travail, elle aussi de marbre vert, où était posé un tire-bouchon en or.

« Hé! où êtes-vous? s'écria-t-il en écartant les bras, se piquant au jeu. Où êtes-vous passée? Allons, montrez-vous! »

Il ne reçut aucune réponse; il n'avait plus envie de rire.

« S'il vous plaît! dit-il en s'approchant du comptoir de marbre. Montrez-vous! »

Le fourneau était encore chaud.

« S'il vous plaît... »

Il se laissa aller contre le comptoir, guettant le moment où la femme allait sortir de sa cachette en riant. À l'autre bout de la rangée d'éviers métalliques, il avisa une porte voûtée, peinte en blanc et fermée par une lourde barre. Il la fit sauter, ouvrit la porte et se retrouva sous la tonnelle.

« Il y a quelqu'un? » cria-t-il avant de réaliser que la porte avait été barrée de l'intérieur.

Il rentra dans les cuisines, fouilla dans tous les coins, mais, suivi par le seul écho de ses pas, ne rencontra pas âme qui vive. Il était le jouet de plusieurs émotions – peur, colère, énervement, déception, amusement –, mais n'aurait su dire laquelle prédominait.

« D'accord, dit-il, les mains sur les hanches. Vous voulez vous amuser? Eh bien moi aussi! »

Il remonta l'escalier en courant et regagna la salle à manger. Ses documents, la cloche sur son assiette, la bouteille de vin, rien n'avait bougé.

Le dîner pouvait encore attendre un peu. Standish retourna à l'office, ouvrit le cabinet à liqueurs et en sortit deux verres et le whisky que lui avait fait goûter Wall. *Vieille réserve, 70 ans d'âge*, indiquait l'étiquette. Il en versa une rasade dans chaque verre, remit la bouteille en place et regagna la salle à manger avec son trésor.

Il s'assit et, sans quitter la porte de l'office des yeux, sirota son premier verre avec volupté. Wall avait raison; ce whisky était un vrai nectar.

Le premier verre terminé, il avala le second cul sec, puis, fourchette à la main, se mit à parcourir des poèmes dont il n'avait jamais soupçonné l'existence, des morceaux d'une facture plus obscure encore que la production habituelle d'Isobel et apparemment constitués de mots choisis au hasard. *Asticot lit photo chien. Bosse qui roule n'amasse pas motte.* L'hermétisme dont elle avait toujours fait preuve était ici poussé à son comble. Il but une gorgée de vin, divin liquide qui lui procura un plaisir aussi intense que le whisky de la vieille réserve. Isobel écrivait peut-être seulement quand elle était ivre. Il retourna la bouteille pour examiner l'étiquette. Du Pomerol. Et pas n'importe lequel, mais un Château Pétrus 1972. Quant à la longe de veau, elle était aussi exquise que d'habitude.

D'ailleurs...

Standish s'arrêta de mastiquer un instant.

Déguster ce plat particulier, assis à la table où Isobel s'était assise, peut-être à la même place, c'était un peu comme être avec elle. Le temps n'existait plus, les années s'effaçaient et Isobel était là, penchée sur son épaule.

Le P du titre ne signifiait pas *Poète*, mais *Passé*.

Délaissant la poésie pour l'instant, il s'empara du journal, grignota quelques champignons, fit honneur au bordeaux, et se plongea dans la lecture des pages manuscrites.

Une jeune femme célibataire de Duxbury, dans le Massachusetts, s'était présentée un jour à la porte d'une riche demeure de la campagne anglaise. E., une très belle femme, lui avait fait monter un grand escalier et traverser une longue galerie avant de la laisser à la porte de ses appartements, au-dessus d'une cour où gargouillait une fontaine. La jeune femme s'était rafraîchie et allongée un moment avant de rejoindre les autres invités, voulant se retrouver seule avec elle-même. Ayant ouvert par hasard la porte à côté de l'armoire, elle avait découvert un escalier que personne ne semblait apparemment connaître...

Voulant remplir son verre, Standish constata, dépité, que la bouteille était vide. Quelques rares morceaux de champignons surnageaient dans la sauce brune qui avait gelé au fond de son assiette. L'éclairage lui fit mal aux yeux; brusquement rappelé aux réalités présentes, il bâilla et s'étira. Il n'avait pas vu le temps passer : il n'était pas loin de minuit. Il se leva et retourna à l'office se servir un dernier doigt de whisky septuagénaire. Si son corps était las, son esprit foisonnait d'idées. Il allait avoir du mal à trouver le sommeil.

Emportant poèmes, journal et verre, il quitta la salle à manger et gagna le vestibule, peu désireux d'emprunter son – celui d'Isobel – couloir secret à cette heure de la nuit. Il gravit l'escalier d'honneur, prit la volée de gauche et poussa la porte du cabinet de travail donnant sur la galerie intérieure. Le chemin était simple, les deux portes étant dans l'enfilade l'une de l'autre, mais il heurta un meuble qu'il ne savait pas là; il eut beau tâtonner, complètement désorienté, il fut incapable de trouver la porte de la galerie.

Il força les battements de son cœur à s'apaiser et cessa de se cogner d'un meuble à l'autre. Le cabinet était plongé dans une obscurité totale; il y faisait encore plus sombre que le soir où, guidé par sa dulcinée, il y avait mis les pieds pour la première fois. Il s'appliqua à respirer lentement et sur un rythme régulier. Les yeux à présent mieux accoutumés aux ténèbres, il parvint à distinguer les contours généraux du mobilier, mais il fallait savoir qu'il y avait des livres sur les murs. Il fit un pas en avant, se cogna douloureusement la jambe droite contre une surface dure, jura entre ses dents, prit plus au large et, confiant, s'avança résolument vers le mur qui brillait faiblement devant lui. Il avait à peine accompli un pas qu'il buta sur quelque chose de bas; poussant un cri, il se sentit tomber en avant. Son verre lui échappa des mains et alla se fracasser sur le plancher. Il se reçut sur le bras gauche, serrant toujours les poèmes et le journal d'Isobel contre lui. Une douleur fulgurante, aussitôt remplacée par un élancement lancinant, lui cisailla le bras du coude à l'épaule. Incapable de se relever, il se mit à ramper par terre comme un ver; il était plus ivre qu'il ne le croyait.

Un rire éclata, au second étage. Un rire féminin.

Glacé jusqu'au sang, il sentit ses testicules se rétracter dans ses bourses. Il ouvrit la bouche mais aucun son ne sortit de sa gorge. Ponctué d'un petit soupir satisfait, le rire mourut dans la nuit et le silence retomba sur la demeure.

« Où êtes-vous ? » chuchota-t-il dès qu'il fut à nouveau capable de respirer.

Silence.

« A quoi jouez-vous ? »

Il perçut un léger froissement sur le palier, puis crut entendre quelqu'un s'éclipser discrètement par l'escalier. Les bras tendus à l'aveuglette, il finit par sentir le bois d'une porte sous ses doigts.

Saisi d'étourdissement, il dut porter les mains à ses yeux en émergeant dans le puits de lumière de la galerie intérieure, emporté par un kaléidoscope d'images folles : des assiettes, des couverts en or, une demeure déserte, des têtes coupées, une femme, dont on n'entendait que le rire, provocant, un bébé qui n'était pas le sien dans un passé lointain qui...

Naissance du Passé.

Standish secoua la tête; il avait besoin de sommcil. Il y avait un courant d'air glacé qui courait au ras du sol et lui prenait les chevilles en étau. Au-dehors, de l'autre côté de la cour, les Seneschal n'étaient pas encore couchés.

Une ombre traversa furtivement les persiennes d'une des fenêtres et toutes les lumières s'éteignirent d'un coup, comme une bougie que l'on souffle. Une ombre, lui avait-il semblé, naine et bizarrement contrefaite. Fantasmagorie engendrée par la nuit, décida-t-il, tout à son nouveau bonheur. Il était au Pays : il irait là où on le conduirait.

Il se glissa chez lui, traversa l'antichambre à tâtons et se jeta sur son lit.

9

... ce charmeur aux yeux bleus est né à Huckstall.

Standish était couché dans son lit, à côté du bassin éclairé par le clair de lune. Une voix déjà lointaine venait de déclarer quelque chose à propos de Huckstall, de Huckstall et d'un homme aux yeux bleus, phrases sans signification précise mais qui l'avaient néanmoins troublé. Les eaux du bassin clapotaient dans la nuit. Il serrait contre lui un bébé qui dormait à poings fermés car il venait juste de téter. Il avait des seins de femme, fermes et doux, avec de larges aréoles brunes. De sa main libre, il essuya la agoutte de lait qui perlait encore à son sein gauche. Il aurait voulu rester toute la nuit assis dans son lit au bord du bassin argenté par le clair de lune à serrer son bébé dans ses bras, mais il y avait eu ce rire, et cette ombre énigmatique, de l'autre côté de la cour. Du regard, il fouilla l'étendue du bassin, essayant de percer l'obscurité des arbres. Là, sous les branches tordues, se dissimulait quelqu'un, homme ou femme, qui ne tenait pas à être vu. Un être mystérieux, plutôt qu'un être humain; un être qui pouvait faire du mal à son bébé, Standish le savait. Résolu à défendre farouchement la vie de l'enfant, il n'avait pas peur de cette créature, quelle qu'elle fût. Soudain, il sentit ses seins frémir, tout à coup, douloureux, et sut que le danger allait frapper. Comme un robinet qui fuit, goutte à goutte, il se mit à perdre son lait.

Quelque part sous les chênes nains blanchis par la lune qui bordaient le bassin, un rire féminin éclata dans la nuit...

... et il se réveilla brusquement dans l'obscurité de sa chambre. Il n'avait pas de seins et il n'y avait jamais eu de bébé. Son cœur cognait dans sa poitrine; il se sentait aussi délicieusement recru de fatigue que s'il venait juste de faire l'amour. Il y avait quelqu'un dans la pièce : la menace qu'il avait perçue dans son rêve était la transposition d'un danger bien réel. Il y avait quelqu'un avec lui dans la chambre, quelqu'un qui venait juste de se figer dans le noir et qui l'observait, les yeux braqués sur son visage.

L'aubergiste des Duellistes avait dit la vérité; Robert Wall avait menti. Un Américain était venu avant lui. Un soir, lorsqu'il était monté se coucher, gavé de bonne chère et de grand cru, quelqu'un s'était glissé dans sa chambre et l'avait assassiné.

Il était prêt à parier que le malheureux avait été décapité.

Les ténèbres étaient toujours aussi impénétrables. On lui avait enlevé son bébé et quelqu'un qui lui voulait du mal était tapi dans le noir au pied de son lit.

« Je sais que vous êtes là », dit-il, juste avant de se rendre compte, complètement réveillé, qu'il avait en fait rêvé toute la scène.

Pas de rire, pas de soupir; soulevant la tête de l'oreiller, il ne perçut aucun mouvement dans l'obscurité. Il était seul, aussi seul que lorsqu'il s'était égaré dans les cuisines. Pourtant, quelqu'un s'était tenu dans la chambre; quelqu'un qui l'avait regardé dormir, il en était sûr. Quelqu'un d'Esswood, qui avait déjà cherché plusieurs fois à attirer son attention. Une femme mystérieuse (celle qu'il appelait sa dulcinée, mais aussi Mlle Seneschal, car c'était peut-être la vieille demoiselle qui était venue lui rendre visite) qui n'osait se montrer, car il n'en savait encore assez.

Une femme qu'il ne verrait que lorsqu'il en serait digne.

Au souvenir de ses énormes seins, tellement gonflés que le lait s'en échappait goutte à goutte, il se caressa machinalement la poitrine, creuse et couverte d'une maigre toison brune. Huckstall, pourquoi ce hameau perdu lui semblait-il si important, subitement ? Comment expliquer la présence de ce bébé, dans son rêve ?

En se levant pour aller aux toilettes, alerté par un reflet sur les persiennes de la fenêtre, il se retourna juste à temps pour voir une nouvelle fois la lumière s'éteindre dans l'aile des Seneschal.

10

Il se serait battu, mais, le lendemain matin, en voulant rallier la salle à manger par « son » escalier, il se perdit dans le dédale d'Esswood; de couloirs en escaliers, il se retrouva bientôt dans une partie visiblement abandonnée depuis de nombreuses années. Des couloirs aveugles et des portes, certaines verrouillées.

Le lendemain des rares fois où il s'enivrait, Standish était toujours saisi d'une véritable fringale. Il n'avait pour l'heure qu'une envie en tête : s'asseoir à la table de la salle à manger et dévorer tout ce qu'il y avait dessus, même si cela devait avoir un nom bizarre et ressembler à du pipi de chat. Il avait mal au crâne et voyait trouble. Se promettant de ne plus toucher à l'alcool, il sentit les voiles d'une grande toile d'araignée lui caresser le visage et rentra instinctivement la tête dans les épaules, révulsé. Pourtant, avec les dizaines et les dizaines de marches qu'il avait descendues, il devait déjà avoir dépassé le rez-de-chaussée depuis longtemps. Il ralentit l'allure. Les murs étaient faits d'une pierre blanchie à la chaux extrêmement froide au toucher; la spirale de la voûte, l'applique métallique, la maigre lumière, tout semblait étrange.

Il atteignit enfin le pied de l'escalier et déboucha dans un couloir qui ressemblait à celui qui lui était familier, sans qu'il pût toutefois en être absolument certain; l'étroit corridor tournait bien à gauche, mais était-ce vraiment « le sien » ? Il n'avait pas souvenir d'un tel état d'abandon et s'avança jusqu'au coin ; pas de statue de jeune garçon, mais une porte, du côté gauche, et deux autres en face ; au-delà, un dernier coude à gauche et un autre escalier, plus petit que le précédent, menant encore plus bas.

Standish était perplexe. Il lui semblait maintenant avoir tourné plusieurs fois à droite et à gauche sans y prêter vraiment attention, uniquement guidé par les tiraillements de son estomac. Il gardait la vague idée, telle une image rescapée d'un rêve, de sinistres couloirs bétonnés qui se croisaient à l'infini. Il revint sur ses pas, ayant complètement oublié sa faim, mais ne put ouvrir la première porte, fermée à clef.

La suivante s'ouvrit sur une pièce pleine de petit bois – des bûchettes, du menu bois de chauffage. Quelques tableaux poussiéreux tendus de toiles d'araignée alourdies de cadavres d'insectes étaient accrochés aux murs. La seule ouverture de la pièce, qui faisait beaucoup penser à un cachot, était une étroite meurtrière pratiquée dans le mur opposé à la porte ; l'odeur de renfermé prenait véritablement à la gorge. Ce qui jonchait le sol n'était pas des bûchettes mais des os. Il y avait là des dizaines, peut-être même des centaines, de squelettes démembrés. Standish se rappela l'histoire de la femme de Barbe-Bleue ; son mal de crâne se changea en migraine déclarée. Jetant un coup d'œil à droite, puis à gauche, comme si quelqu'un pouvait surgir du couloir, il poussa la porte en grand et entra dans l'abominable charnier.

Tout un coin était occupé par des crânes aux cornes allongées ; à plus ample examen, tous les restes rassemblés là étaient d'ailleurs ceux d'animaux. Un papillon aux ailes décolorées épinglé sous un cadre de verre attira son attention ; Expédition du Nil, 1886, lut-il sur l'étiquette manuscrite fixée dessous. Voilà qui expliquait tout : ossements et papillons avaient été ramenés d'une expédition en Afrique par un aïeul excentrique se prenant pour un naturaliste.

Standish regagna le couloir et se tourna vers les deux portes qui faisaient face à l'ossuaire.

Lorsqu'il ouvrit la première, il surprit un bruit de fuite précipitée dans le noir et, du coin de l'œil, crut apercevoir plusieurs petits corps potelés détaler derrière les piles de magazines et de journaux qui étaient entassés là. Il faisait trop sombre pour distinguer quelque chose dans le fond de la pièce, mais il savait que des yeux malveillants étaient posés sur lui, épiant chacun de ses mouvements. Son regard tomba sur la manchette d'un numéro du

Yorkshire Post qui traînait par terre. *Une femme enceinte et son amant torturés d'odieuse façon puis décapités. Macabre découverte sur le crassier de Huckstall.* Une sorte de hoquet de dérision, de ricanement sournois, éclata quelque part tout près.

Avec l'impression que les murs allaient se refermer sur lui s'il s'éternisait, Standish regagna lentement la sécurité relative du couloir et referma violemment la porte. Encore éprouvé par son expérience, il était cependant sûr qu'il ne se trouvait pas là par hasard. Il avait été conduit jusque dans cette partie des caves; il ne s'agissait ni d'une coïncidence ni de quelque chose de fortuit. Il devait venir ici. Il avait été *choisi.*

La seconde porte était verrouillée. Il regagna l'extrémité du couloir et s'engagea dans l'escalier qu'il avait découvert quelques instants plus tôt.

Le sol n'était plus fait de pierre, mais de béton; au bout du couloir, une porte, ouverte, donnait sur un réduit maçonné, vide à l'exception d'un minuscule fauteuil d'une soixantaine de centimètres de haut d'une saleté repoussante, et d'une ampoule nue pendue au plafond. Standish s'approcha, ayant aperçu une autre porte au fond de la pièce, traversa le réduit, remarquant au passage, collée sur un mur avec du ruban adhésif, la reproduction d'un des tableaux qui décoraient son antichambre – le petit chien qui batifolait le long du carrosse – et ouvrit la porte du fond. Ses yeux plongèrent dans une grande pièce basse de plafond qui lui parut pleine en comparaison de la précédente. Une statue, une sorte de poussah, un Bouddha ventripotent à qui il serait poussé les bras tortueux de Çiva. Un fourneau, qui comptait plus de boutons qu'un piano n'avait de touches. D'antiques bicycles, qui prenaient la poussière contre le mur du fond, sous un jeu de haches fixées au mur, de la plus grande à la plus petite, telle une famille pendue collectivement. Une machine à coudre à pédalier et un aspirateur emmanché d'un long tuyau serpentin, la poche distendue.

Standish se surprit à évoquer la bibliothèque, quelque part au-dessus de sa tête. Là-haut, les plus pures productions de l'esprit, soigneusement conservées sur des étagères; ici, des rebuts, abandonnés à la rouille et à la poussière.

Il s'aventura plus loin encore au cœur des caves, ouvrant méthodiquement chaque porte qui n'était pas fermée à clef. Une pièce pleine de vieilles poupées et de jouets cassés; une autre, avec cinq berceaux, cinq petits lits et cinq landaus, hauts comme de petits carrosses, les couvertures et les draps rongés par les mites; une autre, où s'entassaient, pêle-mêle, livres de contes aux pages jaunies par les ans, cubes de bois et animaux en peluche. Il rencontra enfin un escalier qui remontait vers les étages et, emportant avec lui l'image d'un cheval à bascule, les naseaux dilatés, relégué dans l'obscurité d'une dernière pièce, laissa le cœur souterrain d'Esswood à son mystère. Il avait trouvé la chambre de « Reproche », *pleine de jouets et de bébés cassés.*

Il passa devant des rangées de casiers pleins de bouteilles alignées comme des livres sur des étagères, puis l'escalier s'élargit. Les murs se changèrent en balustrades d'onyx et il émergea des profondeurs de la demeure dans la splendeur du salon du levant.

Dans la salle à manger, il trouva le petit déjeuner servi, comme d'habitude, sur une nappe d'une blancheur immaculée. Il s'assit, tout ragaillardi, empoigna la cloche qui protégeait son assiette et faillit reculer d'horreur. Encore du hareng fumé. Il essaya d'en avaler un morceau, velu comme une chenille, mais, les gencives et le palais transpercés de dizaines de fines arêtes, crut mordre dans une pelote d'épingles; dégoûté, il cracha dans son assiette.

11

Il préféra gagner la bibliothèque et, sous les yeux de l'arrière-arrière-arrière-grand-aïeul et du dieu au doigt accusateur, tout en délogeant les arêtes prises entre ses dents, commença à jeter quelques notes sur le papier.

S'il n'y a ni hasard ni coïncidence dans l'univers, alors, tout étant possible n'importe où à n'importe quel moment, la littérature n'est qu'un leurre, un masque trompeur. Être ici, à Esswood, c'est approcher l'essence même de la poésie d'Isobel, littéralement et métaphoriquement, car dans un monde où rien n'arrive par hasard, tout est métaphore. C'est le monde tel que le voient les enfants. Voilà la clef de l'obscurité apparente des poèmes d'Isobel. Les mots n'y ont pas d'autre sens que celui qui leur est propre.

Question à propos de ces jouets, de ces poupées, décrits dans le poème « Reproche. » Que sont devenus les enfants à qui ils appartenaient ? Des jouets et des enfants cassés. Pourquoi cet adjectif, placé là ? Combien d'enfants Edith Seneschal a-t-elle eus ?

Se renseigner sur la descendance de la famille. C'est peut-être là que réside ce fameux secret dont tout le monde hésite à parler.

Il réfléchit un instant, puis rajouta une ligne :

Faire des recherches à l'église du village ?

Il considéra son bloc un moment, détacha la page qu'il venait de rédiger, griffonna quelques mots sur la suivante et alla la porter sur le tapis devant la porte du salon du ponant. Il retourna s'asseoir à sa place, mais, après voir consulté ses gardiens du regard, décida d'abandonner la poésie pour la matinée et de se consacrer plutôt au journal.

Joignant le geste à la pensée, il repoussa la chemise de poèmes, approcha l'épais manuscrit du journal et commença sa lecture à la page 26, là où il s'était arrêté la nuit précédente. Pendant une vingtaine de minutes, il lut des phrases, des suites de mots tracés sur des feuilles de papier. Puis, les années et la distance abolies, il pénétra dans le Pays à la suite d'Isobel.

La jeune femme du Massachusetts avait l'impression de nager dans le bonheur. Elle avait rencontré E., célèbre égérie du monde des lettres, à Boston, par le plus grand des hasards. Celle-ci avait demandé à voir sa production et, impressionnée par ce qu'elle appelait l'« audace » de la jeune femme, l'avait invitée à venir passer quelque temps à Esswood. La jeune femme lui était évidemment très reconnaissante de l'avoir introduite au Pays; depuis qu'elle était à Esswood, elle écrivait avec une aisance qu'elle n'avait encore jamais connue. Prose, poésie, les mots lui venaient avec une facilité déconcertante; chaque jour, elle devenait un peu plus sûre de sa plume. Elle avait lu ses poèmes, un soir, dans la galerie du ponant; des écrivains illustres, dont elle ne connaissait jusque-là que les noms, l'avaient applaudie et félicitée. Encouragée par ces brillants débuts, elle avait alors donné à son œuvre un tour radicalement différent de tout ce qui se faisait à son époque.

C'était typique de sa manière d'agir, songea Standish.

La jeune femme du Massachusetts passait généralement la matinée à écrire, isolée dans sa chambre au-dessus de la fontaine. Elle déjeunait ensuite avec E. et les invités du jour, puis, l'après-midi, s'aventurait dans le Pays, comme elle avait baptisé Esswood. La splendeur de la grande demeure, dans son théâtre de verdure, la ravissait et l'émerveillait : tant de beauté n'était pas réunie là par hasard, tout lui parlait, lui souhaitait la bienvenue. L'après-midi, ceux qui n'étaient pas occupés jouaient au croquet, se baignaient dans le bassin, s'isolaient avec un livre dans la bibliothèque ou le salon du levant, ou se faisaient mutuellement la lecture, mollement allongés sous les parasols disposés sur la terrasse supérieure. Chère princière et plus grands crus, la table était somptueuse. Ayant avoué une faiblesse pour la longe de veau aux morilles, la jeune femme s'en était vu offrir tous les soirs pendant une semaine, et ce n'était là qu'un exemple des attentions délicates dont le Pays la comblait. Les vins étaient une merveille. Le soir de son arrivée, la jeune femme avait pu goûter un Château Lafite-Rothschild 1900; le lendemain, elle avait eu droit au même, mais millésimé 1872. Le surlendemain, elle avait découvert sur la table un Lafite-Rothschild 1862, un premier grand cru classé vanté comme étant le meilleur des cent dernières années et destiné à le rester pendant encore les cent prochaines.

Le bonheur qui habitait la jeune femme était moins fugace que la griserie provoquée par un vin capiteux, plus durable que le plaisir éprouvé à se trouver en illustre compagnie, plus extatique que l'état de grâce de l'artiste en proie aux affres de la création. Au fil des jours, la jeune femme en était venue à entretenir avec le Pays des rapports, sinon religieux, du moins fortement sacralisés. Une force invisible, un principe immatériel lui semblait habiter la moindre parcelle du domaine. Ce qui était le plus surprenant était son complet changement de caractère. Elle qui était d'ordinaire peu sociable, voilà qu'elle recherchait maintenant la compagnie de ses semblables; emportée dans un tourbillon de gaieté, ce n'étaient que charades, tableaux vivants, éclats de rire et conversations animées.

La jeune femme s'était découvert une inclination pour la farce et la plaisanterie dont elle n'avait encore jamais soupçonné l'existence. Grâce à « son couloir secret », elle pouvait se déplacer partout sans être vue; elle adorait mettre le désordre dans les armoires, semer la pagaille dans le travail de ses éminents confrères, faire peur aux invités en s'introduisant nuitamment dans leurs chambres.

Standish sentit son cœur faire un bond dans sa poitrine.

Bien qu'elle n'eût jamais particulièrement aimé les enfants, la jeune femme était persuadée que le mystérieux attrait que le Pays exerçait sur elle était dû en grande partie aux deux enfants de la maîtresse de céans. Les deux seuls survivants.

Standish eut à nouveau l'impression que son cœur allait cesser de battre.

Compte tenu de la malédiction qui semblait s'acharner sur elle à travers ses enfants, le calme et la maîtrise d'E. étaient admirables. En âge de se marier, elle avait épousé un cousin issu de germain affublé du même patronyme que le sien, un homme inculte qui s'ennuyait à mourir dès qu'il était plus de deux jours absent de Londres et consacrait plus de temps au cognac, aux filles et à la Chambre des communes qu'à sa propre famille. Le couple avait cependant eu cinq enfants, dont trois étaient morts en bas âge. Les deux survivants, R. et M., enfants d'une beauté saisissante, étaient la coqueluche des invités. Ils étaient de santé fragile, frappés eux aussi par la même maladie que les autres, tare héréditaire dont personne ne connaissait la nature exacte, mais qui venait, disait-on, de la branche paternelle.

Toujours fatigués, les deux petits avaient cependant toujours faim. Aspect qui n'était pas le moins étrange dans la maladie dont ils souffraient, ils semblaient incapables de produire l'énergie qui leur était nécessaire et devaient par conséquent manger énormément, encore que, prenant toujours leurs repas en privé, personne ne sût ce qu'ils étaient obligés d'absorber en si grande quantité. Malgré ce régime, R. et M. dépérissaient à vue d'œil, la sœur, plus encore que le frère. Alors qu'*il* pouvait encore passer pour un enfant normal, *elle* était plus faible de jour en jour. *Il* était pâle, *elle* avait le teint blême, cireux. Certains jours, la peau de la pauvre enfant, si pâle qu'elle en paraissait presque diaphane, semblait suppurer, ou se couvrir de pustules, de cloques, comme si la fillette se métamorphosait peu à peu en une autre créature.

Standish s'arracha à sa lecture, gêné par la lumière qui entrait à flots par les fenêtres, consulta sa montre – treize heures trente, une demi-heure de retard, donc – et, tout engourdi, repoussa son fauteuil.

S'il voulait comprendre ce qu'avait écrit Isobel dans son journal, il lui fallait complètement s'identifier à elle. Détail essentiel, il avait perçu cet appel, lui aussi ; comme elle, il avait senti naître en lui une étrange exaltation, la première fois qu'il avait vu le Pays en plein jour. Isobel avait tout pris au pied de la lettre ; il n'y avait aucune distanciation entre ce qu'elle avait vécu et ce qu'elle avait écrit. Des mots, *éternité, joie, enfants, tare, métamorphose*, tournoyaient dans sa tête. *Spectre, rire, principe universel.*

Se rappelant la note qu'il avait laissée en début de matinée, il alla jusqu'à la porte du salon du ponant pour se dégourdir les jambes et trouva la clef de contact de la Ford Escort posée sur le tapis.

Après le déjeuner, longe de veau et bordeaux, Standish sortit sur le perron respirer l'air parfumé de l'été. Les deux petits survivants, R. et M., étaient sans doute souvent venus s'asseoir là, au pied de ce même escalier. Quelqu'un avait avancé la voiture dans l'allée.

Était-ce vraiment la sienne ? Elle semblait en bien meilleur état que celle qu'il avait louée à Gatwick. Il était sûr qu'il ne s'agissait pas du même véhicule. Il posa la main sur le métal tiède et lustré du capot. C'était un modèle différent, flambant neuf, comme tout ce qui portait la marque du Pays.

Standish s'installa derrière le volant et mit le contact.

Il lui fallut presque une heure pour trouver l'église. Il dut se résoudre à s'arrêter pour demander sa route, mais, en raison du fort accent des gens du cru, rauque et traînant, comprit à peine les explications sommaires fournies par deux hommes qui prenaient le frais sur le pas du pub local. Il fallait bien prendre d'abord par High Street, l'artère principale de Beaswick, où il déclencha sur son passage les commentaires d'une bande de jeunes qu'il n'avait pas besoin de comprendre pour savoir obscènes. Le village était sale, morne et gris; sur le trottoir, des femmes empâtées, le chignon en bataille et les bajoues enluminées, regardaient passer la Ford comme si elles n'avaient jamais vu d'automobiles de leur vie. Aussi soudainement que les crassiers et les torchères avaient cédé la place à la forêt, les maisons furent remplacées par des champs et des marais désolés.

Il finit par arriver à un carrefour en rase campagne signalé par un bloc de terre et de racines d'un peu plus de deux mètres de haut. On lui avait effectivement dit de tourner – il ne savait plus de quel côté – « à la souche », et ceci ressemblait fort à une souche. Une ferme s'élevait au loin; deux chevaux somnolaient dans l'ouche, entre la route et les bâtiments. De l'autre côté de la route, un raidillon escarpé menait à une petite église de pierre grise construite à flanc de colline et à un enclos où se devinaient de vieilles pierres tombales. Sur la crête de la colline, au-dessus de l'église, se dressait le moulin en forme de ruche qu'on apercevait depuis les terrasses d'Esswood. Il en était à trois cents mètres à peine à vol d'oiseau et aurait pu venir à pied.

Standish se lança à l'assaut du raidillon envahi d'herbe, laissa la voiture devant le parvis, fit le tour de l'église, découvrit une autre construction de pierre grise, plus petite et encore plus laide que la nef, une petite prison aux rideaux tirés, et s'avança jusqu'au portail du cimetière, entre les deux bâtiments.

Entouré d'une grille basse et couvrant environ un demi-hectare de terrain déclive, le champ de repos abritait plusieurs centaines de tombes. Les pierres les plus anciennes, les plus proches de l'entrée, ressemblaient à de vieux visages parcheminés, ridés et couverts de cicatrices. Standish s'engagea dans l'allée centrale et commença à passer les noms en revue. Les Seneschal ne devaient pas être enterrés dans cette partie du cimetière. Certains patronymes revenaient en revanche fréquemment : Totsworth, Beckley, Sedge, Cooper, Titterington.

Il se retourna en entendant une porte claquer dans son dos et vit s'approcher, les épaules voûtées pour lutter contre la violence du vent, un homme brun vêtu d'une longue soutane boutonnée sur le devant, le teint couperosé et la main levée en l'air comme un agent de la circulation.

« Dites ! Hé ! là-bas, dites ! »

Standish attendit que le pasteur l'eut rejoint.

Loin de refléter la vraie nature du personnage, le sourire accueillant du vicaire semblait purement fonction des circonstances. Proche de la soixantaine et dégageant une forte odeur de bière et de tabac, le digne ministre parlait avec le même accent que ses ouailles.

« Je vous ai vu, depuis le presbytère, savez. C'est qu'on voit pas beaucoup d'étrangers, par ici. Ça non, des nouvelles têtes, on en voit pas beaucoup ! »

Le sourire qui distendait la large face rougeaude, révélant deux longues rangées de chicots jaunâtres, faisait oublier ce que le discours pouvait avoir de xénophobe.

« Américain, hein, à ce que je vois ? Vos vêtements, comprenez. »

Standish hocha la tête.

« Vous êtes intéressé par les vieilles églises normandes ? Oh ! c'est pas que la nôtre vaille pas le déplacement, ça non, mais, j'ai tout de même trouvé bizarre de voir une nouvelle tête dans notre petit, hum, petit cimetière. Ça m'a paru louche, quoi.

– Ah ? Et pourquoi donc ? »

Le pasteur cilla, puis décida d'accentuer encore la chaleur de son sourire.

« Vous allez peut-être trouver nos façons bizarres, mais nous sommes une petite communauté, vous savez. Alors comme ça, vous avez décidé de faire un petit arrêt sur votre route ?

– Non. »

Le bonhomme l'irritait si profondément que Standish se trouvait bien bon de lui répondre.

« Si vous êtes amateur de vieilles inscriptions, j'ai bien peur que vous soyez venu frapper à la mauvaise porte. »

Standish se raidit.

« Non, précisa-t-il, ce sont des raisons personnelles qui m'amènent ici. Mon nom est Sedge ; mes ancêtres sont nés dans ce village.

– Ah ! bien ! Très bien ! Vous seriez donc un Sedge ? s'exclama le pasteur en cherchant à voir, l'œil torve et la mine chafouine, s'il portait bien sur son visage les signes distinctifs de la famille en question. Où est-ce que vous habitez en Amérique, vous m'avez dit ?

– Dans le Massachusetts. Duxbury, Massachusetts.

– Vous trouverez des Sedge plein le cimetière. Quand est-ce que vos ancêtres ont émigré ?

– Oh ! vers mille huit cent cinquante, peut-être un peu plus tôt, dit Standish. Ils sont tous partis d'ici, Beaswick. J'aurais également bien aimé voir les tombes des gens chez qui je suis hébergé. Tout ce qui les concerne m'intéresse. »

Tournant le dos au pasteur, Standish continua à passer en revue les tombes alignées de chaque côté de l'allée. Capt. Thomas Hopewell, 1870-1898. Un ange en pleurs, penché sur un livre ouvert. Une femme brisée de chagrin, le visage caché dans les mains : de marbre elle aussi, la statue était la jumelle de celle d'Esswood. Sans qu'il eût besoin de se retourner, il sentait dans son dos l'exaspération croissante du pasteur qui le suivait à pas lourds et comptés. Il s'attendait à se voir intimer l'ordre de quitter les lieux, mais le comportement de l'ecclésiastique était plutôt celui de quelqu'un ayant quelque chose à cacher.

« Vous logez au village, vous dites ? Puis-je vous demander chez qui ?

– Bien sûr... » répondit Standish en se tournant vers le visage inquisiteur tendu vers lui.

Standish marqua un léger temps d'arrêt à la vue, sur la tombe d'un enfant à demi masquée par l'épaule du pasteur, d'une statue de marbre – un petit garçon dressé sur la pointe des pieds, les bras tendus – qui était elle aussi une parfaite reproduction du modèle qu'il avait déjà vu à Esswood.

« ... chez les Seneschal. »

Stupéfait, le pasteur n'eut pas l'air d'en croire ses oreil
manières, son langage, son attitude changèrent du tout au

« Les Seneschal, tiens donc ? Comme c'est intéressant.

– Oui, les Seneschal », dit Standish en se tournant vers le ı
gravé sur la tombe veillée par la statue de la femme en ple

Sodden [1], lut-il en devant réprimer une brusque envie de rire.

« Où sont-ils donc enterrés ?

– Illustre famille, que les Seneschal, confia sentencieusement le pasteur. En nos contrées, s'entend. Vous logez donc chez eux, monsieur Sedge ? A Esswood House ?

– C'est exact.

– Vous devez pas être souvent dérangé, là-bas ?

– Non, avoua Standish, c'est très tranquille.

– Je me doute... »

Standish ne savait pas de quoi le pasteur avait peur, mais le cher homme avançait visiblement sur des œufs.

1. Sodden = abruti. (*N.d.T.*)

« Il est tout de même étrange qu'il n'y ait ici pas une seule tombe portant leur nom. Je ne vois même pas les enfants d'Edith. Je crois pourtant savoir que trois seraient morts en bas âge.

– Étrange ? Voilà qui est étrange, en effet. Mais, dites-moi, monsieur Sedge, vous chercheriez pas aussi la tombe d'Edith Seneschal, par hasard ? » s'enquit le pasteur, avec cette fois une franche lueur d'amusement dans les yeux.

La tête penchée, le sourire oblique, littéralement suspendu aux lèvres de Standish, la réponse de ce dernier semblait le ravir à l'avance. Sa soutane était pleine de taches.

« Et celle de son mari, pendant que vous y êtes ? Celle de l'honorable Arthur Seneschal, pour pas le nommer, pâle figure s'il en fut mais compagnon finalement si pratique, pour qui avait l'ambition de sa femme ? »

Intrigué par le sarcasme et le ton de la diatribe, Standish ne voyait pas ce qui semblait tant réjouir son interlocuteur.

« Où voulez-vous en venir ? demanda-t-il.

– Il me demande où je veux en venir ! s'exclama le pasteur en levant les bras au ciel. Et qui nous pose cette belle question, je vous le demande ? Monsieur Sedge, nul autre que monsieur Sedge ! Pardonnez-moi, mais des Sedge, y en a plus depuis mille sept cent... Voyons, marmonna-t-il en se précipitant vers une pierre inclinée, depuis combien de temps, déjà ? Très exactement mille sept cent quatre-vingt neuf. Je vous présente Charles Sedge, le dernier représentant de la famille. Mort sans descendance et fils unique, si vous voyez ce que je veux dire. Ah ! je suis sûr que ça l'aurait beaucoup amusé. Un Sedge ! Chez les Seneschal ! »

Éberlué, Standish vit le pasteur se pencher vers la tombe de feu Charles Sedge.

« Y a là quelqu'un qui prétend s'appeler Sedge, s'exclama-t-il, goguenard. C'est à peine croyable, mon bon Charles, mais ce serait un de tes lointains arrière-petits cousins d'Amérique ! Si ! si ! Revoir le pays de ses ancêtres, tout ça, tu sais ce que c'est. Tiens-toi bien, il loge à Esswood House. A propos, il cherche les tombes des enfants d'Edith. Tu pourrais pas l'aider, des fois ? s'esclaffa-t-il en se redressant, les joues violacées par une joie malsaine. Mais j'ai peut-être mal entendu votre nom, monsieur, poursuivit-il en se tournant vers Standish. Titterington, avez-vous dit ? Cooper ? Sedge, voyez-vous, c'est pas possible. Pas à Beaswick, en tout cas. La lignée s'est éteinte avant même le départ de vos prétendus ancêtres. De toute façon, aucun descendant des Sedge aurait accepté de franchir les portes d'Esswood House.

– Mais de quoi m'accusez-vous, à la fin ? s'emporta Standish. De mensonge ?

– D'ignorance, à tout le moins, répondit le pasteur. Je me demande où vous êtes réellement descendu. Je me demande même d'où vous venez, puisque vous avez apparemment l'air d'ignorer que le village s'est toujours opposé à ce que les Seneschal soient inhumés au cimetière. Ce qui m'amène aussi à me demander ce que vous venez faire ici. Humphh... Habiter Esswood House !

– Pourquoi pas ? C'est bien là que je suis descendu, pourtant. J'ai été invité par la fond...

– Y a bien longtemps que plus personne réside à Esswood House ! trancha le pasteur. Je doute fort qu'y ait même encore quelqu'un de vivant, à part les deux ou trois étudiants engagés pour décourager les intrus et faire un peu de ménage. Mais ce sont pas des gens d'ici, même pas du Lincolnshire. Faudrait pas croire que je suis aussi bête que j'en ai l'air, vous savez ; j'ai deviné qui vous étiez à la seconde où j'ai vu la coupe de votre veste, ajouta le ministre avec une lueur de triomphe dans le regard. Je savais qu'un jour viendrait quelqu'un comme vous, quelqu'un envoyé par ces grands magazines américains, ces torchons infâmes que vous appelez des journaux, mais je dois dire que j'aurais jamais imaginé voir un olibrius dans votre genre arriver un jour ici et s'enquérir, la bouche en cœur, des tombes des Seneschal !

– Mais... c'est pourtant la vérité ! »

S'il s'était écouté, le pasteur en aurait bien fait un coup de sang.

« Vous logez à Esswood, c'est bien ça ? Mais je vous ai vu arriver, vous savez. J'ai vu votre voiture. Vous veniez du village, pas d'Esswood. »

Standish songea bien à protester, arguer qu'il s'était perdu en route, mais, au lieu de cela, demanda :

« Quel est le plus court chemin pour s'y rendre ?

– Ah ! ah ! on avoue ! On tombe le masque ! Pour gagner Esswood House, il vous suffit, cher monsieur, de prendre à droite à la souche, pas à gauche, et de continuer tout droit une fois passé le rempart Robert...

– Le quoi ?

– Le rempart. Un simple mur, vous affolez pas ; j'aurais cru les journalistes de la presse à scandale moins impressionnables. S'écroulera pas, vous savez, depuis quatre siècles qu'il borde le domaine des Seneschal.

– Oooh... Mais pourquoi l'appelle-t-on le rempart Robert ?

– Parce que celui qui l'a fait construire s'appelait Robert, je suppose. Même pour un Seneschal, y a des limites à pas franchir, voyez ? »

Standish passa devant le pasteur et, sans même lui accorder un regard, quitta le cimetière.

« C'est leur secret qui vous intrigue, monsieur Sedge ? » s'esclaffa l'homme de Dieu dans son dos.

Il riait encore quand Standish tourna au coin de l'affreuse petite église.

12

Deux jours plus tard, en fin d'après-midi, une phrase du journal d'Isobel le plongea dans des abîmes de perplexité.

« *J'ai trouvé mon vagabond, mon troubadour, mon tsigane aux yeux pers.* »

Il était surprenant de voir Isobel utiliser des poncifs comme les « yeux pers », des plus conventionnels à l'époque, mais la jeune femme du Massachusetts avait la conviction d'avoir trouvé l'âme sœur, quelqu'un avec qui parler et faire de longues randonnées. « *J'ai trouvé mon vagabond.* » Songeant au pauvre hère, à moitié fou, qu'il avait rencontré sur le bord de la route, juste avant d'arriver à Huckstall, Standish, frissonnant, se replongea dans sa lecture. Isobel était littéralement fascinée par son vagabond, homme sans attaches, n'ayant ni femme ni enfants, et dont le génie pouvait par conséquent se donner libre cours. Au bas de la page, elle avait écrit : « *Mais ceci est une autre histoire.* » Après cela, il n'était plus question du « vagabond ».

Guidé par la main d'Isobel, Standish se familiarisa avec le Pays jusqu'au soir. Le programme de son aïeule ne variait guère d'un jour à l'autre, mais il y trouvait de plaisantes similitudes avec ses propres occupations. Son style devenait fiévreux, s'exaltait. Un changement, un éclairage nouveau était perceptible jusque dans ses apartés sur l'écriture, ses comptes rendus des menus détails de la journée, promenades ou repas. Son regard transcendait tout ce sur quoi ses yeux se posaient. L'eau du bassin frémissait. Les champs, la colline, étaient *une fourrure verte* mise à sécher au soleil ; la bibliothèque, *un four, un volcan* ; la poésie, de la lave. Les objets, les choses chatoyaient, miroitaient ; tout vibrait d'une énergie mystérieuse.

Il lut jusqu'à vingt heures, sans voir le temps passer. Il revécut son enfance, l'époque où lui aussi avait pensé le monde plus vaste qu'il n'était. Il revit aussi le Popham des mauvais jours : depuis le soir où, vêtu de son imperméable alors qu'il faisait presque quarante degrés, il avait suivi Jean jusqu'à l'appartement où elle retrouvait son amant, à celui où, sa tâche accomplie, l'infirmière qui n'en était pas une les avait raccompagnés jusqu'à la porte. Un nouveau personnage, il le sentait, essayait de naître en lui.

Comment faire comprendre de telles choses à un pasteur de campagne à la soutane aussi crottée que sa paroisse ?

Quand il releva les yeux du journal, ne voulant pas rater l'heure du dîner, Standish ressentit un pressentiment bizarre, comme s'il y avait quelque chose de changé dans la composition de l'air ; pendant quelques secondes, il eut la certitude qu'il allait assister à quelque événement prodigieux et, cette fois, fit le grand tour jusqu'à la salle à manger.

Presque religieusement, il s'avança jusqu'à sa chaise et souleva la cloche qui couvrait son assiette. Longe de veau, sauce aux morilles. A côté du verre à filigrane, une bouteille de bordeaux, grise de poussière. Un Château Lafite-Rothschild 1862.

Le dîner terminé, Standish regagna ses quartiers par l'escalier d'honneur. Mélangé à une odeur de whisky hors d'âge, celui qu'il avait renversé deux nuits plus tôt et celui qu'il avait présentement à la main, l'écho d'un rire qu'il ne parvenait pas à oublier flottait encore dans le cabinet obscur. Il entendit un petit animal courir se mettre à l'abri dans quelque trou noir lorsqu'il ouvrit la porte de la galerie mais ne jugea pas utile d'allumer la lumière. Le pasteur de Beaswick n'était qu'un rustre, un individu grossier à qui certaines choses échapperaient toujours. Il croyait avoir laissé le journal d'Isobel dans la bibliothèque, aussi fut-il surpris de le sentir glissé sous son bras.

Il n'était pas ivre. Absolument pas. Guidé d'un côté par les grandes baies vitrées, de l'autre par les tableaux accrochés au mur, il traversa la galerie d'un pas parfaitement assuré ; il avait même la tête si bien sur les épaules qu'il se sentait capable de faire les pieds au mur. A sa droite, des pur-sang sur fond de campagne anglaise.

A sa gauche, grandes taches jaunes pâles, brillaient les fenêtres des Seneschal, derrière lesquelles deux êtres, un frère et une sœur, reposaient dans leurs lits – ou, peut-être, enlacés pour la nuit, sur une seule et même couche. Mais quel était donc ce bruit persistant ? Se tournant vers les fenêtres de la galerie, il ne put réprimer un cri d'émerveillement à la vue du geyser éblouissant de lumière qui grondait silencieusement dans la cour. Cette girandole aquatique n'était autre que la fontaine, illuminée par des projecteurs dissimulés dans les gravillons bordant la vasque.

Ayant accepté sa présence, Esswood lui entrouvrait ses portes les plus secrètes, comme autrefois avec Isobel.

Dans sa chambre, Standish abandonna le journal sur le lit, se déshabilla et passa dans la salle de bains. Le regard trouble, le teint congestionné, il avait l'air d'un satyre. Sans quitter des yeux les prunelles hallucinées du démon qui le contemplait dans la glace, il se brossa les dents, se gargarisa la bouche, cracha dans l'évier et, sur un dernier regard à son double hagard, s'aspergea le visage d'eau froide.

Il découvrit son sexe dans la glace, dardé en avant, aussi dur qu'une massue et légèrement arqué vers le haut ; une goutte translucide perlait au méat.

Il s'empoigna vigoureusement et se mit à se masturber au-dessus du lavabo de faïence bleue ; il aurait préféré être dehors, sous les chênes noueux, la peau caressée par l'air frais de la nuit. Une femme était là, tout près, immobile, son corps souple changé en ombre chinoise par le clair de lune. Il frissonna, les pieds chatouillés par les feuilles, les racines et les cailloux qui couvraient le sol, les bras agacés par la chair de poule, et ne put retenir un hoquet de surprise en voyant la silhouette hiératique quitter le bord du bassin et s'avancer lentement vers lui. Disparues la salle de bains, sa chambre au-dessus de la fontaine : il était sous les chênes, à trois pas du bassin. La fraîcheur de la nuit, les feuilles qui craquaient sous ses pieds, tout cela était bien réel et non le produit de son imagination. Et cette femme superbe, les yeux brillants, la démarche chaloupée, qui était maintenant tout près de lui, cette femme aux grâces de panthère était bien faite de chair et de sang et n'avait rien de l'inconsistance des rêves. Tout son corps douloureusement tendu vers elle, comme une prise débranchée puis remise en place, Standish sentit son être se consumer puis renaître à une nouvelle existence ; un flot de semence s'échappa de son membre tumescent et retomba en pluie sur le sol. Drainé, vidé, il n'avait plus une seule goutte de sang dans les veines ; devant lui, fascinée, la mystérieuse apparition nocturne ne semblait pouvoir détacher les yeux des sucs qu'il avait déposés à ses pieds. Il ferma les yeux, terrifié, et...

... les rouvrit dans la salle de bains, les mains plaquées sur la cuvette du lavabo. Un dernier jet laiteux aspergea le bleu de la faïence. Lentement, la chair de poule déserta ses bras; il s'ébroua et s'examina dans la glace. Il avait bien toujours le même visage, les traits tirés, encore à demi égarés par l'expérience qu'il venait de vivre. Il se passa la tête sous l'eau et rinça les bords de la cuvette. Il avait les jambes molles et le sol était peu sûr sous ses pieds.

Il trouva un pyjama propre et repassé sur le lit. Son sexe était maintenant flasque. Il se glissa entre les draps, sentit, avant de le voir, le verre de pur malt posé sur la table de nuit, et en avala la moitié d'une seule traite. Une boule de chaleur explosa au creux de son ventre et une vague de bien-être déferla sur tout son corps, aussi léger qu'une plume. Le journal d'Isobel lui échappa des mains et glissa sur sa poitrine. Juste avant de sombrer dans le sommeil, il se fit la réflexion qu'il aurait dû songer à vérifier s'il y avait encore de la lumière chez les Seneschal.

Il n'y en avait pas lorsqu'il se réveilla quelques heures plus tard. De nouveau, il eut l'impression qu'il n'était pas seul. Cette fois, pourtant, il n'avait pas peur. Il faisait toujours nuit; pas le moindre rai de lumière ne filtrait entre les lattes des persiennes. Il ne la voyait pas, mais il y avait une femme dans la chambre, il en était sûr, une femme mécontente, très mécontente.

Qu'elle fût revenue disait assez combien elle avait besoin de lui.
« Je sais que vous êtes là », dit-il doucement.

Il faillit mourir de peur en voyant un bloc de suie se détacher de la noirceur de la nuit et s'avancer d'un pas dans sa direction. Jusqu'alors, ce qu'il venait de connaître pouvait encore être mis sur le compte de son imagination, d'une aberration à laquelle seuls ses fantasmes avaient donné corps, mais la forme noire qui se rapprochait n'avait rien de fantasmagorique. Tête baissée, l'inconnue portait quelque chose dans les bras. Un bébé. La bouche sèche, Standish sentit son cœur se serrer. Les cheveux de sa visiteuse nocturne lui tombaient presque sur les épaules; sa pâleur était telle qu'elle avait quelque chose d'irréel. Il ne voyait rien de l'enfant emmailloté dans ses langes, à part une partie du visage, cireux, et les yeux, morts. Parvenue au pied du lit, la femme releva lentement la tête. Standish découvrit un large front, d'épais sourcils, un nez épaté, et, tout d'abord incrédule, eut du mal à cacher sa stupéfaction. Plus grande, plus mince, plus épanouie, plus ardente que sa dulcinée, cette femme était celle qu'il avait aperçue en train de parler à quelqu'un d'invisible, caché derrière les chênes; plus tard, c'était encore elle qu'il avait surprise à l'observer depuis la bibliothèque. Isobel. Isobel Standish, timide et têtue, sensible dans le plus mauvais sens du terme. Tout compte fait, elle n'avait rien d'attirant.

Elle avait besoin de son aide.

Comme si c'était là le message qu'elle était venue lui porter, elle s'en alla et se fondit dans les ténèbres avec son bébé.

« Ne partez pas! » dit Standish en tendant la main vers la lampe de chevet.

Un flot de lumière inonda la chambre, figeant en plein mouvement tout ce qu'il y avait dedans, les chandeliers, la grosse armoire, le sofa bleu, qui, animés d'une mystérieuse vie nocturne, feignaient maintenant de n'être que des objets inanimés. Il n'y avait plus personne, ni femme ni bébé mort. La fontaine glougloutait dans la cour. Ce gémissement rauque était le bruit de sa propre respiration. Il frissonna.

Incapable de se rendormir, il repoussa drap et couverture, se précipita à la fenêtre et colla un œil aux persiennes. De l'autre côté de la cour, les fenêtres des Seneschal s'illuminèrent, comme à un signal donné, puis s'éteignirent aussitôt.

Standish sentait encore l'air frais de la nuit courir sur sa peau, les feuilles craquer sous ses pieds; il avait encore dans les yeux le sourire avide du succube qui l'avait attiré au bord du bassin... Pris de vertige, il crut qu'il allait s'évanouir. Il s'assit sur le lit et souleva les jambes. Il avait la plante des pieds noire de terre; son sang se glaça dans ses veines à la vue des empreintes de pas qui souillaient le tapis.

Il connut un moment de terreur pure, persuadé que des êtres invisibles, des créatures blanches et flasques, rôdaient partout dans le noir, ayant flairé sa trace. De gros bébés malades, des nains mongoliens, tapis dans les couloirs, prêts à se ruer dans sa chambre.

Une fois choisi...

Standish se releva d'un bond, alluma une autre lampe et s'empara du journal qui était resté sur le lit. *Naissance du Passé.* Le titre allait à Esswood comme un gant. Allongé sur le sofa bleu, il lut jusqu'au matin.

13

Rédigé selon un code personnel qu'elle ne se souciait nullement d'expliquer, le journal d'Isobel devenait de plus en plus obscur. Allongé sur le sofa, tournant les pages d'un doigt tremblant, Standish sentait qu'il allait aborder un moment crucial.

A trois ans d'intervalle, la jeune femme du Massachusetts, qui ne lui semblait maintenant plus aussi jeune, avait effectué deux séjours au Pays. Tout le temps qu'avait duré ce qu'elle appelait son « exil », son œuvre, son mariage, tout était parti à vau-l'eau. Elle avait perdu l'inspiration et ne supportait plus les assiduités de son mari. Elle était consciente que son apparence s'était dégradée, qu'elle avait les cheveux ternes, les yeux battus, la mine triste et le teint blême. Privée d'un aliment indispensable, elle dépérissait. Se languissant d'Esswood, elle avait écrit à sa « bienfaitrice », à « la prêtresse de son âme ». « *Nous vous attendons* », avait aussitôt répondu E.

Martin Standish ne semblait pas s'être opposé à son départ, sachant par son attitude, plus que distante à son égard, qu'il ne ferait que précipiter la fin de leur union s'il essayait de l'empêcher de partir. Sans doute envisageait-il ce voyage comme une sorte de pèlerinage susceptible de ramener un certain équilibre dans leur couple. Après sept semaines de voyage, la jeune femme était tombée dans les bras d'E. à la gare de Beaswick et avait retrouvé l'allée gravillonnée de la grande demeure, accueillie par les jappements d'un petit King-Charles pie. Devant la façade palladienne, enfin de retour chez elle, elle avait pleuré. « *Vous nous avez manqué* », avait dit E. Ce soir-là, au dîner, elle avait mangé de la longe de veau aux morilles et senti la vie renaître en elle. Pour fêter son retour, comme l'avait dit E., c'était un Château Lafite-Rothschild 1860 qui avait été choisi. La vie à laquelle elle aspirait, la seule valant la peine d'être vécue, lui tendait à nouveau les bras.

Standish releva les yeux du journal et scruta la nuit sans lune derrière les fentes des persiennes. L'éternel bruit de fond n'était que le murmure de la fontaine.

Les premiers jours, étourdie par son nouveau bonheur, toute à son allégresse d'avoir réintégré le saint des saints loin duquel elle s'étiolait, la jeune femme avait vécu comme dans un rêve. Ivre de joie, elle avait retrouvé sa place à la bibliothèque et renoué avec les longues promenades à travers le domaine, dont la beauté lui apparaissait chaque jour davantage. Souvent, ayant la conviction d'avoir échappé à un péril mortel, ses larmes coulaient malgré elle. Très vite, elle avait redécouvert l'univers qu'elle avait dû abandonner trois ans plus tôt; à ses yeux, le monde était un miracle permanent qui se renouvelait chaque seconde. La terre *se consumait* sous le soleil; les reliures de cuir, dans la bibliothèque, *rutilaient*; les moutons, dans les champs, étaient d'une blancheur *aveuglante*. L'inspiration venait, facile au point que cela en était presque effrayant, la laissant sans forces mais heureuse, apaisée. Chaque jour, elle composait trois ou quatre poèmes et ajoutait une dizaine de pages à son journal. Isobel se considérait comme l'adepte d'une religion qui aurait eu la création pour seul dogme; ce que lui soufflait le Pays et qui faisait courir sa plume sur le papier, était une force universelle n'ayant rien à voir avec Dieu ni avec Jésus Christ, une messe d'où tout prêtre aurait été banni. Cette fois, elle avait été définitivement *choisie*. Jamais plus elle ne quitterait Esswood. Si elle en était chassée et était obligée de retourner vivre dans le Massachussetts, elle en mourrait, c'était sûr.

Car parmi les invités présents, cette année-là, elle avait rencontré quelqu'un dans sa quête de l'absolu, le « vagabond », le « tsigane ». Standish soupçonnait les fameux yeux pers d'être en fait bien communs. Pour rester charitable, la tenue du personnage semblait pour le moins rustique; il ne devait même pas être très propre. Standish comprenait mal l'engouement d'Isobel pour un individu aussi terne, mais, aussi étrange que cela pût paraître, ils ne s'étaient bientôt plus quittés, travaillant ensemble à la bibliothèque, prenant leurs repas côte à côte ou se promenant, épaule contre épaule, sur la propriété. Ils avaient passé beaucoup de temps avec E., souffrante, et son petit garçon. Gravement malade, la petite fille vivait, recluse, dans une chambre séparée dont elle ne sortait jamais. « *Elle n'est malheureusement pas visible* », avait répondu E. en prévenant leurs questions d'un geste de la main. « *C'est une épreuve qu'elle doit traverser seule. Vous lui avez beaucoup manqué, ma chère. Comme à nous tous.* » Toujours aussi beau, ayant comme sa sœur hérité de la beauté patricienne de sa mère, mais chétif, le petit garçon était sujet à de fréquentes absences. Il dormait presque toute la journée ; quand il se réveillait, il se jetait dans les bras de la jeune femme et la suppliait de lui raconter une histoire, comme avant. *Vous lui avez beaucoup manqué, comme à nous tous.* Et, chez la mère comme chez le fils, pouvait se lire, venant éclairer la gravité de leurs beaux visages d'oiseaux de proie, une lueur de convoitise, air de famille plus que véritable trait de caractère, qui ne faisait qu'ajouter à leur charme.

Brusquement tiré de sa lecture, Standish posa le journal à côté de lui. Une pâle lumière filtrait à travers les lattes des persiennes. Au-dehors, infernal bruit de volière, des centaines, peut-être des milliers, d'oiseaux semblaient tourner en rond au-dessus de la demeure.

Désir, convoitise, songea-t-il, effrayé, soudain. Des traits de prédateurs.

La jeune femme avait demandé à son troubadour s'il connaissait l'existence de l'escalier et du couloir secrets. A ses sourcils froncés, elle avait vu qu'il croyait qu'elle voulait plaisanter – donner à leur histoire un tour romanesque. « Je ne plaisante pas, avait-elle dit, il existe vraiment un escalier secret. » « Vraiment, ma chérie ? avait répondu le trouvère. Dis-moi, de quelles lectures sulfureuses fais-tu ton ordinaire, ô femme de Duxbury ? *Le château d'Otrante ? Le moine* ? » « Non, avait-elle dit, ni *Varney the Vampire*. Comment crois-tu que je puisse me déplacer partout sans être vue ? Comment appelles-tu cela ? De la magie ? » « Montre-moi le chemin, ma toute belle, avait répondu le trouvère, je suis ton esclave. » Ouvrant la marche, la jeune femme l'avait précédé dans l'escalier d'honneur, puis fait passer dans le bureau inutilisé qui servait de cabinet de travail au mari d'E., lorsqu'il daignait toutefois passer dans le Lincolnshire le peu de temps que lui laissaient ses obligations parlementaires. Cabinet, le terme était particulièrement bien choisi, compte tenu de tout ce qui s'était passé dans cette petite pièce, et tant il est vrai qu'il y a peu du cabinet au boudoir ou, pour être plus précis, du réduit au déduit. (La lumière était encore « détraquée », comme le disait E. Quand donc les domestiques allaient-ils se décider à faire quelque chose ?) Dans la galerie intérieure, le poète et sa mie avaient admiré la fontaine, salué au passage le petit garçon qui guettait gravement on ne savait quoi à la fenêtre de la chambre de sa mère, puis poussé la porte du sanctuaire de la jeune femme. Son compagnon s'était extasié sur le renard empaillé et le jardin japonais. Sans bruit, elle s'était éclipsée dans la chambre et s'était cachée derrière la porte de l'escalier. « Où suis-je ? avait-elle crié. Attrape-moi ! » Ce qui avait été facile au poète, n'ayant qu'à suivre son rire. Il l'avait prise dans ses bras en l'appelant sa primevère, son bleuet, son lis, sa jacinthe, sa rose. « Maintenant, tu connais mon secret, avait-elle dit en l'entraînant vers la bibliothèque. La nuit, j'entends d'étranges créatures monter et descendre cet escalier. Elles ne savent pas que j'ai découvert leur présence ; j'ai l'avantage sur elles, créatures de la nuit ou pas. » « Oh ! avait dit le poète, il n'y a pas que sur les créatures de la nuit que tu as l'avantage. Tu es ici chez toi ; tu comptes beaucoup, dans cette maison. Tu as entendu E. : tu as manqué à tout le monde. » « Pas tant qu'ils m'ont manqué, eux, avait-elle dit. Le poète avait souri, attendri. Bien que cela me fasse parfois très peur, avait-elle repris, je sens qu'il va bientôt se produire de grands changements pour nous tous ; je ne sais pas si j'aurais le courage de l'accepter. » Devant son air triste et intrigué, elle avait ajouté en lui prenant la main : « Viens voir, j'ai des milliers de trésors. » Elle l'avait emmené au cœur de son ténébreux royaume derrière les murs, au plus profond des catacombes enfouies sous la terre. « Tu vas voir ce que j'ai vu », avait-elle dit en s'engageant dans le dédale des couloirs.

« Tu pourras retrouver ton chemin ? »

« Il n'est plus question de revenir en arrière ; il faut aller de l'avant, au contraire. »

Finalement, elle s'était arrêtée et avait agrippé son bras en lui disant : « Ici. » Le couloir, très sombre et où donnaient plusieurs portes, n'était guère différent des autres. « Voici l'ossuaire, avait-elle précisé en ouvrant la première porte, là où l'on se débarrasse des restes des invités. » « Qu'est-ce que c'est que ce rire ? » avait-il demandé en la suivant dans le charnier jonché d'ossements desséchés, tout rongés et mordillés. « Quelqu'un nous suit ! » « Le gardien du trésor, sans doute », avait-elle répondu en l'entraînant vers une autre pièce, où trois grandes maisons de poupée se dressaient côte à côte sous une reproduction du tableau représentant le carrosse et le petit épagneul. Les trois petites maisons étaient des répliques exactes d'Esswood ; dans chacune d'elles, une faible lumière brillait sur la façade, une bougie qui brûlait, peut-être.

« C'est là qu'habitent Pince-Mi, Pince-Moi et Pince-Les, avait-elle dit. Dans chaque maisonnette, assiettes, fourchettes, tout est en or ; le cellier regorge de mignonnettes et il y a même une petite bibliothèque où ils font semblant de lire comme les grandes personnes, là-haut. Viens, il faut encore que je te montre la chaufferie, avec l'énorme chaudière qui ne s'arrête jamais, et la dernière pièce, la pièce finale, la pièce ultime, pourrait-on dire. » Ayant entendu un léger bruit dans leur dos, ils s'étaient retournés brusquement. A la fois glacée d'épouvante et dévorée de curiosité, la jeune femme avait aperçu le petit Robert, le jeune fils d'E., l'héritier du Pays et de tous ses trésors, si toutefois la flamme qui brûlait dans sa maigre poitrine ne s'éteignait pas.

Mais bien sûr, se dit Standish, prenant conscience tout à coup que les oiseaux avaient cessé leur vacarme. Je le savais, je l'ai su dès le début. Tout de suite, j'ai su qui il était. Et elle aussi.

« Vous cherchiez l'inspiration ? Je me suis souvent demandé d'où venait l'inspiration, mais maintenant, je comprends. Vous avez tout vu ? Je peux vous montrer autre chose, si vous voulez. » Le sourire du petit garçon avait joué et ils l'avaient supplié de leur montrer d'autres merveilles, d'autres trésors. Ils avaient alors rebroussé chemin à travers le labyrinthe des couloirs et, après la fraîcheur de la grande demeure, étaient sortis dans la chaleur torride du dehors. Le visage, portrait fidèle de celui de sa mère, changé en camée par la réverbération du soleil, l'enfant les avait conduits jusqu'à la tonnelle.

Sur la terrasse supérieure, ils avaient aperçu E. et plusieurs invités, assis à l'ombre sur un tapis turc. Il y avait là G., jeune poète qui venait juste de quitter son Yorkshire natal pour monter à Londres ; N., un portraitiste, et sa maîtresse, O., si hâve et aux mouvements si alanguis que la jeune femme la soupçonnait de s'adonner à l'opium ; Y., D. et T., trois jeunes romanciers frais émoulus d'Oxford résolus à devenir les nouveaux maîtres du roman anglais qui vivaient ensemble à Chalk Farm et chroniquaient les dernières parutions dans le *TLS* ; J., enfin, un banquier new-yorkais féru de littérature et bibliophile averti. Aux yeux de la jeune femme, il ne s'agissait pas là d'un aréopage particulièrement brillant. Même E. commençait à se lasser du trio infernal, Y., D. et T., dont la prose laborieuse, le style ampoulé et l'enthousiasme par trop excessif pour la bouteille étaient autant de raisons qui ne leur vaudraient jamais une seconde invitation.

Tout le monde avait agité la main en les voyant apparaître et, sans quitter sa place, E. avait demandé à la jeune femme, comme si celle-ci était une vulgaire domestique, de bien vouloir insister en cuisine sur la qualité de l'agneau mis sur la table, où seul le premier choix s'imposait. (Faisant maintenant partie des meubles, la jeune femme avait fini par être associée de près aux mille et un soucis d'un grand train de maison.)

Tous les trois, ils avaient descendu l'escalier métallique et gagné le bord du bassin. Ouvrant toujours la voie, le petit Robert s'était dirigé vers les chênes et leur avait demandé s'ils étaient déjà venus se promener là. « Encore ce rire, avait murmuré le vagabond. Mais qui donc rit comme ça ? » Il avait voulu retourner sur ses pas, mais la jeune femme lui avait pris la main en lui disant que ce devait être Pince-Mi, Pince-Moi ou Pince-Les, et ils s'étaient enfoncés sous les arbres à la suite de l'enfant. « A mon avis, c'est plutôt le fils du garde-chasse », avait répondu le vagabond en jetant un regard circonspect à la ronde. « Tiens, le vieux William a un fils, maintenant ? s'était exclamé le petit Robert. Je pensais qu'il vivait seul et n'avait ni femme ni enfant. Je crois plutôt que c'est notre jeune dame qui doit avoir raison, bien que je n'aie jamais ouï sobriquets aussi bizarres. »

Pour le spectateur qui se serait contenté de rester sur la terrasse supérieure, un simple rideau d'arbres semblait séparer le bassin des champs environnants, mais en fait, il y avait là un véritable petit bois, invisible car poussant au fond d'une ravine, d'une combe où l'enfant s'était engagé sans hésiter. Mordoré sous les rayons du soleil tamisés par les branches, le sol était un damier d'ombre et de lumière. « C'est là que sont mes frères et sœurs », avait dit le garçon. Le sol redevenu plan, les derniers arbres s'étaient écartés du petit bonhomme comme des douairières offusquées, et ils avaient découvert une clairière circulaire offerte à la caresse du soleil, totalement invisible depuis les fenêtres ou la terrasse supérieure et seulement connue des merles et des milans.

Trois petits monticules occupaient le centre de la clairière envahie de hautes herbes ; la jeune femme n'avait pu s'empêcher de frémir intérieurement et de se serrer plus étroitement contre son compagnon : les longues herbes filasse avaient trouvé là un terreau apparemment très fertile et prospéraient de façon étonnante. « Il n'y a ni plaque ni pierre tombale », avait fait remarquer le vagabond. « Il n'y en a pas besoin, avait assuré le petit Robert, nous savons qui est qui. » La jeune femme avait trouvé l'endroit magique, magique mais inquiétant. Invisible parmi les arbres, un oiseau s'était mis à chanter. « C'est là qu'est notre cœur, avait confié le garçon. Vous devriez en faire un poème. » Il pouvait se lire tellement d'émotions complexes sur ce petit visage grave que la jeune femme n'avait pu retenir un cri – compassion, peur, elle n'aurait su dire.

Le petit Robert n'était plus là lorsque la jeune femme s'était arrachée à la protection des bras du vagabond. Une puissante odeur masculine se dégageait de sa poitrine. Le tsigane l'avait embrassée, soulevée dans ses bras, gémissante, et allongée dans l'herbe; couvrant son cou et ses épaules de baisers, il avait fait disparaître leurs vêtements. Elle avait crié lorsque, tel un flambeau, il avait mis le feu en elle. Ils avaient fait l'amour comme jamais encore auparavant.

Standish reposa le journal; ou plutôt se vit reposer le journal, comme si ses mains – ou celles d'un autre Standish – agissaient de leur propre volonté, car le vrai Standish, interdit, décontenancé, semblait s'être replié quelque part au plus profond de lui. Suant à grosses gouttes sous son imper et son chapeau, le vrai Standish semblait être resté à Popham, les yeux braqués sur la fenêtre derrière laquelle son ignoble et traître ami était en train de besogner sa non moins ignoble et traîtresse épouse. Les ébats bucoliques qui venaient de lui être décrits n'étaient, somme toute, pas chose tellement surprenante. Il aurait dû s'y attendre; Isobel avait trop insisté pour revoir l'Angleterre pour qu'il n'y ait pas anguille sous roche. Si elle se languissait tellement d'Esswood, c'était parce qu'elle y avait connu quelqu'un. Elle avait fuit Duxbury et le Massachussetts parce qu'elle étouffait avec Martin Standish; si son « tsigane » lui avait ouvert de nouveaux horizons, il l'avait finalement tuée en lui faisant un enfant.

« *Tout le monde m'a abandonné* », se dit Standish, revoyant, encore et encore, par-dessous le bord de son chapeau, cerné par le flot de la circulation nocturne, aussi éprouvant nerveusement que la chaleur accablante, certaine fenêtre éclairée de certain immeuble. Cette nuit-là, un gouffre s'était ouvert sous ses pieds. Jean lui avait annoncé qu'elle était enceinte une semaine auparavant, espérant sans doute qu'il bondirait de joie à l'idée d'être bientôt papa.

Standish frissonna et, un moment, crut qu'il allait vomir sur le manuscrit. *N. P. Naissance du Passé? Naissance du Poète! Naïf et Pigeon? Nymphomane et Putain?*

Une cascade de petits rires enfantins éclata dans l'antichambre. Comme dans un rêve, Standish se vit se lever du lit et ouvrir la porte; son corps agissait de son propre chef, sans aucune intervention de sa part. Mais cela n'avait pas d'importance; tout allait bien. La gent trotte-menu qui hantait les caves et les couloirs n'avait rien renversé ni cassé. Standish se détendit. Puis frémit à la vue de l'enveloppe blanche posée sur la carpette devant la porte de la galerie intérieure.

C'étaient eux, Pince-Mi, Pince-Moi et Pince-Les, qui étaient venus et avaient laissé là cette enveloppe. « Heureux de vous compter de retour parmi les gens normaux, telle devait être la teneur du message. Nul besoin de chapeau ni d'imperméable, à présent; nul besoin de faire le pied de grue dans les rues, la bouche sèche et la hargne au cœur! » Il traversa l'antichambre et tendit la main vers l'enveloppe comme si elle allait lui brûler les doigts. Un timbre anglais. Son nom, son prénom, l'adresse, écrits d'une petite écriture penchée qu'il finit par reconnaître comme étant celle de sa chère épouse. Le cachet indiquait que la lettre avait été postée à Londres.

Il eut l'impression de recevoir une douche glacée. Jean et le marmot qu'elle avait dans le ventre l'avaient traqué jusqu'ici. Même pas une semaine de tranquillité! Il la voyait déjà, trop grosse pour passer à travers les portes, la démarche en canard, laissant tomber partout des miettes de gâteaux secs et de beignets.

S'attendant à tout, même au pire, Standish s'assit, déchira l'enveloppe et en sortit la lettre de sa femme.

14

Mon cher William,

Je parie que tu ne t'attendais pas à avoir de mes nouvelles aussi tôt. Figure-toi que, par le plus grand des hasards, je suis tombée hier sur Saul Dickman. Au cours de la conversation, ne voilà-t-il pas qu'il me dit qu'il allait passer le reste de l'été en Angleterre! Il aimerait bien être aussi verni que toi et travailler sur un projet aussi passionnant dans un cadre aussi agréable. Bref, je lui ai demandé si ça ne l'ennuyait pas d'emporter une lettre et de la poster en arrivant à Londres. Si tu lis ces lignes, c'est qu'il aura bien accompli sa mission. Trois jours pour traverser l'Atlantique, pas mal, non?

Je voulais t'écrire pour un tas de raisons – je ne sais pas si tu t'es rendu compte dans quel état tu étais en partant. Quand je t'ai conduit à l'aéroport, tu montrais littéralement les dents chaque fois qu'une voiture nous doublait, et quand ton vol a été annoncé, tu étais tellement énervé que tu ne m'aurais même pas dit au revoir si je ne t'y avais pas fait penser. Tu avais ta tête des mauvais jours. Ça m'inquiète toujours, quand tu as cet air-là. Je ne sais jamais quoi te dire car j'ai toujours peur que tu te mettes en colère contre moi. Enfin, j'espère que tu as pu dormir un peu dans l'avion, car si tu étais si grincheux, ces derniers temps, c'est en partie à cause du manque de sommeil. Et puis avoue, William, que tu n'es pas quelqu'un de très facile à vivre; tu prends toujours tout au tragique. Ce n'est pas un reproche, je ne suis pas parfaite non plus.

Mais tu sais pourquoi je suis tellement inquiète. Du moins, tu le devrais. Tout bien considéré, les choses n'ont pas été si mal que ça entre nous, depuis deux ans. Bien sûr, il n'est pas possible d'oublier tout ce qui s'est passé à Popham, mais le scandale a été évité et tu as pu retomber sur tes pieds. J'ai réussi à surmonter ça, moi aussi. Chacun a pardonné à l'autre, finalement, et tu as trouvé une nouvelle situation. Mais ça n'en a pas moins eu lieu pour autant, William. Je ne veux pas revivre ce que j'ai vécu, plus jamais. Il n'est pas question que je perde ce bébé, mets-toi bien ça dans la tête, mais il est tout aussi important pour moi que tu sois heureux.

Si tu sens tes vieux démons te reprendre, alors rentre. Rentre, ne reste pas tout seul à ronger ton frein. Pense à moi; j'existe, moi aussi. Tout s'arrangera.

Zenith, c'est très bien, mais on pourrait tout de même aller vivre ailleurs, non? Tu n'es pas forcé d'y passer ta vie.

Moi aussi j'ai besoin qu'on me rassure, comme toi. Je ne sais d'ailleurs pas si c'est toi ou si c'est moi que j'essaie de rassurer en écrivant cette lettre, mais c'est beaucoup plus facile pour moi de t'expliquer tout ça par écrit que de vive voix. J'espère que tu trouveras le temps de m'écrire un mot, ou même que tu me passeras un coup de fil, ne serait-ce que pour me remonter le moral. Je suis si grosse que j'ai du mal à me traîner jusqu'à la salle de bains; j'ai toujours envie de vomir et je mouille ma culotte chaque fois que j'ai des haut-le-cœur. Et puis mes brûlures d'estomac ne veulent pas passer. J'ai peur que pour l'accouchement, ça ne se passe pas bien. Je sais qu'il n'y a aucune raison de me mettre martel en tête, mais j'ai peur que tout recommence comme la dernière fois. Quand je me fais du souci comme ça, j'aimerais que tu sois là; au moins je ne m'inquiéterais pas pour toi.

Réponds-moi, s'il te plaît. Travaille bien et rentre bientôt à la maison.

Je t'aime.

Jean.

P.S. : J'ai eu la curiosité de me plonger dans l'Oxford Companion to English Literature, quelque chose comme ça. Dis donc, c'est la grande classe, Esswood! Y a-t-il vraiment des fantômes? On dit que la demeure est hantée.

15

Saul Dickman, songea Standish. Il voyait le tableau. Hier, j'ai rencontré Saul Dickman par hasard. Hier, par hasard, je suis tombée sur Saul Dickman. Figure-toi que, par le plus grand des hasards, je suis tombée hier sur Saul Dickman. Ce bon vieux Saul, déjà marié par deux fois et qui aurait baisé une mouche, à plus forte raison une hystérique comme Jean, fût-elle enceinte jusqu'aux yeux. Standish froissa rageusement la lettre et la jeta dans la corbeille à papier.

Douché, rasé et changé, il quitta sa chambre vingt minutes plus tard, notant au passage dans les fenêtres de la galerie qu'il s'était coupé la pomme d'Adam et qu'un peu de sang avait coulé sur son col de chemise. Il n'y avait personne chez les Seneschal, de l'autre côté de la cour, mais il n'aurait pas été surpris de rencontrer, dardé vers lui, le regard d'un petit garçon au visage angélique, sosie juvénile de Robert Wall. Pour cela, il lui aurait fallu les yeux d'Isobel. Avec ces yeux-là, oui, il aurait vu, accoudé à l'appui d'une fenêtre, le garçon brun qui plus tard se ferait appeler Robert Wall. Le petit Robert l'aurait regardé passer du coin de l'œil, apparemment indifférent mais en réalité prodigieusement intéressé, tel le feu qui couvait sous la cendre. C'était lui qu'ils avaient aperçu, lorsque la jeune femme avait fait découvrir au vagabond l'existence du couloir secret. *Il vaut mieux ne pas quitter Esswood.* C'était ainsi qu'ils agissaient, vous leurrant par mille petits détails qu'ils savaient rendre plus vrais que nature. Ainsi, monsieur Robert Wall, vous aviez dix ans en 1914 ? Voulez-vous dire que c'est votre âge respectable, puisque vous devez avoir dans les quatre-vingt-six ans, sans parler de celui, tout aussi respectable, de votre sœur, qui doit approcher, elle, des quatre-vingt-trois ou quatre ans, qui vous interdit de quitter Esswood ?

Standish abandonna la galerie et, avec en tête l'image de la femme qui était entrée dans sa chambre en serrant son enfant mort contre sa poitrine – Isobel, les bras convulsivement serrés autour du corps glacé de son bébé –, traversa le cabinet sans lumière et descendit l'escalier d'honneur en essayant d'imaginer les lieux tels qu'ils étaient il y avait soixante-dix ans. Cela faisait des siècles que les Seneschal vivaient là, enterrant leurs morts et enrichissant leur bibliothèque, cachant soigneusement leurs tares. Des malheureux comme le défunt M. Sedge avaient été les victimes de leurs épouvantables appétits. Puis Edith était venue, et un vent nouveau avait soufflé sur la vieille demeure. Grâce aux yeux que lui avait prêtés Isobel, partout il voyait des êtres imaginaires assis sur les fauteuils et sur les canapés ; dans chaque pièce, ce n'était que brouhaha, fumée de cigarette et tourbillon de couleurs. Ces fantômes insolents souillaient les draps et tachaient les tapis, vidaient le cellier ou pillaient les cuisines. Il y avait là toute une coterie dont la suffisance tenait lieu de jugement, certains malades, d'autres qui toussaient sentencieusement dans leur poing, certains toujours entre deux vins, comme Jeremy Starger, d'autres aussi guindés que Chester Ridgeley, certains toujours à reluquer la poitrine des femmes, rêvant de toucher, de tâter, de palper. Certaines femmes n'étaient d'ailleurs pas en reste et avaient les yeux, non pas dans leurs poches, mais plus volontiers fixés sur la braguette des hommes, les paumes déjà moites, comme cette chère Jean, la madone des meublés de Popham. Ils étaient tous là, dans le salon oriental ; chacun congratulait son voisin et ne cessait de débiter de beaux discours, à cent lieues d'imaginer l'horreur qui guettait, tapie derrière les murs.

Vous avez été choisi, avait dit « Robert Wall ».

Dehors, la chaleur était accablante ; ses vêtements lui collaient à la peau. Standish ôta sa veste, l'abandonna au bas des marches du perron et courut jusqu'à la tonnelle.

Une lourde odeur végétale, sexuelle, lui frappa aussitôt les narines ; des milliers d'insectes semblaient s'être rassemblés au-dessus du tunnel de verdure, et il baissa instinctivement la tête en sortant de la tonnelle, persuadé qu'un essaim de guêpes ou d'abeilles avait élu domicile au-dessus de la terrasse. Mais le ciel était vide, clair et uniformément bleu ; semblant venir de partout à la fois, le bourdonnement qui lui emplissait les oreilles ne devait exister que dans son imagination. Il faisait aussi chaud qu'à Popham ; la sueur lui coulait dans les yeux et il dut s'essuyer le front avec sa chemise. Allongés sur des chaises longues, la barbe hautaine et le sourcil intrigué, les invités tournèrent les yeux vers lui tout en faisant mine de chasser une poussière de leurs habits peut-être un peu trop soigneusement choisis. Comme Isobel, il ignora les messes basses et les conciliabules et se dirigea vers l'escalier métallique. Sa chemise était trempée de sueur. Mêlé au vrombissement agaçant des insectes et au faible murmure du vent dans les branches des arbres, au-delà du bassin, retentissait toujours cet éternel bourdonnement, si semblable au bruit de la circulation qui grondait dans son dos, vêtu de son imperméable alors qu'il faisait un bon quarante degrés cette nuit-là à Popham, en train de croquer le marmot dont cette brave Jean, pas gênée, comptait bien lui faire endosser la paternité.

Parvenu au pied de la dernière terrasse, il leva les yeux que lui avait donnés Isobel vers la terrasse supérieure et aperçut un petit garçon – beau comme un dieu et vêtu d'une chemise, blanc cassé, apparemment, ouverte sur le cou – qui le regardait, la tête penchée, perché sur la première marche de l'escalier rouillé. Ce ne pouvait être le fils du garde-chasse : le vieux William n'était pas marié. Standish s'efforça de faire abstraction du grondement de la circulation dans cette rue de Popham où habitait l'homme dont il ne pouvait, aujourd'hui encore, évoquer le nom sans avoir aussitôt des odeurs de pastilles pour la toux dans le nez, un peu comme si, exécrant le nommé Jekyll avec qui vous devez traiter une affaire à Londres, les fenêtres de votre hôtel donnaient sur Hyde Park.

Près du bassin, le bourdonnement était assourdissant, semblant provenir du bosquet de chênes noueux qui bordaient le côté droit ; lorsqu'il s'enfonça sous les premiers arbres, toutefois, il put constater que le bruit provenait en fait de la terre. La terre respirait, genre de détail que personne ne remarquait jamais, sauf ceux qui avaient rendez-vous avec un certain Jekyll à Hyde Park.

Vieux de centaines d'années, les chênes, tels jadis les pieds des Chinoises, semblaient avoir cessé de grandir en pleine croissance ; les branches s'étalaient presque à ras de terre. Spectatrice intéressée, sa Walkyrie s'était tenue là. Par les trouées entre les branches, il aperçut, peints sur les prés à flanc de colline, les moutons qui somnolaient sous la chaleur.

On n'invente jamais rien, on redécouvre. Tout a déjà été dit ou écrit, ou vécu, des dizaines de fois.

Totalement invisibles, même depuis la terrasse du haut, les chênes avaient colonisé les pentes d'une combe où ils avaient proliféré de façon anarchique. Standish s'y engagea prudemment; le fond allait se perdre dans des profondeurs mystérieuses. Quatre-vingts ans plus tôt, quand les chênes étaient encore jeunes, on pouvait circuler entre les arbres; aujourd'hui, les branches semblaient celles d'un seul arbre, colossal. Il était parvenu à descendre d'environ cinq mètres, mais, à ce niveau, les frondaisons étaient si denses qu'elles ne permettaient pas d'aller plus loin. Il chercha vainement une entrée dans le labyrinthe végétal, puis se mit à quatre pattes et se glissa sous les branches.

16

Mélange de feuilles mortes et de terre semée de petits cailloux qui donnaient l'impression d'avoir été rejetés par le système digestif d'un gigantesque insecte, le sol était doux sous ses mains. Les chênes nains formaient une chape végétale au-dessus de la tête; contrairement à ce qu'avait observé Isobel, le soleil ne passait plus à travers les branches. La pénombre allait croissant à mesure qu'il progressait et, peu à peu, l'obscurité se fit presque totale. Au bout d'un moment, il lui fallut convenir qu'il était perdu. Même avec les indications d'Isobel, il avait manqué la clairière. Il avait les genoux noirs de terre et les paumes incrustées de petits cailloux; la sueur lui coulait par tous les pores de la peau. La terre grondait sourdement et était agitée de secousses spasmodiques, telle une pouliche à la robe frémissante. Standish se força à continuer.

Un peu moins de cinq minutes plus tard, l'obscurité commença à se dissiper, traversée par une faible lueur grisâtre, et, peu après, les rayons du soleil percèrent la couverture végétale. Le bourdonnement était maintenant presque assourdissant, longue mélopée faite de nombreuses voix réunies en un seul chœur puissant. Les branches s'écartèrent et il put à nouveau distinguer son ombre, courtaude et rabougrie.

Le bourdonnement ne se faisait plus entendre; il était au centre du phénomène, dans l'œil du cyclone. Les genoux maculés de terre et la chemise noire de sueur, il se remit debout en grognant. Il était à la lisière d'une petite clairière circulaire d'environ cinq mètres de diamètre, rondelle découpée dans le bois par un monstrueux emporte-pièce. De longues herbes alanguies par l'été recouvraient le sol; au centre de la clairière, se dressaient les trois monticules décrits par Isobel, à peine reconnaissables et ressemblant plutôt à de simples accidents du terrain. Pas de pierres tombales. Il n'y en avait pas besoin : « on » savait qui était qui.

Enfin parvenu au bout de ses peines, Standish poussa un long soupir. Bizarrement, aucun bruit ne sortit de sa poitrine : aucun son ne passait, avalé par l'éternel bourdonnement, inaudible au-dessus de la clairière mais présent. Un *mage* endroit, avait écrit Isobel, reprenant le vieil adjectif de Wace, et, pour une fois, elle avait eu raison. L'endroit était effectivement magique. Probablement avait-il toujours été sacré; aujourd'hui, à cause de ceux qui étaient inhumés, il l'était plus encore. Ce n'était pas Edith qui reposait sous terre. Aucun de ses enfants non plus, car aucun n'était mort. C'étaient d'autres qui dormaient là.

Standish s'avança jusqu'aux trois petits tertres et se laissa tomber à terre. Contre sa joue, l'herbe avait la douceur des longs cheveux parfumés de sa dulcinée. Il écarta les bras, lové contre le sol, et gémit, le dos mordu par le soleil, les doigts perdus dans les longues herbes filasse. C'étaient Isobel et son enfant qui étaient enterrés sous son ventre. Un enfant prisonnier, un enfant qui hurlait, hâve créature pressée à la fenêtre de sa prison.

Même mort, même rejeté dans le néant, quel pouvoir un enfant n'avait-il pas ? Quelle bombe, dont, des années après, les charges n'en finissaient pas d'éclater sous les pas.

Standish se releva, brossa le gros des brindilles accrochées à sa chemise, s'essuya les mains sur son pantalon et leva les yeux vers une bande d'oiseaux qui tournaient au-dessus de la clairière depuis un moment. Ils avaient le vol noble et l'envergure immense des prédateurs. Le cœur secret d'Esswood continuait à battre en silence, prenant chaque seconde plus d'ampleur, tel un poème, ce qu'il était d'ailleurs, qui se gonfle, vers après vers, aux dimensions d'une épopée. Des yeux, il fit lentement le tour de la clairière. Ici, le sentier qu'avaient emprunté Isobel et son amant, à deux pas derrière le petit Robert Seneschal; là, sous les branches siamoises, les traces de son propre passage. Il était temps de rentrer. Standish regagna le couvert des arbres et, rampant comme une bête, ses genoux protestant de douleur, entama le difficile trajet de retour.

Il retrouva l'entrée de la combe en deux fois moins de temps qu'à l'aller. Il put enfin se relever et marcher normalement.

17

Parvenu sur la terrasse supérieure, Standish coupa à travers la pelouse jaunie et se dirigea droit vers la tonnelle, suivi du regard par les fantômes désœuvrés qui prenaient le thé sous les parasols. Sous la tonnelle, le vert épinard de la végétation luxuriante semblait du velours après la brûlure aveuglante du soleil. Ayant trouvé la porte des communs ouverte, il décida de passer par les cuisines. Là, juste au pied de l'escalier menant à l'office et à la salle à manger, il y avait une porte qu'il n'avait pas encore eu la curiosité d'ouvrir. Au-delà, une nouvelle volée de marches s'enfonçaient vers les sous-sols.

Il savait où il allait, refaisant à l'envers le chemin qu'il avait parcouru lors de sa première expédition. Rien n'avait bougé dans la pièce pleine de tigres et de chiens en peluche; personne n'avait refermé les portes qu'il avait ouvertes.

Il entra dans le cachot de béton, ignora le petit fauteuil vermoulu et le chien qui gambadait devant la roue du carrosse sur le tableau accroché au mur, passa dans la chaufferie où trônait l'énorme chaudière et alla droit au jeu de haches fixé au mur.

Il s'empara de la plus grande, la soupesa, la remit dans le râtelier et prit celle de la taille en dessous. Celle-ci, du moins, ne lui échapperait pas des mains. L'arme au poing, il regagna le couloir et se lança à l'assaut du petit escalier qui menait aux deux portes qu'il avait vainement tenté d'ouvrir lors de sa visite précédente.

Quatre portes donnaient sur le palier, les deux qui ne lui avaient pas posé de problème et les deux qui avaient refusé de s'ouvrir, sur lesquelles, faisant danser sa hache dans sa main, il concentra son attention. Il choisit la plus proche, celle qu'il avait essayé d'ouvrir en second, à côté de la pièce pleine de vieux journaux, et tourna la poignée : la porte était toujours verrouillée. Il se recula, leva la hache au-dessus de sa tête et l'abattit sur l'huis.

Le fer s'enfonça profondément. Standish le dégagea rapidement et laissa retomber son instrument. La sueur l'aveuglait; il se frotta les yeux d'une main sale et brandit sa cognée avec une force renouvelée. La porte commença à se disloquer; en quelques coups judicieusement appliqués, il eut raison du panneau. Il passa la main à l'intérieur et tourna la poignée. Une écharde pointue lui érafla le gras du bras; aussitôt le sang perla.

Il poussa la porte.

Il s'attendait à trouver des maisons de poupée géantes, assez vastes pour permettre à un enfant de se déplacer d'une pièce à l'autre, mais, stupéfait, découvrit de véritables modèles réduits d'Esswood, des maquettes beaucoup plus grandes qu'il ne l'avait imaginé et identiques à leur modèle jusque dans les moindres détails. Ressemblance à vrai dire hallucinante : sur chaque façade, les mêmes taches d'humidité souillaient le rebord des fenêtres. Il s'agissait de vraies maisons, de palais de poupée alignés comme des pavillons dans une rue de banlieue. Par-dessus les toits, comme le soleil dans un ciel lui aussi de banlieue, une autre reproduction du tableau au petit chien et au carrosse était suspendue au mur. Dans chaque maison, une faible lumière brillait derrière les fenêtres de la façade. Standish retint son souffle; la scène, paisible, avait quelque chose d'horrible. Les trois petites personnes qui habitaient là risquaient de rentrer d'un moment à l'autre. Le sol était recouvert d'un tapis de petits os blancs – des os de poulets – si desséchés qu'ils se brisèrent avec un bruit sec lorsqu'il posa le pied dessus.

Chaque perron, côté entrée, avait son escalier de marbre, posé par des artisans qui n'avaient jamais eu à regretter leur silence. Standish colla son œil à une fenêtre et aperçut des tapisseries grandes comme des courtepointes, des tapis aux allures de descentes de lit, des fauteuils rouge et or aux pieds galbés à peine plus hauts que des escabeaux, des assiettes en or grandes comme des soucoupes, des fourchettes qui ressemblaient à des pics à escargots. Profonds comme des dés à coudre, les verres à pied devaient se briser au moindre contact. Dormaient-ils dans de petits lits ou bien Edith leur avait-elle fait confectionner des grabats de laine ? Criaient-ils, la nuit, quand ils étaient malades ou avaient peur ? Edith se levait-elle pour venir les consoler ?

Standish en doutait. Pour eux, leur mère devait être au ciel avec Dieu, comme le soleil dans le tableau accroché au-dessus de leurs têtes. Une mère aimée, ou haïe, mais invisible. Qui était montée aux Cieux.

Avant les enfants d'Edith, d'autres Seneschal avaient-ils vécu dans ces maisonnettes ? Des rejetons de l'illustre famille dégénérés au point de devoir vivre cachés ? Des malheureux affligés d'une tare si monstrueuse qu'aucun étranger ne devait les voir ? C'était fort probable car le seul homme qu'Edith avait réussi à épouser était son bien décevant cousin germain, qui n'avait dû lui aussi trouver que la seule Edith pour convoler en justes noces.

Est-ce que l'un des nombreux invités d'Edith avait connu, ou même soupçonné, l'existence de son terrible secret ? Là encore, certains indices donnaient à réfléchir. Les années passant, il fallait bien avouer que les seuls à fréquenter Esswood étaient désormais des écrivaillons comme Y., D. et T. Finalement, plus personne n'était venu. Plus de ballets de voitures, plus de carrosses pour faire japper les petits chiens. A bien y réfléchir, beaucoup de gens avaient parlé d'Esswood House. Henry James, avec sa préceptrice folle chargée d'éduquer deux enfants beaux comme des dieux mais pour le moins étranges. E.M. Forster, et ses gens qui vivent regroupés dans une immense ruche. T.S. Eliot, avec sa « terre gaste » et ses « hommes creux ». Oui, parmi les hôtes d'Esswood, nombreux étaient ceux qui avaient deviné la vérité. Isobel s'était aventurée plus loin que les autres et cette connaissance l'avait tuée.

Il vaut mieux ne pas quitter Esswood.

Standish prit un peu de recul, brandit la hache et l'abattit sauvagement sur la première maisonnette. Les frêles cloisons de plâtre s'émiettèrent comme du pain rassis ; les tableautins tombèrent sur le plancher, arrachés de leurs minuscules cadres ; les fauteuils hauts comme des poufs et le lit-berceau volèrent en éclats dans la chambre d'hôte du salon du ponant. Standish s'acharna et fit pleuvoir une grêle de coups sur la niche de luxe, réduisant l'escalier d'honneur en un tas de bûchettes et éborgnant le portrait suspendu au-dessus du manteau de la cheminée. Le plafond voûté de la bibliothèque creva au milieu d'une averse de plâtre. Dans les cuisines, le minuscule fourneau roula jusqu'au pied de l'escalier, amputé de son tuyau ; un placard explosa, envoyant voler son contenu jusque dans les décombres de l'office; une table-desserte alla se fracasser contre un évier de poche. Des ossements, aussi fins que des allumettes, des bouts d'étoffe, volaient partout comme des étincelles. Les chambres, le salon du levant s'effondrèrent complètement.

Il lui fallut à peu près une heure pour réduire la première maisonnette en un monceau de gravats d'où seuls dépassaient une tablette de la bibliothèque, un lavabo de faïence, un petit livre relié de maroquin et un coin de fenêtre. Il s'attaqua ensuite à la deuxième petite maison, puis, trois quarts d'heure plus tard, à la dernière.

Celle-ci détruite à son tour, il se débarrassa de sa chemise et l'abandonna sur place. Il ne sentait plus ni ses bras ni son dos, ayant l'impression d'avoir ramé pendant des heures sur une houle déchaînée; il laissa tomber sa hache, qui réduisit une dernière petite tasse de porcelaine en miettes. Lorsqu'il voulut la reprendre, il se rendit compte, la paume transpercée par un coup de poignard, qu'il avait une ampoule de la taille d'une orange à la main. Il empoigna fermement l'instrument; la souffrance raviva ses forces déclinantes.

La seconde porte était située de l'autre côté du couloir. Autant par égard pour la hache que pour ses mains, il décida cette fois de faire sauter l'attache de la serrure à coups de pied. La porte frémit dans ses gonds mais la serrure tint bon. Standish y expédia un deuxième coup de semelle, de toutes ses forces, puis un troisième; il y eut un claquement sec, comme un os qui se brise, et la serrure céda. La porte s'ouvrit sur la pièce qu'Isobel qualifiait d'ultime.

Il n'y avait pas de fenêtre; la seule lumière était la faible luminosité du couloir. Standish essuya la sueur qui coulait sur son front et attendit que ses yeux fussent habitués à l'obscurité. Une sorte d'éclat de rire grelottant retentit quelque part dans les couloirs.

La pièce était vide. Il ne savait trop ce qu'il s'attendait à y trouver – rien d'aussi concret que des squelettes ou un billot, mais quelque chose, en tout cas, qui lui procurerait un choc. Le sol n'était pas plan mais descendait en pente douce vers une rigole centrale. Contre le mur du fond, la chape de béton était griffée de profondes éraflures, comme si quelque chose de lourd était longtemps demeuré là; une série de petits cadres vitrés courait sur celui de gauche. Cela n'était pas sans rappeler les papillons épinglés dans l'ossuaire, mais, quand il s'en approcha, Standish aperçut, non des lépidoptères, mais des photographies.

Il y en avait six, clichés banals de couples qui n'avaient eux-mêmes rien de bien remarquable. Le premier, d'après les vêtements des deux personnages réunis devant l'objectif, avait été pris à la fin des années vingt ou au début des années trente. Sur le troisième, un homme arborait un uniforme d'officier de l'Armée américaine, seule exception au complet de rigueur. Il était plus difficile d'émettre un jugement sur les femmes. Ou bien elles portaient une voilette, comme sur les deux premières photos, ou un chapeau à larges bords, comme sur les autres, ou bien elles tournaient la tête, ou bien elles se tenaient dans l'ombre. Deux photos avaient été prises sur la terrasse supérieure, deux autres sur le sentier qui faisait le tour du bassin – les arbres ne permettaient pas de distinguer les traits des deux femmes. En revanche, l'un des hommes n'était pas un inconnu.

Un visage émacié, souffreteux, des pommettes saillantes et des yeux enfoncés dans les orbites; des épaules voûtées, de façon assez prononcée, semblait-il. Aux anges, l'homme arborait un sourire radieux. Chester Ridgeley. Plus vieux d'une dizaine d'années que lorsque M. et Mme Standish, William et Jean de leurs prénoms, avaient quitté le nœud de vipères qu'était devenue l'université de Popham, dans la ville du même nom.

Mais il n'y avait pas de Mme Chester Ridgeley.

La femme qui se tenait à ses côtés, au moment où l'objectif l'avait saisie, avait le visage à demi caché par l'ombre des chênes difformes. Elle devait avoir dans les trente-cinq ans; solidement charpentée, les épaules larges, elle affichait cette assurance procurée par le sentiment de sa propre force dont sont dotées nombre de femmes et qui les fait immédiatement remarquer. Ridgeley avait pris les mains de sa compagne dans les siennes, calleuses comme de vieilles serres.

C'était elle. Il fallait que ce fût elle. Ce ne pouvait être personne d'autre que sa dulcinée.

Standish passa attentivement en revue toutes les photographies étalées sur le mur. Les hommes étaient tous faits sur le même moule, celui qui avait cours à Esswood. Les femmes se réduisaient à une seule. Car c'était en effet la même qui apparaissait sur tous les clichés, sûre d'elle et de sa force, confiance qui se devinait au seul port de ses épaules, de ses bras et de ses hanches. Tout au long des cinquante ou soixante années résumées sur la pellicule, elle n'avait pas pris dix ans. Lorsqu'elle lui avait ouvert la porte, le soir de son arrivée, c'était à peine si, frappé par sa beauté singulière, il lui en avait donné quarante.

Le souffle court, Standish s'arracha à sa contemplation, conscient d'être à moitié nu et couvert de saletés, de saigner par des dizaines de coupures et d'éraflures, et de répandre une odeur pestilentielle.

Ses yeux se portèrent sur la rigole qui séparait la pièce en deux. Chester Ridgeley était-il retourné à Popham ? Ou bien avait-il adressé un télégramme au conseil de l'université, un beau jour, pour annoncer sa retraite ? Une lettre faisant savoir qu'il voulait désormais consacrer sa vie à l'œuvre de Theodore Corn, un des plus mauvais poètes que la terre ait jamais porté ?

Je suis donc sûr que vous comprendrez la fièvre qui m'habite à la suite des nombreuses découvertes que je viens d'effectuer, ainsi que mon peu de désir de passer le restant de mes jours à me contenter de donner des cours magistraux alors qu'il y a tant de choses à faire ici.

Standish quitta la pièce ultime. De petites créatures couraient en tous sens dans la pièce pleine de journaux ; tout mouvement cessa quand il passa la tête dans l'encadrement de la porte. Il s'accroupit à côté du numéro du *Yorkshire Post* à la manchette accrocheuse, feuilleta rapidement quelques pages et s'arrêta sur les photos qu'il savait trouver là.

Mais les visages – celui de l'aubergiste à la forte carrure, agressif, celui de sa femme aux cheveux décolorés, acariâtre, et celui de l'amant, presque sans menton – étaient ceux d'étrangers. Encore ce grasseyement, ce rire grelottant, mécanique et sans joie. Il jeta un dernier regard aux visages impénétrables et s'en alla.

Sa hache à la main, Standish regagna la réalité avec au cœur un sentiment de désastre proche de ce qu'avaient dû ressentir Adam et Ève lorsqu'ils avaient été chassés du Paradis, contraints de vivre des parodies d'existence dans un monde qui n'avait plus qu'un lointain rapport avec celui qu'ils avaient connu. Il parvint à un modeste escalier qui le mena à un passage voûté.

L'arche franchie, il se retrouva dans son couloir secret, le couloir d'Isobel. Dans la salle à manger, l'odeur de son repas qui refroidissait sur la table lui donna la nausée. Il retira la bouteille de vin blanc du seau à glace et l'emporta avec lui.

La bibliothèque lui parut plus grande, plus claire et aussi plus belle que le soir où « Robert Wall » lui en avait fait les honneurs. Entre les colonnes d'albâtre, le grand tapis couleur pêche étincelait.

Il but directement au goulot puis, les papilles titillées, regarda l'étiquette. Château Haut-Brion 1935. Un autre premier grand cru classé, un Graves, cette fois, dont il n'était produit que quelques tonneaux chaque année. Excellent. Il porta à nouveau le goulot à ses lèvres et but à la santé de l'arrière-arrière-arrière-arrière-grand-père cloué à son mur. Il posa la bouteille sur le bureau et emporta la hache jusqu'aux étagères où voisinaient les écrits d'Isobel Standish, de Virginia Woolf et de D.H. Lawrence, noms qui étaient autant de miroirs aux alouettes pour ceux dont la photo avait été reléguée dans la *camera obscura*. Il ne s'était pas trompé, le soir de son arrivée, quand il avait imaginé « Robert Wall » en train d'ouvrir chaque cartonnage pour en boire le sang.

Standish leva sa hache et, à tout seigneur tout honneur, l'abattit sur le deuxième cartonnage gravé au nom d'Isobel. Une liasse de feuilles se répandit par terre. Il brandit une nouvelle fois sa hache et, sourd aux élancements de sa main à vif, en assena un violent coup sur la troisième boîte. Elle devait être à moitié vide, car la hache s'enfonça mollement dans le carton et y resta prisonnière. Il désengagea le fer d'un rapide mouvement de torsion et la boîte tomba sur le parquet, libérant une pluie de petits confettis de papier glacé. Des photographies.

Grognant de surprise, Standish se pencha et ramassa une poignée d'épreuves. La première, prise dans le sentier, au bord du bassin, était celle d'une grande femme à l'allure déterminée vêtue d'une robe claire et coiffée d'un chapeau-cloche. Standish savait que la robe était verte, même si la photo, vieille de soixante-dix ans, était évidemment en noir et blanc ; il savait que ce visage à demi caché dans l'ombre avait un menton allongé et un nez aquilin. C'était Isobel. Partout. Ici, dans la bibliothèque, assise derrière le bureau ; là, dans le salon du ponant, plongée dans la lecture d'un volumineux ouvrage ; là encore, en compagnie d'un homme bedonnant en qui il finit par reconnaître Ford Madox Ford. Il laissa les photos lui glisser entre les doigts et en prit une autre poignée. Isobel, encore, qui prenait gauchement la pose aux côtés d'un T.S. Eliot aussi peu à l'aise qu'elle ; avec un homme aux cheveux bruns crantés, peut-être Eddie Marsh ; dans les champs, sur la colline, s'efforçant de prendre une mine pastorale. Isobel, le sourire pincé, un plateau chargé de verres dans les bras. Elle servait des cocktails, la pauvre idiote.

D'un dernier coup rageur, Standish finit d'éventrer le cartonnage, éparpillant des dizaines de photos, et tourna son ardeur contre le fonds Henry James. D'un seul coup de hache, il brisa la première boîte comme une noix et dispersa les feuilles tombées par terre à coups de pied.

Il fit un sort au deuxième cartonnage, puis au troisième, et s'acharna ensuite sur les pages, auxquelles il se fit un malin plaisir d'infliger un massicotage de son cru. « Des monuments de la pensée contemporaine », murmura-t-il, exultant à la pensée de faire subir le même traitement à Virginia Woolf. Une à une, il creva toutes les boîtes, jusqu'à ce qu'elles aient vomi toutes leurs feuilles sur le parquet. Cette tâche accomplie, il traversa la salle et s'attaqua à E.M. Forster et à Rupert Brooke (tiens, il avait donc été invité, celui-là aussi ?) avant de parvenir à... Theodore Corn.

Le visage défiguré par un rictus sardonique, il gratifia les « œuvres » de cet infâme gâte-papier d'un coup à écorner (on n'aurait su rêver meilleur terme) un bœuf. Des pages, mais aussi une cascade de petits confettis carrés, s'échappèrent du carton crevé.

Standish se baissa et prit quelques clichés au hasard, s'attendant à y découvrir les portraits de vieilles gloires littéraires. « J'aurais dû laisser cet imbécile moisir dans sa boîte », se dit-il, saisi d'un frisson prémonitoire. Il retourna plusieurs petits carrés de papier aux bords dentelés et aux couleurs ternies, allant du gris clair au sépia ; les scènes, les lieux, ne différaient guère de ce qu'il avait déjà pu voir sur les photographies d'Isobel. Beaucoup de ceux qui étaient là figuraient aussi sur les siennes : Ford, soufflant dans sa barbe, T.S. Eliot, jouant les bossus et faisant des grimaces. Mais ce n'étaient là que des comparses ; le personnage principal était une sorte d'équivalent masculin d'Isobel. Un grand échalas dégingandé – le costume froissé, quels que soient le lieu ou les circonstances, la chemise ouverte sur le cou, parfois un gilet sans manches Fair Isle trop petit pour lui – qui présentait à l'objectif un visage en galoche, une tête d'abruti sorti du fin fond de sa campagne et marquée de profonds stigmates : petite vérole, acné juvénile, alcoolisme. Il lui manquait deux incisives ; il n'avait pas des mains, mais, deux fois de la taille de celles de Standish, des battoirs.

Ce n'étaient pas tellement ces détails qui semblaient lui donner un air de parenté avec Isobel, mais plutôt sa mine dépitée, déçue : clair comme le nez au milieu de la figure, l'homme estimait avoir été trahi. Moins raffiné qu'Isobel, il cachait mal son désappointement. Maigre et chafouin, tout son visage, proclamait : « *C'est moi, Theodore Corn; je suis le meilleur.* » Standish le haït d'emblée, avant même de comprendre qu'il avait d'excellentes raisons pour ce faire ; s'il le détestait autant, c'était surtout parce qu'il se reconnaissait en lui. Si Corn avait été un Américain des années quatre-vingt, au lieu d'un Anglais né soixante-dix ans plus tôt, il aurait sans doute été marié à quelqu'un comme Jean Standish et aurait enseigné dans une université de seconde zone comme Zenith. Il aurait été mieux habillé et deux incisives en céramique auraient remplacé celles qu'il lui manquait. Spécialiste du roman du dix-neuvième siècle, il n'aurait sans doute pas fait beaucoup d'étincelles, mais autant, en tout cas, qu'un certain William Standish.

Sur une autre photo, il était adossé contre la demeure, côté terrasse, le regard torve, plus brèche-dent que jamais et un foulard noué autour du cou, serré comme un garrot.

Voilà donc qui était Theodore Corn, l'homme dont Chester Ridgeley faisait si grand cas.

Une autre pièce du puzzle se mettait en place. C'était Isobel qui avait pris les photos de Corn, et ce dernier qui avait pris les siennes. Mais cela en amenait immédiatement une autre, la dernière pièce, comme aurait dit Isobel, celle qui expliquait le frisson d'appréhension qui lui avait pincé le cœur, avant même de voir les premiers clichés. Cet âne bâté de Theodore Corn, voilà l'homme qu'Isobel avait rejoint à Esswood. Theodore Corn, le vagabond, le tsigane, le poète adulé, adoré. Le père de son enfant mort-né.

Un moment incapable de toute réaction, toute pensée ayant déserté son cerveau, Standish laissa tomber les clichés sur le tas de paperasses accumulées et y donna un violent coup de pied. Il avait l'impression d'avoir un grand trou à la place du cœur; tout lui paraissait mort, dépourvu de sens. Ou plutôt, parvenu au seuil d'un confondant mystère, telles les spires ivoirines du nautile qui s'enroulent indéfiniment sur elles-mêmes, au-delà des limites de la perception, il avait encore du mal à en saisir toutes les implications.

Désireux de ne plus voir la tête de Theodore Corn, narquois, vulgaire, énigmatique, étalée sous ses yeux sur des dizaines d'épreuves, Standish abattit sa hache sur le nom d'Ezra Pound. Une autre masse de pages jaunies, de feuilles mortes, vint s'ajouter au tas impressionnant qui recouvrait déjà le parquet. Standish avisa une photo qu'il n'avait pas encore remarquée. Isobel, assise à côté de Theodore Corn dans la salle à manger, les yeux langoureusement tournés vers lui, par-dessus le filigrane de son verre à vin. Un coup de hache mit fin à cette belle entente.

Il tourna ensuite sa rage vers le bureau, où il avait laissé la bouteille de Château Haut-Brion. Le cartonnage où il avait trouvé le journal et les poèmes d'Isobel était toujours posé par terre, contre le fauteuil de peluche rouge aux pieds dorés. Il le renversa du bout du pied et regarda les pages couvertes de pattes de mouches se répandre sur le magnifique tapis couleur pêche.

Il porta la bouteille de vin blanc à ses lèvres et, balayant la bibliothèque d'un regard critique, la trouva toujours aussi belle. Il leva la tête et plongea ses yeux dans ceux du dieu vindicatif à l'index dérisoirement pointé. En fait, ce seigneur des nuées n'était qu'un barbouillage informe; le doigt pointé vers les pauvres mortels qu'une illusion due aux lois de l'anamorphose et à l'habileté de Robert Adam, un des plus célèbres architectes et décorateurs du XVIIIe siècle, amateur de belles demeures et de riches bibliothèques. Standish soupesa la hache dans ses mains, la leva au-dessus de sa tête et la laissa retomber sur le bureau. De menus objets dont il n'avait pas soupçonné l'existence, pointes Bic, calepins, volèrent dans toutes les directions.

Le soleil de la fin de l'après-midi entrait à flots par les fenêtres.

Standish laissa tomber sa hache, aspergeant le tapis de son sang; aussitôt bu par les fibres, les éclaboussures prirent l'aspect de vésicules à peine rosâtres.

Tiraillé par la faim, son estomac grondait.

Il réfléchit un instant, sourit, s'assit derrière ce qui restait du bureau, trouva un crayon parmi les débris et écrivit le mot *allumettes* sur une feuille de bloc qu'il alla déposer devant la porte du salon du ponant.

Dans la salle à manger, la table avait été dressée pour le dîner. Une bouteille de vin rouge était posée sur la nappe. Ayant l'impression d'avoir de la cendre dans la bouche, il remplit son verre à ras bord et avala plusieurs gorgées avant de songer à regarder l'étiquette. La Tâche, 1916. On quittait le Bordelais pour le Vosne-Romanée. C'était peut-être l'année qui avait vu le retour d'Isobel au Pays, désireuse de renouer avec la consécration littéraire et les étreintes lubriques de Theodore Corn. Que recherchait-elle, exactement, en cette année 1916, dans un monde ravagé par l'holocauste ? La dernière volute de la spirale, un nouveau langage, les secrets de la prosodie ? Aussitôt absorbé par la nappe, le sang qui coulait goutte à goutte de sa main, laissait aussi peu de traces que sur le tapis. Il reposa son verre sur la nappe, s'enveloppa la main dans sa serviette, s'assit et souleva la cloche qui recouvrait son assiette. Longe de veau aux morilles.

Affamé, Standish dévora tout ce qu'il y avait dans son assiette. La pièce vacillait, tanguant de gauche à droite. Il avait mal partout. Ayant de plus en plus de difficulté à garder les paupières ouvertes, il posa le front sur la table et s'endormit. Il découvrit un bébé au milieu d'un bosquet d'arbres; l'enfant, un bébé magnifique, leva les bras vers lui et tendit sa petite tête pour un baiser. Standish tendit ses propres bras fourbus, mais ses pieds s'emmêlèrent dans les hautes herbes filasse. Du sang coulait de sa main droite; le bébé prit peur et se mit à pleurer.

Standish éclata en larmes, lui aussi, et se réveilla le front blotti contre la serviette tachée de sang enroulée autour de sa main.

« Oh! mon Dieu », dit-il, ayant oublié tout ce qui s'était passé et croyant avoir pris du retard sur son plan de travail. Il avait un livre à écrire, un livre sur Isobel Standish. Avec soulagement, il se rappela les événements de la bibliothèque.

Il s'essuya le visage et se leva. Il ne se rappelait pas l'avoir emportée, mais la hache était posée par terre à côté de sa chaise, tel un chien assoupi attendant le bon vouloir de son maître. Elle se glissa au creux de sa paume et se fit aux plis de son bandage improvisé sans même qu'il en fût conscient.

Il regagna la bibliothèque par le couloir secret, traversa la salle, ouvrit la porte donnant sur le salon du ponant et aperçut, posée sur le tapis, une boîte d'allumettes de ménage.

Standish s'en empara, posa la hache au pied d'une colonne, se campa devant le monceau de papier répandu sur le parquet et ouvrit la grosse boîte rectangulaire, libérant une véritable pluie d'allumettes. Il contempla stupidement la boîte avant de réaliser qu'il l'avait ouverte sens dessus dessous. Il n'avait poussé le fond qu'à demi et elle était encore à moitié pleine. Il prit une allumette, la frotta contre la bande phosphorée, se pencha et approcha la flamme du coin d'une page. Dès que le papier s'enflamma, il mit le feu à une autre feuille, puis lança l'allumette sur les étagères qu'il venait de vider de leur contenu; une mince colonne de fumée s'éleva, bientôt suivie d'une première flammèche.

Standish se recula et regarda les flammes accomplir leur œuvre purificatrice. Le vernis des tablettes se mit à noircir, puis à se couvrir de cloques; le feu put alors s'attaquer au bois à pleines flammes. Il gratta une autre allumette et embrasa le tas de feuilles et de photographies qui jonchait l'autre côté de la salle.

Il jeta le reste d'allumettes sur le parquet et quitta la bibliothèque. Il avait encore largement le temps de faire ce qu'il avait à faire.

Au bas de l'escalier d'honneur, une pendule sculptée posée sur une console de marbre lui indiqua qu'il était, à cinq minutes près, vingt-deux heures. Il enfila le couloir tendu de tapisseries et gagna la porte d'entrée. Les lumières de la façade ne mordaient que fort peu sur la noirceur de la nuit. De l'autre côté de l'allée, au bas du perron, les arbres n'étaient qu'une muraille dressée entre les ténèbres du sol et le velours ensanglanté du ciel. Jamais il n'avait vu autant d'étoiles. Il y en avait des millions, semblait-il, certaines brillantes et fixes, d'autres falotes et clignotantes; la carte du ciel était un grimoire énigmatique couvert d'une écriture mystérieuse, une écriture où les phrases, gravées en lettres de feu, n'étaient qu'une suite de mots sans aucune signification.

Standish s'avança jusqu'au bord du perron pour méditer sous le vélin du ciel. Tous les écrits de la bibliothèque, ces millions de pages plus gorgées de mots qu'estomacs rassasiés de bonne chère, allaient partir en fumée et rejoindre l'Esswood céleste calligraphiée sur les brocarts de la nuit. Autodafé qui n'allait sûrement pas plaire au dieu courroucé au front ceint de nuées.

Standish rentra, sa hache à la main.

18

Dans l'escalier d'honneur, il sentit une faible odeur de brûlé, mais, quand il prit la volée de droite pour s'aventurer en territoire inconnu, l'odeur de fumée fut remplacée par une autre, mélange de vieux cuir, de bois, de cire et de l'air frais de la nuit. Parvenu sur le palier, il pénétra dans une pièce qui était le pendant, plus grand toutefois, du cabinet de l'autre aile.

Un globe était suspendu au centre du plafond mouluré. Des rayonnages vides couraient sur deux des murs. A l'exception d'un fauteuil à bascule, tiré contre un troisième mur, totalement nu, où des taches plus claires indiquaient les emplacements où des tableaux avaient naguère été suspendus, le bureau était vide. A l'autre bout de la pièce, une porte ouverte donnait sur un long couloir parqueté d'aspect peu engageant. Une simple ampoule nue pendait au bout d'un fil. Les lattes du plancher étaient grises de poussière et des fissures zébraient le plâtre des murs. Deux grandes fenêtres munies de persiennes s'ouvraient d'un côté, deux portes tapissées de toiles d'araignée de l'autre.

C'étaient là les fenêtres qu'il avait si souvent contemplées depuis la galerie intérieure. Lentement, il s'approcha de la première croisée, tira sur le cordon des persiennes et aperçut, de l'autre côté de la cour plongée dans les ténèbres, découpée sur l'écran jaune de « ses » fenêtres, la silhouette difforme d'un personnage de la taille d'un enfant, les yeux braqués dans sa direction. Pince-Mi. Ou Pince-Moi. Ou Pince-Les. Une volute de fumée traversa l'encadrement de la fenêtre et le gnome prognathe disparut précipitamment. La fenêtre se couvrit d'un voile opaque.

Il avait encore le temps.

Il s'éloigna de la fenêtre et tourna lentement la poignée de la première porte.

La lumière de la galerie éclaira le seuil d'une chambre dans laquelle il distingua les formes d'un lit métallique et d'une chaise bancale, d'un lot de livres de poche et d'une valise, ouverte, posés à même le plancher. Standish entra et referma la porte derrière lui. Sa main droite n'était plus qu'une plaie et une douleur lancinante lui vrillait le dos. Une sueur grasse lui couvrait tout le corps. Il puait la peur, la sueur et le sang; il empestait comme un fauve dans sa tanière. Écho d'un bruit plutôt que bruit réel, il entendit un bébé pleurer quelque part. Dans le noir, il traversa la chambre sur la pointe des pieds et s'avança vers le lit défait jusqu'à pouvoir deviner les motifs du couvre-lit rabattu. Les draps étaient blancs mais froissés; l'oreiller brodé de dentelle avait l'air d'une baudruche dégonflée. De la couche en désordre, montait une forte odeur de poudre et de parfum. Une goutte de sang tomba sur les draps.

Standish quitta la chambre aussi silencieusement qu'il y était entré, laissant la porte ouverte, et tomba nez à nez avec, reflétée dans la fenêtre de la galerie, une créature à demi humaine, les épaules voûtées, le corps couvert de sang et une hache à la main. Un monstre contrefait, constata-t-il avec une sorte de rire intérieur, qui n'était autre que lui-même. Le vrai Standish, celui de l'intérieur. Vingt-quatre heures plus tôt, il avait brièvement aperçu ce Standish-là dans la glace de la salle de bains, mais la bête ne connaissait maintenant plus aucun frein. Il avait l'impression d'avoir attendu cet instant toute sa vie. « *Tiens! Mademoiselle Standish!* » murmura-t-il en portant la main à sa bouche pour ne pas céder au fou rire.

De l'autre côté de la cour, les fenêtres étaient maintenant des vitraux en fusion.

Il tourna la tête vers la seconde porte. Les cheveux poissés de sang et la main toujours sur la bouche, la créature contrefaite en fit autant. Sans quitter le monstre des yeux, Standish s'avança jusqu'à la deuxième porte et referma les doigts sur le bouton. Serrant les dents, il entrouvrit la porte de quelques centimètres, passa la tête dans l'entrebâillement, puis se glissa furtivement dans la pièce et referma la porte derrière lui.

Il ne vit qu'une paire de souliers et une chemise blanche, tendue sur le dossier d'une chaise, comme un ectoplasme sur le point de naître à la vie, peut-être de ce couple enlacé dans le lit, à l'autre bout de la chambre, d'où montait le souffle précipité de deux respirations mêlées. En dépit de sa propre puanteur, Standish perçut une délicate senteur parfumée, soulignée d'odeurs plus pugnaces : relents de sueur, de sperme et de muqueuses.

Ses yeux s'habituant à l'obscurité, d'autres détails se précisèrent peu à peu : les murs, nus et gris, mais qui devaient être blancs à la lumière du jour, un tas de vêtements masculins – chaussettes, sous-vêtements, jean – abandonné sur le parquet, et une raquette de tennis, appuyée contre un mur. Le lit était un mélange confus de peau blême et de cheveux ébouriffés.

Standish avait l'impression de se réveiller d'une longue transe; il était enfin lui-même. Il avait suffi de quelques jours passés à Esswood pour lui révéler sa nature profonde. Il n'était qu'un monstre cherchant qui pourfendre; pour la première fois peut-être depuis son enfance, il s'acceptait tel qu'il était.

« Mmmmm », fit une petite voix dans le lit.

Debout à côté de la porte, sans bouger, respirant à petits coups saccadés, Standish s'imagina couché aux côtés du couple, bras et jambes mêlés. Bientôt, les occupants du lit commenceraient à entendre le feu crépiter et à sentir la fumée; pour l'heure, consumés par leur propre passion, lovés dans les bras l'un de l'autre, ils s'étaient mis à ronfler, un très léger ronflement, étrange et presque attendrissant. Standish fit un pas en avant – aucun mouvement ne se produisit dans le lit –, puis un autre : des deux dormeurs, alanguis, pas un ne bougea. Il s'avança jusqu'au bord du lit et brandit sa hache.

Il était à la fois l'exécuteur des basses œuvres, là-bas dans la toundra, avec le billot et le panier où tombaient les têtes, et le commissaire du gouvernement, manipulant ses fiches d'un air las : assené de toutes ses forces, le coup fut terrible. Le fer acéré se ficha dans un cou et sectionna, tranchant à travers une pulpe de chair et d'arêtes, une colonne vertébrale. Les traits défigurés par l'horreur et l'incrédulité, l'hydre dressa sa seconde tête sur l'oreiller, cible parfaite, juste au moment où la hache s'abattait une deuxième fois.

Le lit transformé en mer de sang, Standish laissa tomber sa hache, saisit les deux têtes sanguinolentes par les cheveux, les posa par terre à côté du lit, s'empara des deux oreillers et les sortit de leurs taies, puis, sans regarder les visages pétrifiés, fourra chaque tête – étonnamment lourde, aussi lourde qu'une boule de bowling – dans une taie. Cette tâche accomplie, il regagna la galerie, à présent envahie d'une âcre fumée.

Dans le cabinet vide, des volutes de fumée, noire comme de la suie, léchaient mollement les moulures du plafond. Au loin, à une distance infinie, semblait-il, l'incendie faisait rage. Standish se hâta de sortir du cabinet.

La fumée s'amoncelait contre les plafonds, noire et grasse, et retombait vers le sol avec une grâce compassée. Repoussé par un mur de chaleur comme par une main géante, il crut qu'il ne pourrait jamais atteindre l'escalier; les flammes n'étaient pas encore visibles; rassemblant toute sa détermination, il s'élança dans la fournaise. Il avait à peine descendu trois marches que, les sourcils roussis, il vit les poils qui lui couvraient les bras, la poitrine et le ventre se recroqueviller et partir en fumée.

Parvenu à la jonction de la volée gauche et de la section commune, aveuglé par la chaleur et la fumée, il dut continuer à avancer en gardant la main sur la rampe surchauffée, sans égard pour les deux têtes brimbalées contre les piliers de la balustrade. Il avait la peau à vif. Ses doigts rencontrèrent enfin le col-de-cygne du pilastre de départ.

Il plongea à travers l'épais brouillard qui stagnait au pied de l'escalier. Un éclair rouge fulgura quelque part sur sa gauche. Dans le couloir du vestibule, les tapisseries commençaient à se racornir sous l'effet de la chaleur. Il heurta la porte d'entrée sans la voir, grogna, toussa, puis, tâtonnant, sentit la poignée sous sa paume.

Un souffle d'air frais lui frappa le visage. La vue trouble, la gorge en feu, il se rua sur le perron, se précipita dans l'escalier, glissa malencontreusement sur la quatrième marche et, avec un glapissement de surprise, se sentit partir en arrière. Il atterrit lourdement sur le derrière et, dans sa chute, lâcha les deux taies qui rebondirent jusqu'en bas des marches. Avec la fumée qui s'échappait de ses chaussures et des jambes de son pantalon, il se faisait l'effet d'une bougie mal mouchée. Dans l'allée, les deux taies fumaient comme des bûches. Il se releva péniblement, tenant à peine sur ses jambes, et les récupéra.

Les têtes pesaient lourd dans leurs sacs de fortune et les gravillons ne facilitaient pas la marche. Il fit halte pour jeter un coup d'œil par-dessus son épaule. Les flammes grondaient aux fenêtres du rez-de-chaussée et du premier étage; de la fumée s'échappait de la toiture. Il se remit en marche, préférant ne pas rester trop près de la façade. Dans un craquement démentiel, quelque chose céda à l'intérieur de la demeure et un panache de flammes et d'étincelles s'envola vers le ciel. Il se rua en avant pour échapper aux retombées et évita de justesse la chute d'une énorme poutre enflammée.

Bâti parallèlement au côté gauche de la demeure, se dressait un long bâtiment bas percé de quatre portes vitrées. Il posa le front contre la fenêtre de la première porte; son regard ne rencontra que vide et ténèbres.

Par la fenêtre de la deuxième porte, il n'aperçut qu'un vieux harnais et une selle, accrochés au mur du fond.

Sur la troisième fenêtre, seules se reflétaient les lueurs de l'incendie.

La quatrième fenêtre lui révéla l'arrière d'une Ford Escort turquoise. Chargé de ses lourds trophées, il ouvrit la porte, se précipita jusqu'à la voiture, mais, au moment d'ouvrir le coffre, se rappela qu'il n'avait pas les clefs, qui devaient sans doute être dans la poche d'un jean en train de se consumer dans les flammes grondant au premier étage de l'aile orientale. Il ouvrit la portière et, découragé, posa une fesse sur le siège du conducteur. Les deux taies tombèrent par terre entre ses genoux. Il les ramassa en soupirant, les jeta sur le siège du passager et passa les jambes à l'intérieur de l'habitacle.

Les mains posées sur le volant, il ne put s'empêcher d'évoquer certains films où point n'était besoin d'une clef pour faire démarrer un moteur. Quelque chose de lourd s'effondra sur la toiture d'Esswood, une cheminée, peut-être. Un nuage de fumée envahit le garage; ses yeux se mirent à pleurer. Lorsqu'il eut fini de tousser, haletant, il ouvrit la boîte à gants et, posées sur le livret d'entretien du véhicule, trouva deux clefs réunies par un anneau métallique.

Il en inséra une dans la fente de la colonne de direction, la tourna et appuya sur la pédale de l'accélérateur. Tous ces gestes lui semblaient les fantômes d'autres gestes, semblables, mais effectués dans une autre vie. Il entendit avec satisfaction le moteur gronder et posa le front sur le volant, à bout de forces. Une autre partie du toit s'effondra. Se forçant à relever la tête, il enclencha la marche arrière et enfonça l'accélérateur. La Ford fit une sortie en force – tant pis pour la peinture – et jaillit au-dehors; en moins d'une seconde, Standish tourna le volant d'un quart de tour, embraya et catapulta le levier de vitesse de la marche arrière à la première. Couronnée de flammes, l'élégante demeure patricienne n'était plus qu'un gigantesque gâteau d'anniversaire qui pleurait de toutes ses bougies. Standish écrasa l'accélérateur. La Ford chassa sur les gravillons et bondit en avant, pneus hurlants. Un épais voile rouge – quelque chose qui n'avait plus la pureté cristalline de l'air mais la consistance cellulosique d'une pellicule photographique – faisait ondoyer les gravillons de l'allée et danser les branches des chênes devant ses yeux. Les troncs les plus proches des bâtiments fumaient et sifflaient. Standish alluma ses phares; le grenat qui empourprait la nuit se para de flavescences cuivrées. Prenant pour point de mire le coude de l'allée qui s'enfonçait sous les chênes à la ramure enguirlandée de fumée, il accéléra encore.

Le tournant négocié, il aurait été incapable de dire de quel côté il roulait : tout avait l'air *inversé.*

Deux points lumineux apparurent au bout du tunnel végétal. Standish releva le pied de l'accélérateur, de manière à se donner le temps de résoudre l'agaçant problème de savoir s'il roulait à gauche ou à droite; dans le doute, il allait d'un bord de l'allée à l'autre. Le conducteur du véhicule qui se rapprochait lui fit plusieurs appels de phares. Dans le rétroviseur, Esswood n'était plus qu'un immense bûcher. Une Jaguar finit par se dessiner dans la lueur jumelle de ses phares. Avec Robert Wall – enfin celui qui se faisait appeler ainsi – au volant et sa dulcinée, la sœur du soi-disant Robert Wall, assise à côté de lui. Une intense surprise, un étonnement sans bornes, pouvait se lire sur leurs visages. Robert donna un coup d'avertisseur et adressa un geste à Standish. Celui-ci fit la sourde oreille et ne s'arrêta pas. Lorsque les deux véhicules se croisèrent, Robert lui cria quelque chose et sa dulcinée passa la tête à la fenêtre, le regard interrogateur. Standish accéléra l'allure. Aucun de deux enfants d'Edith Seneschal ne l'avait reconnu.

Dans le rétroviseur, Standish vit la Jaguar qui fonçait vers lui en marche arrière. Lui-même se reconnaissait à peine. Il était un être totalement neuf, chauve, couvert d'humeurs et de sang, la peau marbrée de plaques rouges : il était redevenu petit bébé. La voiture jaillit sur la route au bout de l'allée et, grimaçant et gloussant, Standish lança la Ford Escort en direction du village.

19

Au bout d'un moment, le faux couchant qui barbouillait le ciel de rouge disparut au firmament. Standish conduisait sans carte, sans mémoire des lieux, mais guidé par un sens de l'orientation qui semblait inscrit dans se gènes. Il roulait à travers un paysage de hameaux où brillaient enseignes et lumières réconfortantes, de champs endormis sous la nuit et de bois impénétrables. Des feux follets couraient sur les marais, équivalents terrestres des hiéroglyphes célestes que l'aube corrosive viendrait effacer; toutes les destinées humaines étaient inscrites sur ce grand livre qui s'ouvrait chaque soir à la tombée de la nuit. De temps en temps, heureux d'être en vie, il levait les yeux vers le rétroviseur pour faire risette à son image.

Telle une ombre, il se glissait dans la nuit. Églises, tavernes, maisons aux toits de chaume apparaissaient brièvement sous ses phares. A un moment donné, il aperçut une résidence encore plus vaste qu'Esswood, perchée sur la crête d'une colline, un manoir de campagne aux fenêtres ruisselantes de lumière devant lesquelles étaient garées Rolls-Royce, Daimler et Bentley. Dans les champs, vaches et chevaux levaient à peine la tête pour le regarder passer.

Alors qu'il traversait un bois touffu, il heurta un animal de plein fouet; il ne vit rien mais entendit un cri terrible. Rendu plus prudent, il s'aplatit sur le volant, mais, tout en urinant et en déféquant allégrement dans son pantalon, parvint malgré tout à maintenir une allure satisfaisante.

Loin devant lui, il aperçut enfin les usines à ciel ouvert qui l'avaient tant intrigué le jour de son arrivée. Les rampes de projecteurs étaient éteintes; les torchères ne brûlaient plus. Les machines étaient au repos et la poussière en suspension était retombée pour la nuit. Seuls les grands crassiers se dressaient face au ciel étoilé.

Il ralentit, abaissa la vitre du côté du passager et, en arrivant à hauteur du premier crassier, jeta une des taies par la fenêtre. Elle tomba au bord de la route et roula jusqu'au pied du crassier. C'était bien suffisant. La deuxième taie disparut dans un fossé d'écoulement.

Grognant, il se détendit un peu et retrouva une position normale derrière le volant.

Un panneau sur lequel il put lire le nom de Huckstall apparut sur la berge. Des gloussements et des ricanements émanaient des deux taies pleines de sang qui n'étaient plus à côté de lui sur le siège du passager. Un monde vide que l'œil aurait vainement scruté pendant des siècles sans y trouver le moindre signe de vie s'étendait de chaque côté de la route. Des lumières apparurent, très loin devant lui. Il parcourut encore quelques dizaines de mètres et aperçut un homme qui marchait sur la chaussée en faisant de grands gestes des bras. Hilare, l'homme marchait presque sur la ligne médiane. Très grand, vêtu d'une veste de sport, le sourire affable, les cheveux retombant élégamment sur le front, ce n'était pas l'individu auquel il s'attendait.

Presque parvenu à hauteur de l'homme (les bras levés audessus de la tête, celui-ci était manifestement habitué à commander et à être obéi, comme l'indiquaient assez ses yeux largement écartés et ses pommettes saillantes), Standish enfonça l'accélérateur, se déporta brusquement et fonça droit sur lui.

Le choc fut effroyable; Standish se retrouva plaqué sur le volant. L'homme rebondit et, tel un pantin désarticulé, glissa sous la voiture. Il y eut un autre choc, plus léger. Standish pila, s'arrêta, releva le frein à main mais laissa le moteur tourner au ralenti. Lentement, mais résolument, sans même accorder un regard à celui qu'il venait d'écraser sous ses roues, il se mit en marche, pauvre bébé perdu dans la nuit, sans savoir où ses pas le portaient.

... ET PUIS UN JOUR

Et puis un jour elle le revit. Il avait dû s'écouler une année depuis leur première rencontre, car un autre été était passé; le temps était maintenant couvert et l'atmosphère s'était légèrement rafraîchie. Perdue dans ses pensées, elle venait de se dire que, de tous les gens qu'elle connaissait, elle était la seule à être heureuse que l'été fût fini. Elle préférait nettement l'automne. L'été n'apportait que plaisirs éphémères, tel un alcool capiteux qui s'évapore aussitôt monté à la tête et ne laisse qu'un plaisir mitigé. Mais, les jours comme celui-ci – alors qu'un léger voile vaporeux flottait en l'air, gommant les perspectives et les toits des immeubles –, elle avait toujours l'impression qu'il allait se produire quelque chose, que l'air allait se déchirer, là, juste sous ses yeux, s'ouvrir sur un autre monde.

Elle le reconnut immédiatement, bien qu'elle ne l'ait pas revu et n'ait pas songé à lui au cours de l'année écoulée. Il portait apparemment les mêmes vêtements que la dernière fois – un chandail noir et un jean si délavé qu'il en était presque blanc. Non, ce n'était pas le même jean; il n'avait pas non plus cette longue cicatrice rouge qui lui balafrait maintenant le visage, mais c'était bien lui. Comme il y avait un an, il semblait se mouvoir au sein d'un nuage; sans plus sourire, ou pleurer, il marchait à longues enjambées rapides. Son visage n'avait rien de bien remarquable et il n'était pas aussi jeune qu'elle l'avait tout d'abord cru. Intriguée, une jeune fille se détourna tout de même sur son passage, ainsi qu'un homme vêtu d'un imperméable brun à gros boutons. Que ce fût la lumière du jour, qui semblait glisser sur lui, ou bien une lumière intérieure, phénomène dont il n'avait absolument pas l'air conscient, qui irradiait de sa personne, tout comme l'année précédente, elle se sentit touchée par l'aile de la grâce. Il passa devant elle sans la voir. Elle se retourna, indécise, se traitant d'idiote, mais, malgré un léger sentiment de honte, la curiosité fut la plus forte et elle décida de le suivre, restant à une cinquantaine de mètres derrière lui. Elle ne voulait pas le laisser partir une nouvelle fois sans rien faire. Ce n'était pas tous les jours que la vie vous offrait une seconde chance et, excitée par cette rencontre inespérée, elle oublia les projets qu'elle avait faits pour le reste de l'après-midi.

Sa vie ne serait plus jamais la même; à chaque pas accompli, elle sentait le changement s'opérer et la transformation devenir plus profonde. Elle avait l'impression d'avoir été libérée d'un grand poids; cette rencontre était écrite, cela faisait des mois qu'elle l'attendait. Elle avait perdu une année entière dans un monde terne et ordinaire, un monde que n'éclairait jamais la moindre lueur d'espoir. Dans l'air qui s'assombrissait, à l'approche du soir, elle suivit le mystérieux inconnu et, sans regret, abandonna derrière elle le monde qu'elle avait toujours connu.

NOTE DE L'AUTEUR

La plupart des récits rassemblés ici m'ont été inspirés par mes lectures. Le thème dc « Blue Rose » m'est venu un jour que je lisais *La duplicité freudienne*, ouvrage critique d'un neurologue. L'idée de « Le genévrier » s'est présentée à moi avec une force extraordinaire pendant la lecture du court roman de Marguerite Duras, *L'Amant*; celle de « Petit guide à l'usage des touristes » m'a été fournie par la longue description de Saint-Pétersbourg dans l'essai de Joseph Brodsky, *Less Than One*. Et j'ai écrit « Mme Dieu » après avoir lu un grand nombre de nouvelles de Robert Aickman, de façon à pouvoir écrire l'introduction de l'anthologie *The Wine-Dark Sea*. L'exemple et le talent de Robert Aickman ont été très présents à mon esprit tout au long des aventures de William Standish à Esswood House.

« Blue Rose » et « Le genévrier » ont aussi des liens profonds avec un autre ouvrage que ceux que je viens de citer. Ce sont deux nouvelles écrites par Tim Underhill, l'énigmatique héros de mon roman *Koko*. Ces deux textes représentent ses premières tentatives pour transcrire sous une forme littéraire le problème du mal et de la violence dans toute leur complexité. Il s'ensuit que le Harry Beevers de « Blue Rose » n'est pas tout à fait le personnage qui porte le même nom dans *Koko*.

« Le chasseur de bisons » m'a été inspiré par les sculptures de Rona Pondick, en particulier son exposition *Bed Milk Shoe* à la galerie Fiction/Nonfiction de New York.

« Où l'on voit la mort, et aussi des flammes » est l'un de mes tout premiers récits et si je l'ai inclus ici, c'est parce que c'est le seul que j'aime encore aujourd'hui et qu'il cadre bien avec les autres textes du recueil. Comme Bobby Bunting, William Standish, ce bon vieux Harry Beevers ou le narrateur anonyme de « Le genévrier », Bobo vit dans une maison où toutes les issues ont été murées. Profond mystère. Angoissant. Mais aussi envoûtant.

Peter STRAUB

Cet ouvrage a été composé et réalisé par la
SOCIÉTÉ NOUVELLE FIRMIN-DIDOT (Mesnil-sur-l'Estrée)
pour le compte des ÉDITIONS OLIVIER ORBAN
12, avenue d'Italie, 75627 Paris Cedex 13

Achevé d'imprimer le 16 octobre 1992

Imprimé en France

N° d'impression : 21413
Dépôt légal : octobre 1992